岩波講座　世界歴史　15

主権国家と革命

一五～一八世紀

岩波講座

世界歴史

15

主権国家と革命

一五〜一八世紀

岩波書店

第15巻【責任編集】木畑洋一
安村直己

目次

展望｜*Perspective*

問題群｜*Inquiry*

コラム | *Column*

展　望 | *Perspective*

展望 | *Perspective*

近世／初期近代のヨーロッパ
――ルネサンスからフランス革命まで

坂下 史

はじめに

対象範囲

ルネサンスからフランス革命までのヨーロッパと大西洋世界の歴史。これが本巻の対象とする時空である。西暦でいえば一四五〇年頃から一八〇〇年頃に至る約三五〇年間に相当し、それまで自律的に展開してきたヨーロッパ世界とアメリカ世界の歴史は、この時期に急速に交渉の度合いを深めた。その過程でそれぞれの地域は不可逆的な影響を互いに与えあい、また受けあいながら変容していった。アフリカ西岸地域を含めた大西洋世界が、歴史記述の単位として相応の意味を持つようになるのは、まさにこの時代を通じてのことである。

本巻ではヨーロッパ史からのアプローチが基調を成す。ここで「大西洋世界」という場合、ヨーロッパ史のなかにあらわれてきたそれである場合が多い。これを本講座の第一四巻(『南北アメリカ大陸』)と照らしあわせることで、より立体的な歴史像を得ることができよう。一五世紀末以降、ヨーロッパ人は喜望峰経由でインド洋に達する航路を用いてアジアと交わるようになった。また、大西洋世界の延長線上に出来てきたアメリカ大陸西岸から東南アジアへと至る太平洋ルートも恒常的に利用されるようになった。本巻が対象とするのは、ヨーロッパとアジアの関係がそれまで以上に深まった時期である。こうしたヨーロッパ・アジア関係の変容を含めたグローバル化の進展に関わる諸問題の検討は、第一一巻(「構造化される世界」)の中心的なテーマである。一方、本巻では、様々な歴史事象への言及において、ヨーロッパ史の視点が前面にあらわれるが、それはヨーロッパ中心史観に留まることの積極的な意思表示ではなく、各巻の構成や執筆者の配置によるものである。

ルネサンスからフランス革命という時代区分は、ヨーロッパ史学における初期近代(early modern)にほぼ相当する。二一世紀の日本では、後段で示す理由でこれに「近世」という用語をあてることが多くなっており、本巻もこの流れを踏襲して「近世ヨーロッパ」という呼称を使っている。ただ、この「初期近代」と「近世」については、若干の説明を加えた方がよいだろう。そこで本稿では「近世ヨーロッパ」という括り(時代区分)が何を指し、そこにどのような含意があるのかを、用語選択の問題にも触れながらみていくことからはじめる。続いて、当該時期のヨーロッパの気候や人口といった基礎的条件(の一部)について簡潔に確認し、そうした条件のもとに展開した社会経済の動向を概観する。その後に、やや伝統的な政治史を核とする叙述がおかれる。時代や地域を限定して踏み込んだ個別のテーマによる話題は、問題群、焦点、コラムで展開されるので、「展望」ではそうした叙述の背後で前提となっている事項を確認しながら、近世ヨーロッパ史の展開を、政治、経済、そして社会における変化と連続の両方からあとづけることを、ひとまずの目標としている。その過程で、例えば物質文化(マテリアルカルチャー)のような、この時代を考える上できわめて重要だが、各論をおくことが適わなかったテーマへの言及も、可能な範囲で交えながら、約三五〇年間のヨーロッパと大西洋世界の歴史をたどる。

『岩波講座 世界歴史』のなかの近世ヨーロッパ

近世ヨーロッパ史が『岩波講座　世界歴史』に占めてきた位置をふり返ることは、この時空に関する研究史の一面に光をあてることにもなる(1)。

本巻のタイトルにおかれている「主権国家と革命」は、ヨーロッパの政治社会が近世という時代に経験したことに根ざしており、時代をあらわすキーワードといってよい。それもあってか、一九九七年から二〇〇〇年にかけて刊行された講座の第二期では、「主権国家と革命」は、それぞれを中心的に扱う巻が別々に配置されていた(第一六巻「主権国家と啓蒙」、第一七巻「環大西洋革命」)。一方、今回(第三期)の講座では、両テーマがこの一冊で扱われる。講座のなかでの狭義のヨーロッパ史の地位の低下傾向、つまりヨーロッパ中心史観への批判的なまなざしが背景にあるといって差し支えないだろう。この傾向は、第二期と第三期のあいだよりも、第一期と第二期のあいだでさらに顕著だった。一九六九年から七一年に刊行された第一期では、全三〇巻のシリーズのなかで、ほぼ五巻分の紙幅がルネサンスからフランス革命までのヨーロッパに与えられた。そこでは政治や経済から思想文化まで、幅広く様々な観点からこの時代のヨーロッパ社会が検討された。ヨーロッパ近代の端緒について知ることに、多くの人びとがいまとは比べものにならないほどの重要性を感じていたのが当時であろう。こうした状況は二〇世紀後半までに変化し、近世ヨーロッパに割り当てられる紙幅はこの段階で大幅に減った。いくつかのテーマや問題群が別の巻で扱われたとはいえ、基本的には第一六巻と第一七巻が第二期における近世ヨーロッパを引き受けた。各巻のページ数が第一期の四五〇頁前後から第二期の三〇〇頁程度へと減ったことも考慮に入れると紙幅は激減といってよい。

今回は、第二期に二冊を充当して取り上げた時代と地域について一冊で扱う。この二〇年ほどのあいだに目立ってきたテーマや研究視角もあるので、取り上げる主題や問題群は第二期と同様に選択的なものとならざるを得ない。第二期の第一六巻の「はしがき」に記されているが、政治史や思想史の基本事項の確認を目的とするなら、現在でも通用する記述が過去の講座のなかに多々ある。それらは十分な紙幅のもとにていねいに書かれていることが多いので、引き続き参照されつづける価値がある。[2] 近世ヨーロッパ史の研究蓄積は厚く、この間の視点の変化をふまえた新しい研究は重要で刺激的である。ただ、それらが過去の研究の全てを書き換えたかというと、必ずしもそうとばかりはいえないことに留意したい。

第一期と第二期の関係全般は、知的風景の変化をふくめて、第二期で確認されている。ここでは近世ヨーロッパを扱った二冊との関係で本巻の立っている地点を示しておきたい。まずは第一六巻（「主権国家と啓蒙」）である。その総論（「構造と展開」）にあたる「近世ヨーロッパ」（近藤 一九九九）にみえるのは、戦後史学（一国史や生産力重視の立場、近世を模範としての近代の前段としてみる姿勢など）を相対化し、欧米を中心に二〇世紀後半にひろがったグローバリズムや流通文明論に飲み込まれないで、近世人の模索した政治社会のかたちと世界市民的なひろがりを考え直すという姿勢である。そのために有効な切り口でありキーワードとなるのが「主権国家と啓蒙」だった。主権国家に典型的にあらわれてくる領域的主権の確立に向かう凝集の動きと、啓蒙がその一面を体現している汎ヨーロッパ的な経済・文化の展開の並行状態を、近世ヨーロッパの支配的傾向とみているからである。

全体として、近代主義的で目的論的なアプローチを避ける姿勢を堅持し、いくつもの歴史事象が空間的にも時間的にも広範囲に散らばり、それらが絡まり展開していく可能性が様々にあったということが強調されている。近世のはじまりについての説明が明瞭なのに比して、帰結としての近代への橋渡し部分は、巻の構成上の理由から本格的に触れられていない。そのため近世の着地点は必ずしも明快ではない。また、近世ヨーロッパにおける凝集と拡散の対抗や、過程を通じての変容の説明はていねいだが、若干議論が拡散しているという印象も否めない。それこそが近世ヨーロッパなのだといえば、それはそのとおりであるのだが。また、大西洋世界、フランス革命、産業革命などは当然ながら中心的には扱われておらず、ジェンダーやマイノリティ、非ヨーロッパとの関係は主に各論が取り扱っている。

第一七巻（「環太西洋革命」）の総論「環大西洋革命の時代」（川北 一九九七）は、一八世紀後半から一八三〇年代までにヨーロッパを中心として一体化された世界がどう変化したのかを明らかにし、それを世界史の転換点として意味づけている。近世から近代への移行を、狭義のヨーロッパを超える環大西洋革命の展開をふまえ、世界システムとしての経済的統合を重視して描き出す同巻の総論のキーワードは、「二重革命」(工業化と環大西洋革命)である。七年戦争と二重革命の意味の検討につづいて、具体的な歴史事象として触れられているのは、イギリス産業革命、最初のクレオール革命としてのアメリカの独立、そしてフランス革命である。最後のセクションでは、一九世紀半ばのパックス・ブリタニカへと向かう道筋を示している。

総論の記述の基調を成すのは「世界システム論」の視点である。環大西洋革命論は、ここでは一国史や西欧中心主義を超える試みのひとつであり、産業革命とフランス革命を念頭に構想された二重革命論の変形版だとされている。記述はほぼ英、仏、米の動向に絞られるが、これは各論との役割分担とみることができよう。商業を核とする社会経済の問題を中心に、近代のはじまりをパックス・ブリタニカの条件整備として描くストーリー展開は明瞭で、空間的なひろがりの強調も一貫している。環大西洋世界の歴史という意味で、その後のグローバル・ヒストリーの隆盛を予感させる。ただ、「世界システム論」は、結局のところ、西洋の影響力拡大の物語のヴァリアントではないのか、と批判される場面が目につく現在、このストーリーがほぼ単体としておかれていることに、必ずしも満足しない読者もおそらくいるだろう。

本巻の立ち位置

講座のなかの近世ヨーロッパの位置づけの変遷をみたが、そこにある流れの延長線上におかれている本巻は必然的に第一期とはだいぶ遠い地点に立っている。一方で、第二期とのあいだには相当程度の連続性や親和性があることを、ここであらかじめ言明しておきたい。第二期との違いをあえていえば、例えば、ヨーロッパ発の世界の構造化をどうみるかという点とかかわってくる。第二期においては、一六世紀以降に本格化したヨーロッパを中核とする世界の構造化の進展という視点が、比較的分かりやすい通奏低音のように響いていた。これに対して、ここでは、それが完全に消失したとまではいえないが、時には他に紛れ、聴くことに慣れた人を別にすると、必ずしも気がつかない程度にまで抑えられてきているという点に特徴があるのかもしれない。また、この間の研究の展開をふまえた、文化史やグローバル・ヒストリー、そして急速に注目度が高まっている環境というテーマへの目配りも、本巻には一定程度まで含まれている(例えば、問題群「産業革命論」)。

本巻の特徴のひとつは一冊で取り扱う範囲の大きさである。ルネサンスは中世ヨーロッパを扱う本講座第九巻(「ヨーロッパと西アジアの変容」)ではなく本巻におかれている。大西洋世界への注目度が増し、日本を含む極東世界とヨーロッパの交渉を取り扱う章が複数配置されているのは、この間に進んだグローバル・ヒストリーの展開を意識してのことだといえる(焦点「一七—一八世紀ヨーロッパにおける日本情報と日本のイメージ」、コラム「『鎖国論』の「鎖国」」)。変わらないのは、本巻が取り上げるのが、一九世紀以降の「狭義の近代」へと至る時代のヨーロッパだという点であり、近世/初期近代という立ち位置から、これに続く「ヨーロッパの近代」を照射するという姿勢であろう。これが完全に消えることはない。もちろんそれは単に近世という時代のなかに近代への芽を探すという作業ではない。また、ヨーロッパ近代の世界史的な普遍性をあらためて確認することでもない。世界のなかの一地方としてのヨーロッパの近世/初期近代という時代を、近代に直接しないことがらも含めて、ひとつのプロセスとしてみていくというものである。

ヨーロッパの歴史が普遍的なモデルを提供するという前提がすっかり崩れた後であっても、特殊でローカルなヨーロッパ的な近世/初期近代が何であったのかを、あらためて世界史のなかで考えてみるという気構えはまだ必要であろう。それは人権や自由、法の下の平等や民主主義といった人類の普遍的な価値とされてきたものを、歴史の文脈のなかに置いて、その「普遍性」とは何であったのかを、見直してみるということにも連なる。現在において普遍的にも思われる概念や価値観が、ある特定の地域と時代状況のなかで生まれてきた経緯を問う企てともいえる。ヨーロッパ中心史観は批判されてしかるべきだが、近世ヨーロッパ史の基本事項の確認や、研究の新たな展開について記しておくことの意味は、近世ヨーロッパがそれ以降の世界に与えた影響をそう易々とは消すことが出来ない以上、簡単には消失させられない。

近世については、本講座の第一一巻が、人・モノ・情報の移動・伝播を重視するグローバル・ヒストリーの立場から、この用語に独特な意味合いを加味して使用している。その近世は一五世紀の「コロンブス交換」から一九世紀末の国際航路での蒸気船運航や国際電信網が整備された時期まで続いている。これに比べると、本巻における近世の用法やそれが指す時期はオーソドックスなものである。それがヨーロッパ史をみる際にはむしろ適合的だともいえる。近世ヨーロッパは、非ヨーロッパ世界との交渉の度合いを高めていたとはいえ、突き詰めればローカルなまとまりの単位であるから、グローバル・ヒストリーのそれとは相容れない部分もあろう。ただ、このヨーロッパの近世にも、それが登場してきた時代や場所に由来するいきさつがあり、また研究者のあいだでの用法には相当のバラツキがある。なかには近世という用語の使用に消極的であったり、全く否定的な立場を表明したりする研究者もいる。まずはこうした点をみておこう。

一、ヨーロッパ史における近世と初期近代

近世／初期近代は時代区分のひとつで、対象を分析的に捉えるための道具である。それは連続と変化を分別し、歴史に意味を与えるだろう。いうまでもなく、近世も初期近代もある種の価値観や立場性を保持している。以下では、ヨーロッパ史学における初期近代の登場と、日本のヨーロッパ史における近世の採用について、その含意するところ

をみていきたい。その上で、具体的な歴史事象の叙述に入る前に、近世ヨーロッパの全般的な特徴を確認しておこう。

「初期近代/近世」を追加する

何巻にもおよぶ事典類を別にすれば、近世ヨーロッパ史研究の導きの糸として、オックスフォード大学出版局から出た『初期近代(early modern)ヨーロッパ史ハンドブック　一三五〇―一七五〇』(二〇一五年)が包括的で有用である。このハンドブックは図書館等を通じた電子版へのアクセスもよいので、最もスタンダードな手引きの地位をしばらくは維持すると思われる。同書の編者H・スコットによれば、初期近代はほぼ一四五〇年/一五〇〇年から一八〇〇年を指し、一九六〇年代の終わりから七〇年代の初めにかけて一般化し始めた比較的新しい時代区分である。スコットはまた、英米やドイツで初期近代が確立された研究領域となっているのに対し、フランス革命の前後で時代を区切る傾向があるロマンス語圏における定着度はそれに比べると低いともいっている(Scott 2015, I: 4-16)。

初期近代は近代の一部を切り取るようにしてつくられた時代区分である。そのため、以前からあった古代、中世、近代の三分法との関わりは深い。時代を三つに分けるこの発想法はルネサンス期のイタリアにあらわれ、二〇世紀までヨーロッパの歴史家たちの考え方を規定してきた。一四世紀のペトラルカ、一五世紀のブルーニにすでにみられるが、ヴァザーリが『画家・彫刻家・建築家列伝』(一五五〇年)で、ミケランジェロなどの作品を古代の栄光が生まれ変わってあらわれたものとしたのが、とりわけよく知られている。古代の「旧い光」とルネサンス期の「新しい光」のあいだに中世の「闇」をおくこの時代区分は、一七世紀までにヨーロッパ各地でひろく受け入れられた。そこでの「新しさ」とは古代という過去との対比での新しさで、やがて一七世紀から一八世紀初めに古代文学と近代文学の優劣をめぐって繰りひろげられる新旧論争における「新」の側である。だが、一八世紀を通じて、この「新」は古代(=旧)との関係から解き放たれ、未来をむいた「近代」として再定義されていった。その過程で、コロンブスの最初の航海(一四九二年)やプロテスタント宗教改革の始まり(一五一七年)が、ルネサンスとともに近代の起源とされるようにもなった。ルネサンス期に登場した時代区分は、本巻が対象とする時代を通じて変容し、やがて強力な思考の枠組みとなって一九世紀、二〇世紀に受け継がれていった(Wiesner-Hanks 2021: 1-10)。

「歴史とは何か」シリーズ(出版社ポリティ)の『初期近代史とは何か?』(二〇二一年)の著者M・E・ウィーズナー＝ハンクスに従えば、一九二六年の著作で中世史家L・ソーンダイクがイタリア・ルネサンスに代わる包括的な用語としてこれを用いたのが、歴史学の場で初期近代が使われた早い例である(Wiesner-Hanks 2021: 4)。それは何世紀も前に考案された三分法を改良し、近代の一部を初期近代として切り出す試みとなった。一九四〇年代にはこの用語を使う論文が散見される程度だったが、五〇年代になると経済史家の一部がより積極的な使用を開始した。それでも一九六〇年代初頭のJ・H・エリオットとH・G・ケーニヒスバーガーによる「ケンブリッジ版初期近代史叢書」の企画は、「初期近代」が一般読者には分からないという理由で出版社の同意を得られなかったという。しかし、六六年にはこの叢書の刊行がはじまり、それ以降に初期近代という用語も定着していったとみられる(エリオット 二〇一七:六〇頁)。

一九七〇年代から八〇年代にかけて、英語圏では経済史だけでなく社会史や政治史の研究者もこの用語を使うようになったが、フランスの歴史研究はやや距離を取る傾向にあったとされる。アナール学派の社会科学的な歴史研究に傾倒していた英語圏の歴史家が、この新しい時代区分の導入に積極的だったことを考えると、それはやや皮肉な状況だったかもしれない。初期近代を採用するかどうかは別にして、当該時期のヨーロッパは質的な資料と量的な資料の両方が適度にあって、当時の社会科学的歴史を実践するのに適したフィールドだった。初期近代の定着が社会史の成功と時期的に重なっているのはおそらく偶然ではない。こうした社会史研究の隆盛ともかかわるが、ルネサンス、宗教改革、絶対主義といった特定の事象、あるいはルターやコロンブスのような人物に時代を代表させることへの懐疑がひろまるなかで、「初期近代」という新たな区分が根づいていったのだった。(3) 初期近代の使用は一九八〇年代、九〇年代を通じてさらに一般化し、学術研究、出版、学会に普及し、書籍や学術雑誌のタイトルにも頻繁にみられるようになった(Scott 2015, I: 4-16)。

この時代区分が広く受け入れられたのは、それが長期的な歴史の過程と様々な場面を、社会、経済、文化的な視点から分析し、この時期のヨーロッパを一定のまとまりを持った時代として再定義しようとする動きと相性がよかったからである。有名な「一七世紀の危機」論争(後述)もこうした動向の一部とみることができる。ただし、少なくともその出発点においては、初期近代が近代の下位区分であり、一八〇〇年以降のどこかでやって来る満開の近代を準備する数世紀として認識される傾向があった点に留意する必要があろう。

近世と初期近代

日本における初期近代ヨーロッパをめぐる考え方はやや独特である。先にも述べたように、これに「近世」という語をあてることが多いからである。「古代・中世・近代・現代」を採用した第一期の『岩波講座 世界歴史』に「近世」は見当たらない。第二期に共通の時代区分はないが、当該期のヨーロッパを扱う第一六巻、第一七巻では「近世」が使われ、第一六巻ではダイナミックに変化し拡大する時代の動態を全ヨーロッパ的な連関のなかでつかむのには、それが有益だとしている。あわせて、もし「初期近代」を採用すると、一九世紀以降のヨーロッパを中心とした世界の再編成に先立つ移行期の意味が強まるとも述べているので、そうした傾向から距離を取るために「近世」を選んだと推察できる。ただ、近世史完結や近代史開始に直接的にかかわる一八世紀末が射程外であるためか、それ以上の説明はない。第一七巻にも用語についての踏み込んだ記述はない。

本講座よりも広範な読者層を念頭におく山川出版社の『世界史リブレット』で、「近世」が表題にあるのは『東アジアの『近世』と『近世ヨーロッパ』の二冊である。[4] 前者を著した岸本美緒は、「現代日本の歴史学では「近代」と区別して「近世」という語をもちいているのに対して、ヨーロッパでは日本語の近世に相当する語はなく、一六から一八世紀ころの絶対主義時代はアーリーモダンなどと呼ばれることが多い」としている（岸本 一九九八：四頁）。ヨーロッパ史学に「近世」はないのである。岸本はまた別のところで、近世と近代が時代区分として用いられた場合に生じる違いについて述べている。それによれば、近代という語には「普遍的に通用する内容指標――民主主義、合理精神、高度な科学技術、発達した工業、資本主義、など――が含意されている場合が多」く、そのため「ある種の価値意識が負荷されている」。これに対して、近世はそうではないという点が特徴的である。共通の内容は希薄だが近世は多様な内容を包含できるという意味でオープンな概念として使える。独自の問題関心のもとで、一五、一六世紀以降に商業化や新たな国家形成を特徴とするひとつのサイクルを見出すアジア史研究においては、その時代を指す用語としての近世に注目が集まってきているというのである（岸本 二〇一九：五一―六頁）。

アジア史では「近世」を意図的、戦略的に用いているようである。これに比べると、日本のヨーロッパ史研究で、なぜ初期近代ではなく近世なのかについての明快な説明はあまり多くないように感じる。『思想』の「時代区分論」特集号に、「西洋近世史研究の七〇年」を寄稿した岩﨑周一が、ある時期までの日本では「「近世」と「初期近代（近代初期）」が混在していたが、「近世」の固有性を重視する見解が優勢になるにつれて、前者が主流となった」と、理由をわりとはっきり述べているのはむしろ珍しい（岩﨑 二〇二〇：五六頁）。本巻も「近世ヨーロッパ」という用語を使うことで、こうした利点を享受したい。ただ、日本語で近世を選択しても近代からそう易々とは逃れられない。これは「初期近代」という用語や概念をめぐる批判にかかわってくる。

初期近代ヨーロッパの「困難」

「初期近代」という用語には、まだ到達していない近代へと向かう途上という含みがある。早い時期からこの用語を積極的に使い、中世でもなく近代でもない時代の特徴を描いてきたエリオットでさえ、この「初期近代」という用語を使うと、その時代が「現代社会に至る道筋の通過すべき一点に過ぎないという誤解を与えてしまう危険性」があると警告している。ただその上で、これに代わるよりよい言葉は、いまのところ見つからないとも述べている(エリオット 二〇一七：六一頁)。

イタリア史研究者のR・スターンは「初期近代の泥沼」というよく知られた論文でこの用語を用いることに対して批判的な議論を展開した(Starn 2002)。まだ実現されていない近代に向かって突き進もうとする様々な事象が、近代にたどり着くことが出来ずに崩れおちた残骸が散らばり、いわば泥沼状態になっているのが初期近代という「研究フィールド」で、歩くべき道が見失われている。スターンは当時の研究状況をそう皮肉った。さらに、初期近代という用語と枠組みを使うと、結局のところ、研究対象が人物であっても、制度であっても、思想であっても、それぞれに見出せる近代性の度合いを点数化して計ることに囚われていってしまうとする。スターンにとって問題だったのは、これによって時代が向かっていく方向性を全体としてつかむ姿勢が薄らいでしまうことであり、また、点数の低い時空を、つまり北西ヨーロッパ以外を、研究の枠の外に押し出しかねない点だった。

初期近代批判は「大分岐」論が有名なカリフォルニア学派の創始者の一人、J・A・ゴールドストーンにもみられる(Goldstone 1998)。歴史家というよりも歴史社会学者であるゴールドストーンの出世作は、イギリス革命とフランス革命を中心に、初期近代の革命と反乱を世界規模で比較した著書で、当初は「初期近代」という用語を自らも使っていた(Goldstone 1991)。しかしのちに、「初期近代」は用語としては無意味だと主張するようになる。ゴールドストーンいわく、化石燃料が動力源の工場での大量生産を基調とする経済、聖なる支配に代わる参加型の立憲政治、信仰の自由や日常生活の世俗化といった一般的近代の指標に照らしあわせると、それらを同時に十分に達成したケースが、名誉革命後のイギリスという例外を除くと、いわゆる初期近代には全く見当たらない。つまり、初期近代の社会を、政治、宗教、技術の面で近代へと移行しつつある社会と定義するなら、それはほとんどどこにも見あたらないのだから、その用語はなんの役にも立たないのである。ゴールドストーンは、一五〇〇年から一八〇〇年のヨーロッパを指す際に「近代」を含む呼称を用いることに懐疑的で、ヨーロッパ以外の世界も含めて、産業革命前にあたる時期については「高度有機物(依存)経済」(リグリィ 一九九一)と捉えることがより妥当だという主張を展開している。

こうした主張はやや極端なもので、グローバルな視点や比較に囚われてヨーロッパの特殊性を過度に低く見積もろうとした結果、目が曇ってしまっているのではないか、といった類いの反批判もある。実際、初期近代ヨーロッパはすでに確立された研究分野だし、これに相当する日本語の近世ヨーロッパも定着している。「近世」という語を使うことで、「近代」という語が否応なく内包する指標や価値意識から距離を取りやすくなるなら、「近世」という日本語にはある種の優位性もあろう。ただ、それをもって近代との関係の大部分を括弧に入れてしまうことは、様々な意味で近代との近接度が高いヨーロッパ近世史においてはとりわけ難しい。やはり近世ヨーロッパは初期近代なのである。

連続性と地域差と複数の時間

近世には前近代社会からの連続性を強調する立場からの挑戦もまたある。E・ル・ロワ・ラデュリの「動きのない時代」や、J・ル・ゴフの「長い中世」は、ルネサンスを分水嶺とみなさないし、社会経済の構造やキリスト教の影響という点で、工業化が始まるより前のヨーロッパ社会を、連続性を軸に捉えている。O・ブルンナー以来の「旧いヨーロッパ」という枠組みで、社団的で階層的な社会的、政治的構造の連続を強調する立場がドイツ語圏にもある(Scott 2015, I: 19-20)。ルネサンス期に女性は「再生」に当たるようなことをとくに経験していなかったから、少なくとも女性にとっては、ルネサンスは、ひとまとまりの時代としての意味をもたない、という女性史家J・ケリーの発言はよく知られている(Wisner-Hanks 2019: 14)。個別の事象についても連続の主張はむしろ容易い。コロンブスやルターに先立つ異文化接触者や改革者をみつけられるだろう。また、資本主義の拡大、国家の成長、科学技術への関心の高まりも先行事例を示したり、変化の緩慢さの証拠を出したりすることができよう。これらは中世後期をどうみるかという問題にかかわり、近世の開始をより早い時期にみることで応えられるケースもある。

連続性にくわえて地域差の問題もある。次節以降でみるように、北西ヨーロッパとそれ以外の地域はなかなか同列には並べられない。例えば、オランダ経済は最初の近代経済ともいわれて他と区別されることがある。一七八〇年代、ドイツから来た作家モーリッツも、フランスからきたリアンクール公爵の息子も、大陸からイングランドを訪れたものはほとんど別世界をそこにみた(Moriz 1983; Scarfe 1988)。近世という枠組みは、中世と近代が組み合わさったヨーロッパを描くための枠組みだったが、一部の変化は他の地域のそれより明らかに早く、地域ごとに別々の時間が流れていたといわざるを得ない。北西ヨーロッパはむしろ例外で、イベリア半島、イタリア、中欧、スカンディナヴィア半島、ポーランド、リトアニア、ロシア、つまり大陸の大部分では、近世が一九世紀半ばまで続いたというのがむしろ妥当で、ヨーロッパには複数の時間があることを認めた方がよいのかもしれない。

批判には結局のところ、個々の研究で応えていくことになる。ただ、かつてのように近代ヨーロッパへと向かうひとつの道を照らすことで、この時代の性格づけをすることを避けるのなら、おそらく近世ヨーロッパを一体として捉えるのはかなり困難である。とるべきひとつの姿勢は、複数の時間が同時に流れている空間として近世ヨーロッパをつかみ取るというものだろう。共時性を重視する最近の傾向からは一歩離れてしまうようであるが、近世ヨーロッパという時空をみていく際には、むしろそちらが有効な場合もある。

次に、こうした点も念頭に、近世ヨーロッパにおける連続と変化について、地域性をふまえながら、基礎的条件や社会経済の全般的傾向を確認しておこう。

二、基本条件と近世ヨーロッパの経済

気候と人口(5)

近世のヨーロッパは全体としてみれば現在より寒かった。小氷河期は一三〇〇年頃に始まり一九〇〇年頃まで続いたとされ、北半球の気温は二〇世紀の半ばに比べると一度から二度ほど低かったといわれる。一六世紀後半から一七世紀前半は特に寒冷で、一七世紀初頭にはイギリスのテムズ川やオランダの多くの運河が凍結した記録がある。しかし一方で、一五四〇年のフランスでは人々が暑さを避けるために朝から地下室に避難し、スイスやドイツでは森林や草地で自然発火があったとされる。また、ヴェルサイユで人びとが凍えていた一七〇九年の冬、ブリテン諸島は比較的温暖な冬季を迎えていた。つまり、一様に何時も何処もが寒冷だったのではない。

西ヨーロッパについていえば、一五世紀半ば以降に特に冬が厳しかったのは、一五四四年から八三年、一五六〇年から七三年、一六八〇年から九七年、そして一七四〇年代だとされる。寒冷な時期には冷気が地中海地域にまで入り込んで柑橘類やオリーブが被害を受けることもあった。目を東に移すと、ロシアでは一五世紀半ばに寒冷化したが、一六世紀の前半はむしろ温暖だった。ポーランドでは一五五〇年頃から冬の気温が下がり、その後一七五〇年に至るまで低かったことが知られている。一方、東ヨーロッパの一七世紀前半は比較的高温で、これはベーリング海峡を越える北東航路の開拓の時期と重なっている(焦点「ロシアの「大航海時代」と日本」)。地中海地域はほぼ恒常的に寒冷傾向にあり、一五九〇年から一六一九年はとりわけ天候不順な時期であった。ヨーロッパ全体でみると、一五六〇年頃から一六三〇年頃は特に厳しい時期で、いわゆる「一七世紀の危機」に重なる。

人口動態と気候とのあいだには一定の関係をみることができる。推計によると、黒死病の流行が始まる前の一三四〇年代のヨーロッパの人口は七五〇〇万人程度である。これはその後の約四〇〇年で倍増し、一七五〇年には一億四〇〇〇万人を超えた。一八〇〇年には一億八八〇〇万人ほどといわれる。人口動態からみた一四世紀から一八世紀のヨーロッパは四つの時期に分けられる。すなわち、疫病が頻発して人口に抑制がかかった一三四〇年から一四五〇年、相対的には気候が温暖で人口増があった一五〇〇年から七〇年、そのあとの厳しい気候と戦争による人口抑制傾向が見られた時期、そして再び人口が増加する一八世紀で、世紀の後半以降には急増期に入る。

人口については多くの研究があるが、教区システムが普及する以前の出生や埋葬の記録は不完全で人口変動の原因究明は困難である。教区システムがヨーロッパの多くの地域に導入された一六世紀以降でも、人口増の主因が出生率と死亡率のどちらにあるのかについては統一的な見解はない。ケンブリッジグループなどが出生率を重視する一方で、別の人びとは死亡率の減少から一六世紀の人口増を説明しようとする。いずれにしても、一六世紀にはヨーロッパ全体に人口増加の傾向があった。それまで人口が多いとはいえなかった低地地方の北部はこの時期に人口が倍増したとされる。死亡率の高さにもかかわらず、この時期には都市が周辺の後背地から人口を引き寄せて大きく成長したのであった。

一六世紀に顕著だった人口増は世紀転換期には多くの地域で鈍化し、その傾向は一七二〇年代まで続いた。天候の寒冷化や様々な種類の社会的な混乱の重なりが原因だとされる。三十年戦争の影響が大きかったドイツ地域ではこの時期に人口減少がみられたが、オランダとイングランドではペースは鈍ったとはいえ人口は増えていた。この時期のイングランドでは、結婚を遅らせたり、諦めたりすることによる出生率の低下が確認できる。他の地域については天候不順による農業における不作、それに続く飢饉や疫病の流行といった死亡に関わる部分に大きな理由があったとされる。その後、一八世紀の半ばまでには、ほとんどの地域で再び人口が増加し、その頃になると死亡率の全般的な低下傾向もはっきりとした。仮に一五〇〇年から一八〇〇年を近世だとすれば、それはヨーロッパ総人口がこの間に二・二倍になる人口成長を経験した時期ということになる。

差異と共通性

近世ヨーロッパの経済には拡大、停滞、再拡大の三つのフェーズがあった。一五世紀末から一六世紀は中世後期の危機からの回復期であり、生き残ったものにとっては機会の到来でもあった。一七世紀は天候不順に戦争や騒乱とも重なって人口増加が鈍り経済活動も鈍化したが、その先には再拡大の一八世紀がやってくる。この間に生じた構造的な変化のひとつはヨーロッパ内部での地域差の明確化である。西ヨーロッパでは、領主が資本主義的経営をおこなう大地主に転じ、また富農の一部も、農業に加えて織物などの製造業を展開する経営者となった。この一方で、エルベ川の東側では、領主が隷農を使役して大農場を経営し、西ヨーロッパ向けの穀物を生産する農場領主制がひろまった。この過程で東ヨーロッパの経済は西ヨーロッパに従属するかたちとなった。政治的な騒乱と人口停滞の一七世紀を経て、ヨーロッパの経済活動の中心は地中海地域から北西ヨーロッパに移ったのだ。

この傾向は全体としては正しい。ただ北西ヨーロッパといっても、オランダとイギリスの急成長は約一世紀の時間差をもって生じている。イタリア、スペイン、ポルトガルといった地中海地域、そしてドイツ語圏やスカンディナヴィアでも、一七、一八世紀に相対的には小規模であったとしても経済成長を経験している時期がある。こうしたことともあわせて考える必要がある。つまり、北西ヨーロッパを一括りとして切り取って、特殊ヨーロッパ的な経済成長の地域としてみることだけで事足りるかは議論の余地がある。また、近世ヨーロッパでは、全体的に食糧不足により過剰な人口が抑制される「マルサスの罠」にはまった大量死が繰り返し起こることはなかった。成長のペースは早くはないが、一〇〇年から一五〇年あればその経済規模が二倍になる程度には成長していた。成長は北西ヨーロッパだけに限定されていたわけではないのである(Scott 2015, I: chapter 10: Economics and Social Trend)。ヨーロッパの大部分では、一五世紀から一六世紀には人口が増えて経済が拡大し、一七世紀には、それがいったん減速し、地域によってはさらに反転した。しかし、このような全体傾向のなかにはいくつもの例外があった。例えば、一七世紀はオランダにおいては栄光の世紀である。確かに一八世紀になると、北西ヨーロッパを頂点に、南ヨーロッパと中央ヨーロッパの一部を中間に、そして東ヨーロッパとスカンディナヴィアを底辺とする経済発展の格差が生まれた。しかし、ヨーロッパの各地域は少しずつ異なる道筋で成長していたとみることも可能で、ヨーロッパ内部での差は、ヨーロッパと非ヨーロッパ世界とのあいだにあらわれ始めた大きな違いに比すれば、小さな違いにすぎないとみることも可能だろう。

実はこれはヨーロッパの経済成長の開始時期とその理由、そして産業革命をどう位置づけるかという経済史がながく向き合ってきた問題である。近世ヨーロッパを対象とする経済史研究の多くは、その後の世界に大きな影響を与える持続的で大規模な経済成長や、その核にあるとされた資本主義の始まりについて、実態と理由を解明しようとしてきた。そして、それらがどこまで特殊ヨーロッパ的であったのか問うことを軸に展開してきたのであった。ルネサンスに代えて初期近代を近代の端緒とすることに経済史が早い段階から積極的だったのは、エリートを中心とする文化運動であるルネサンスが、経済成長や資本主義の問題を考える際にはやや窮屈であったからである。

近世ヨーロッパの経済成長に関する研究のかなりの部分は、封建制から資本主義への移行や、産業革命の原因と結果に関心を向けてきた。この種の議論は、あえて単純化すれば、次の三点をめぐってぐるぐると回っている。つまり、成長を牽引した地域、変化が開始した時期、その原因と結果である。そしてそれは、多かれ少なかれ、近世ヨーロッパに、どれほどの近代性や特殊性を認めるかという問題についての立場表明の性格を持っている。

地域に関しては北西ヨーロッパにその中心があるという点でほぼ一致している。時期については、近世の前半からの動向を重視する立場と、近世末期の変動を重視する立場に分かれる。原因については、ヨーロッパ社会内部の動きを重視する立場と、大西洋経済が生み出した富の影響や、先進的なアジアへのキャッチアップといったヨーロッパ外との関係性を重視する立場がある。前者においては、それが禁欲的プロテスタンティズムの倫理という宗教的理由であるにせよ、必需品以外の消費財を得ることへの欲求の高まりといったより世俗的な理由であるにせよ、あるいは有用な知識の実用化を可能にした啓蒙期の社会的ネットワークの形成であるにせよ、近世ヨーロッパ人の行動とその結果を重視する。後者は、原料と市場を提供する海外植民地の存在と、ヨーロッパの一部に偶然にも備わっていた石炭の採掘と運搬のしやすさなどの自然条件が、近世末の一七五〇年以降に重なることで変化が起こってきたという。つまり、近世ヨーロッパ内での人為的な行動がカギだとする立場と、偶然の自然条件に影響された変化が、近世も終わろうとする時期に開始されたとする見解である。これもあえて単純化すれば、意図派と偶然派になり、前者は近世ヨーロッパにある種の特殊性や近代性を読み込む度合いがたかい。こうした議論の着地点は定まっていないが、グローバル・ヒストリーの隆盛とも連動し、アジア経済との比較を前面に出して、空間を大きく取った説明を展開する後者への注目度が高まっているのが現状だろう(問題群「産業革命論」、奥西他 二〇一〇：第I部)。

以上、多様な近世ヨーロッパの世界に存在する差異と共通性(の一部分)を、北西ヨーロッパの特殊性や近代性をどうみるかという問題とも絡めて確認した。これ以降は、近世を大きく前半と後半に分けて、文化・社会の動向と政治社会の変遷を主要なテーマに沿ってみていこう。

三、近世のはじまり

ルネサンス

ルネサンスは近世なのか。その扱いは一様ではない。高校教科書ではルネサンスを近世においているものが多いが、イタリア・ルネサンスは中世に、北方ルネサンスは近世に、と場所が分かれている場合もある。近年話題になった『論点・西洋史学』(ミネルヴァ書房)でもイタリア・ルネサンスは中世のセクションにある。本講座の中世ヨーロッパを扱う巻にはルネサンスがないので、ひとまずそこから確認しておきたい。イタリアを出たのちのルネサンスは、これを主題とする章(焦点「ルネサンス期の文化と国家」)にまかせよう。

通常、ルネサンスは一四世紀から一六世紀にかけてヨーロッパ各地で展開した、思想、芸術、学問の全般にわたる文化運動とされる。それは現代でいえば、哲学、文献学、キリスト教学、美術、建築、音楽、演劇、文学、言語学、歴史叙述、政治論、科学、技術に相当する様々な分野の学問や芸術とのかかわりを持つ。ルネサンスはまた時代区分として用いられる場合があり、これよりも包括的で優れた区分だとして、初期近代(近世)が考案されたことはすでに触れた。よく知られるように、ジュール・ミシュレやヤーコプ・ブルクハルトなどの一九世紀の歴史家は、ルネサンスに古代文化の再生や現世的で世俗的な人間中心主義を見出した。ルネサンスを通じてヨーロッパは野蛮と暗黒の中世から解放された。キリスト教による支配にかわる現世的な人間中心の世界観が生まれ、人びとは理性を尊重する自由な精神を獲得した。少し前まで馴染み深かったこうした説明の出所であり、ルネサンスは近代精神の出発点で、その後のヨーロッパの発展を支えたという解釈に基づく。しかし、現在では、ルネサンスと近代的合理性を単純には結びつけるのは難しくなっている。

「カロリング・ルネサンス」(八、九世紀)や「一二世紀ルネサンス」という概念が提示されて、一五世紀以前にも古代文化への注目が何度もあったことが明らかになってくると、中世との連続性がむしろ強調される傾向が強まった。いわゆるルネサンスは中世に生起した複数の大小の古代文化復興運動の最終局面であり、単独で理解されるべきものではないというのである。近代との非連続についても指摘されており、近代科学の中心となる諸原理が体系化され、理性に基づく理解がひろまるのは、一七世紀の科学革命や一八世紀の啓蒙の時代を経てのことだとされるようになった。ルネサンスが中世から続く長い移行期における文化的な動向なら、近世でこれを扱う際には相応の留意が必要である。

時代区分上の位置だけでなく、空間的な意味での捉え直しもすすんだ。古代文化はビザンツ世界、イスラム世界においてそれぞれに継承されていた。イタリアや西ヨーロッパという枠ではなく地中海世界という単位でみれば、ルネサンス期のイタリアで起こっていたことは、断絶を経た後の再生というよりも、連綿と継承されてきたものが多少かたちをかえて展開したのだといえないこともない。

ルネサンスは中世盛期以降、東方貿易で繁栄を謳歌したジェノヴァ、ピサ、ヴェネツィアなどの港湾都市にはじまり、やがて、フィレンツェ、シエナなどのトスカーナ地方の内陸都市が加わった。ルネサンスの背後には、遠隔地貿易で利益を生み出す広域的な流通網と経済圏を持つ都市の存在があった。そして、都市貴族のパトロン活動がこの文化運動を支えた。都市貴族たちが競うように芸術や学芸を後援したのは、彼らの経済力や権力が、単に武力によって獲得され、維持されていたのではなく、知力や審美的な力によってもまた支えられていたからである。パトロンたちは芸術や学芸の持つ不可視の力に投資したのであり、それは単なる趣味や娯楽の域には収まりきらない権力維持のための重要な活動であった。荘厳な邸宅、豪華な庭園、贅沢な内装や家具、華麗な装身具や武具、華美な遊技や祭儀などはみな政治的権力の表象であった。

一六世紀になると、イタリア・ルネサンスに停滞が見え始める。人文主義は手続き的になり、美術では平衡感のある理想美の追求から離れて故意にバランスを崩す傾向が登場した。こうしてイタリア・ルネサンスは核心部分において変質していったとされる。宗教改革の影響で、教会は自由な文化活動に警戒感を強め、場合によっては弾圧した。一五世紀末から一六世紀半ばのイタリア戦争の影響も大きく、イタリア諸都市で展開した文化運動は勢いを喪失していった。ローマ略奪(一五二七年)はその没落を象徴する出来事であり、この頃までにはイタリア・ルネサンスはほぼ終焉をむかえたとされる。

イタリアにかわって、ルネサンスを受けついだのはスペイン、フランス、ネーデルラント、ドイツ、イギリスなどであった。文化運動の中心は大航海時代を経てあらたな富を蓄えつつあった西ヨーロッパへと移動した。焦点(「ルネサンス期の文化と国家」)で詳述されるように、こうした地域では官僚制と壮麗な儀礼を特徴とするルネサンス国家が登場し、その宮廷では王侯貴族の後援のもとに、美術、音楽、演劇、祝祭などが独特の展開をみせた。こうした動きとイタリアでの運動との関係は一様ではなく、全てをルネサンスと呼んでよいのか、議論の余地もあろう。例えば、イタリアの外に出た運動は都市的性格を薄め、君主的な要素の強いものへと、いわば翻訳されていった。これは宗教改革、主権国家の登場というこの時代の傾向を反映した変質だともいえよう。

ルネサンスがもたらしたものは一様でないが、近世ヨーロッパ史という観点から重要なのは、あらたなヨーロッパ文化の創造という面である。古典古代にこだわった結果、古代は努力して学び取る対象として位置づけられた。古典古代の文化や芸術を学び、理解するのが教養人エリートであるという了解がひろくヨーロッパに浸透したのだった。そこでは古典語の知識が重要で、これは人文主義の素養の有無の判断規準のひとつとなってヨーロッパに定着した。異質な古代文化に近づくには古典を読むことが必須だったが、そのためにはラテン語(のちにはギリシア語も)の習得が不可欠となったのだ。ヨーロッパ人は古典古代の正統な継承者だという意識が生まれ、これを中心的に担うエリートたちのあいだには、ある種の一体性が生じた。古代文化を再生させた新しいヨーロッパと旧い古典古代が対峙する新旧論争の構図もここから生じてくる。ルネサンスから生まれた人文主義は一九世紀に至るまでエリートの共通財産となったが、先述のように、古典古代との関係は近世末期までには変化し、新しさは古代との対比だけに留まらないものとなっていった。また、人文主義の一部は俗語による文化活動の推進とも無縁でなく、やがては俗語による歴史や文学というかたちで、各国、各地域の文化の創造に向かったことも忘れるべきではないだろう(ポミアン 二〇〇二：九六—九九頁)。近世という時代は、ある部分においては、ルネサンスから離れていく過程だったということもできる。

ルネサンス期にこの運動が急速に伝搬していった背景には印刷術の発明がある。例えば、エラスムスの名声のひろまりかたも印刷術がなければまた違ったかたちであっただろう。中世の古代復興の運動とルネサンス期のそれを隔てる部分である。マインツ出身のグーテンベルクは、一四四五年頃、鉛を主とする合金を使用した活字と、ブドウ搾り機にヒントをえたプレス式の印刷機を考案して、本格的な活版印刷の時代への道をひらいた。活版印刷では、個別に彫った個々の文字および記号を自在に組み替えて版面をつくる。それゆえに、一枚一枚の木版を、必要に応じて作成しなければならない従来の印刷方法と比べると、作成時間と労力を削減することができたという点で画期的であった。この新技術は紙の利用と結びつき、近世以降のヨーロッパに活字文化をもたらした。活版印刷の技術は、ルネサンス文化の伝播や、宗教改革の展開に、見過ごすことのできない大きな役割をはたした。

言語と印刷物(6)

言語と印刷物の役割について多少触れておこう。近世ヨーロッパでは、言語の使用に関連する顕著なふたつの変化が生じた。ひとつは、エリートの言語としてのラテン語が徐々に衰退し、エリートを含めて俗語の使用頻度がたかまったことである。これは、やがては近代の国語の強化と方言の弱体化へと連なっていく道でもある。もうひとつは少数者による識字能力の独占状態が去り、広い読者層が登場してくるプロセスであった。ふたつの過程は並行的にすすんだ。変化の背後には、紙や活版印刷の普及、文字情報を消費する市場の拡大、集権的国家における官僚制の発達と文書主義の浸透、人文主義者の言語への関心、説教や聖書との距離の縮小などが絡まり合っていた。

ルネサンス期のラテン語使用者とその後継者は近世の「文芸共和国」を構成し、ラテン語のあとはフランス語が、学識があって洗練された人びとのコスモポリタンな活動を支える言葉となった。しかし、そうした状況は近世末までに変化し、新しいタイプの近代的な読者が生まれる。少数のエリートの範囲を超えて出現した読者の多くは自国語で読むことで満足した。単一のヨーロッパ文芸共和国は、近世を通じて、複数の「文芸民主国」へと解体していった。「各国」の国民は増加の一途をたどったが、そのほとんどは単一言語による読み書き能力しか持っていなかったのだ。だからこそ、近世は翻訳の世界と意義が拡大した時代ともなった(Oz-Salzberger 2014: 47-55)。

読み書き能力には、時代や地域、人びとの社会的地位や教育、宗教、ジェンダーといった様々な要素が複雑に関係していた。そもそも、誰を読者とみなし、読者は何をどうやって読んでいたのか、読む能力と書く能力の関係はどの程度まであるのか、といった問いには簡単には答えがでない。印刷されたテキストが言語や文化を超えてどのように移動していったのか、あるいは翻訳はどのくらい重要だったのかといった問いもある。俗語の読み書き能力とコスモポリタンな視野との関係や、国民統合と読み書き能力の関係など、他にも考えるべき点は多いが、確かなことは近世を通じて読み書き能力の魅力がたかまったことだろう。文書による指示や決定が支配的になり、通信や記録が管理され、印刷された本や雑誌、のちには新聞も増え、標識や看板や商業広告が文字化していく近世という時代において、読めるということには大きな意味があった。特に都市部では男性も女性も子供も、文字どおり文字に囲まれるようになっていったのだった。

一五世紀の活版印刷術の導入以降、近世ヨーロッパでは印刷物の流通が飛躍的に増えたが、その影響については議論がある。印刷物が、宗教改革の成功の一因だとか、ルネサンスや科学革命が生み出した思想を広めたとか、文書行政の普及などで国家形成に寄与したとか、娯楽を含む多くの情報の共有にもかかわったとか、様々な主張がある。しかし、印刷物によって口承や手書きの文化が全く駆逐されたわけではない。またエリート知識人を超えて印刷物が何処まで到達したのかを正確に知ることには困難がともなう。情報の広まりは印刷物が単独でというよりも、他の技術、特に輸送にかかわるそれに大きく依存していたと考えることもできよう。また、情報の中身は必ずしも真実や理性に直結するものではなく、嘘や誇張や宣伝もあり、読み手が真偽を見抜き真意をつかむ能力とも関係してくる。これは部分的には、のちにみる公共圏の機能や革命の起源といった問題にも連なる。

宗教改革をめぐる問題

ここでは、問題群(「宗教改革とカトリック改革」)が詳しく取り上げる研究史や宗派ごとの特徴とも深く関連する、主権国家と宗教という問題を軸に、本巻の主題にとって特に重要な点を示そう。

宗教改革は、キリスト教における神学、教義、典礼、教会体制上の変革運動で、カトリック教会内部に発生し、一六世紀の北西ヨーロッパを中心に展開してプロテスタント諸教会を成立させた、と一般にいわれる。その始点は、ルターが教皇とカトリック教会への批判を開始した一五一七年に求められる。終わりについては諸説があって、アウクスブルク宗教平和令(一五五五年)までとする説があるが、近年は長期的な視野から運動を捉え(「長い宗教改革」)、三十年戦争の終了時やそのあとまで継続したとされることもある。当初、運動の中心は、カトリック教会内部の救済についての考え方の違いをめぐって展開した。立法の遵守や善行の積み重ねが救済につながるという積善説を批判するかたちで、ルターの信仰義認論が唱えられたのがよく知られる。宗教改革の意義は様々に理解される。カトリックとプロテスタントが現在に至るまでつづいている点も重要だが、近世史の文脈では主権国家体制の成立、印刷技術がもたらした情報革命、改革に対抗するカトリック教会の主導する海外布教活動がヨーロッパ世界を拡大させたこと、などがあげられよう。いずれも宗教改革とその影響をあらわしているが、ここでは主権国家体制との関連でこの運動をあとづけたい。

ある時期まで、宗教改革は、ルネサンスとともに、ヨーロッパにおける新たな時代のはじまりをつげる出来事のひとつとされてきた。聖書のラテン語から俗語(日常語)への翻訳、万人祭司による聖職者の身分的特権の否認、修道院制の廃止と教会財産の接収、俗人信徒の職業労働の評価、良心に基づく個人主義の登場などは、ある部分で人文主義とかかわり、近代性をそこに読み取ることも不可能ではないだろう。ただし、宗教改革のなかで登場したプロテスタント諸派が、政教分離や政治権力から自立した信教の自由の実現といったことがらに関心をむけるのはむしろまれであった。生まれつつあった主権国家は自らの正当性を保証する理論的支柱を、プロテスタントは自分たちを保護する世俗的権威を求めていたのだ。カトリック教会もまた主権国家の世俗権力を必要としていた。宗教改革の着地点のひとつが、プロテスタント諸国の国家教会の形成やカトリックのフランスにおけるガリカニスムであったのは偶然ではない。そうした宗教と政治権力の関係の再編こそが近世ヨーロッパの特徴であった。

プロテスタントによる改革には、北方キリスト教徒がローマに拠点をおくカトリック教会の支配から文化的、そして政治的に離れる試みという側面がある。これに対抗する動きのなかで、カトリック国も独自の文化的、政治的な方向性を見出すようになった。こうした変化を背景に、宗教戦争としてはじまった三十年戦争は、その過程でカトリックのフランスとプロテスタントのスウェーデンを中心とする反ハプスブルク同盟による戦争へと性格を転じ、主権国家間の勢力均衡を重視するウェストファリア体制という世俗的な国際秩序を生み出したのであった。宗教改革は近世前半のヨーロッパにおける広義の文化運動であった。それはローマ教皇と神聖ローマ帝国皇帝とに象徴される中世的な普遍秩序を解体し、これにかわる主権国家群の形成を促進した点に大きな特徴がある。宗教的な運動は主権国家体制と国際関係という新しく世俗的な着地点をつくりだした。ルターの思想は必ずしも斬新なものではなかったが、領邦君主と結びついた体制性という点では新しかったのだ（問題群「宗教改革とカトリック改革」七六頁参照）。

宗教改革といえば、一般にはプロテスタントによる宗教改革を指すことが多いが、カトリックの変化も重要である。これはトリエント公会議（一五四五―六三年）を頂点としたカトリック教会内の改革刷新運動として理解されてきた。そして、プロテスタントの挑戦に対する反応として「対抗宗教改革」と呼ばれてきた。だが、近年は中世の改革運動に根ざし、プロテスタントとは必ずしも関係なく進行し、また長期的に影響を及ぼしたという点をふまえて、そうしたカトリック教会の動きを「カトリック（宗教）改革」（Catholic reform, Catholic Reformation）と呼ぶ場合も多くなっている。なお、カトリック改革は様々なかたちで一八世紀まで続くが、政治的な意味での対抗宗教改革は、ウェストファリア条約（一六四八年）をもって終わったと考えられる。この頃までには世俗的な主権国家が発展し、教皇権は世俗政治への発言力を失っていった。だからこそ教皇はウェストファリア条約を認め難く、それを無効だと主張したのであった。

近年、プロテスタントの多様性とカトリック内部での改革を同時代に起こったこととして捉えるために、宗教改革を複数形にして使用する例（the Reformations）がみられる。近世は、各派がそれぞれのやり方で世俗権力と結びついて、主権国家の建設をめざして競合しあう時代だった。宗教改革者が、世俗の権力者と協力して、自らの宗派の考えを、裁判所、学校、法規範などを通して人びとに教え、それを領域内で強制することに積極的であった点が強調される。こうした研究の多くはH・シリングの「宗派化」という理論的枠組みからの影響を受けている（問題群「宗教改革とカトリック改革」九四頁参照）。宗派教会は世俗権力と緊密に結びつき、主権国家の領域内の人びとの生活を統制しようとした。教会や国家の権威は、人びとに礼拝への出席を求め、冒瀆を戒めた。祝祭、ダンス、ギャンブル、飲酒などの娯楽を抑制する法を導入し、読まれるべきものを選別し、結婚、洗礼、埋葬を記録して個人を把握した。

宗派化の議論はドイツの歴史家G・エストライヒのいう「社会的規律化」と結びついている。宗教戦争のもとで失われている秩序を回復しようとする新ストア主義の思想を背景に、強力な国家と社会の規律化が絶対主義国家の君主や官僚や軍隊を通して押し進められた。その結果、合理的で国家運営に適合的な秩序と、自制心をそなえた人間がつくり出され、社会は根底から変容したというのである(エストライヒ 一九九三)。宗派化はこの主張と合流し、各地の教会やそれに関連する組織が規律化において果たした役割を強調したのであった。教会や国家の権威が、人びとに正しい、神のような生活をさせようとする取り組みは、政府の権力強化や近代国家建設の一環として理解されたのだった。

こうした動きはエリアスのいう「文明化の過程」ともつなげられる(エリアス 二〇一〇)。一六、一七世紀の作法の書の分析を通じて、自制、形式、規律にそった行動が、裁判所や教会といった外面からと、恥や罪悪感などの内面の両方からの要請をうけて理想化され、自己を統制できるものと、そうでないものを分けていったというエリアスの描く世界は、宗派化と社会的規律化の議論と親和的である。こうした動きは宗教改革の発祥地ドイツだけでなく、近世ヨーロッパの各地でみられた。例えば、一七世紀後半のイギリスでは、悪徳の抑制と徳の増進を目的とし、聖職者と中間層が主導する風紀改革協会なる団体が各地に設立され、名誉革命後のプロテスタント国家を下支えしようと奔走した(坂下 一九九七)。

宗派化や社会的規律化は影響力のある議論だが、地域差やその進展の程度、また担い手をめぐっては議論がある。改革の成否は上からの一方的な規律の押しつけよりも、むしろそれに共鳴した地域社会の人びとが積極的に参加するかどうかにかかっていた。こうした議論は近世前半の主権国家の成立が、上からの統制だけでなく地域の住民の受け入れによっていたということを思い出させ、抽象的な国家形成の思想史、概念史と、政治史や社会史とを架橋していく可能性が、そこにあることを示している(コラム「魔女狩り」)。ルネサンスや宗教改革の時期は、ヨーロッパ世界の空間的拡大が開始した時期に重なる。内なる精神のひろがりと並行して進んだ地平の拡大を次に確認しておきたい。

当然ながらそれは主権国家形成の問題と無縁ではない。

四、拡大するヨーロッパ

大航海時代以降のヨーロッパ

中世ヨーロッパは閉じた空間ではなかったが、外部との接触のほとんどはイスラム世界を経由してのものだった。近世ヨーロッパは喜望峰や太平洋を経由してより直接的にアジアやアメリカとつながった。こうした変化の端緒は一五世紀末の大航海時代にみられる。近世ヨーロッパが外に向かった理由はいくつかあり、未知の世界への関心の高まり、香辛料に代表される高価値のアジア物産の希求、イスラム教徒との対決と聖地回復への願い、キリスト教布教への使命感などが重要だとされる。具体的な動きとしては、レコンキスタの延長でのイスラム教徒との対決と商業的な利益の追求が結びついた、イベリア半島からはじまった。ポルトガル人はイスラム商人に仲介されることなく香辛料を手に入れるためにインドに向かい、スペイン人は征服したアメリカで先住民へのキリスト教伝道と金銀の獲得を目指した。

航路としてはポルトガルが一五世紀以降にアフリカ西岸を南下して喜望峰からアフリカ東岸やインド西岸に至るルートを開き、スペインはカナリア諸島を経てアンティル諸島とカリブ海への航路を開拓した。一五七一年には太平洋を越えてマニラに拠点をおき、スペイン船は近世を通じて絹や陶磁器を含むアジア物産をその帝国へと持ち込んだ。一七世紀以降に本格化するのは大西洋を横断してカナダと北アメリカ東岸に至る航路で、イギリス人とフランス人を中心にタラ漁と毛皮の探索がおこなわれる。経済活動という意味では、砂糖生産地とともに漁場の探索も重要だった。サトウキビ栽培は東地中海からシチリアへ、アンダルシアからマデイラ、アゾレス、カナリアなどの島々へと移り、さらにその先の大西洋の対岸へと移動した。漁場もアイスランド近海からニューファンドランド島沿岸へと伸びていった。

一五一〇年、ポルトガルはインドのゴアを拠点とすることに成功し、その翌年にはアジア内交易の交差点に位置するマラッカに進出し、さらに一五一三年にはモルッカ諸島に商館を建設した。インド洋を囲むかたちでの交易ネットワークが十分に機能していたアジアにおいては、新たな貿易ルートを開発する必要はなく、アジアに進出した近世ヨーロッパ諸国のほとんどは、既存のアジア内交易網の一部に割り込むかたちで利益を得た。アジア内交易に比べるとアジアと本国を結ぶ貿易がもたらす利益は小さかったとされる。当時のヨーロッパ物産はアジアでは大きな価値を持たなかったので、貿易対価の不足はポルトガルに限られず、のちのオランダやイギリスのアジアでの位置も基本的に同様であった。ヨーロッパ側が提供し得たのは銀などの貴金属が中心だったため、アメリカ銀の産出がアジア物産のヨーロッパへの流入と結びついた。大西洋世界において、アジアに存在していたようなネットワークに出会うことがなかったスペイン人は、アメリカ大陸で生産を組織化して世界市場で売れる商品をつくりだす必要に迫られた。鉱山開発やプランテーションの創設が推進され、そのための労働力確保に、先住民の強制労働を支柱とするエンコミエンダ制の導入や、アフリカからの黒人奴隷の供給がおこなわれた。こうして奴隷貿易は大西洋三角貿易の一辺を成すこととなり、砂糖やタバコといった世界商品がプランテーションで生産されるのを可能にしたのだった。

ヨーロッパの拡大の過程で、アメリカはヨーロッパに対する経済的な従属状態におかれていった。また、大西洋経済の形成はヨーロッパ内部にも変化をもたらした。コロンブスの最初の航海(一四九二年)、ヴァスコ・ダ・ガマのインド到達(一四九八年)以降、ヨーロッパの経済、政治活動の中心は地中海から大西洋岸へ移動していった。市場向けの生産が促進されて雇用も拡大し、農業も製造業も活性化してその後の発展の基礎が築かれた北西ヨーロッパに対して、エルベ川以東の東ヨーロッパでは西からの穀物需要に支えられて農場領主制が発展したが、地域経済は従属的な位置におかれることになった。おなじみの「世界システム論」である。

大西洋世界とヨーロッパ

こうした説明が説得力を喪失したわけではないが、もう少し幅広く多様な視点から大西洋世界を扱う傾向も強い。昨今のポストコロニアル状況や文化的混交を尊ぶ雰囲気も背景となっており、近世の大西洋世界における人、モノ、アイディアの移動と交換などを明らかにしようとする大西洋史の重要性が唱えられているからである。グリーンとモーガンによれば、大西洋史は近世における最も重要な展開を研究するために捻出された分析的構成概念であり、同時に歴史研究のためのカテゴリーでもある。そこでは大西洋を囲んだ世界における経済、社会、文化的な交流や交換に光があてられる(Greene and Morgan 2008: 3)。

大西洋史は、どちらかといえば、関連性や共通性を重視し、人や商品の移動、帝国の成立、思想の普及と混交、人種や民族といったテーマで多くの研究がなされている。ヨーロッパ人と非ヨーロッパ人の関係は単純な探検や征服としてよりも、人、モノ、思想の移動と交換や、それにともなう異文化接触の一面として捉えられる傾向にある。ヨーロッパと非ヨーロッパの出会いは単に本国と植民地の区別をもたらしたのではなく、今日まで続く文化混交を出現させたというのである。ただ、研究は多岐にわたっており、スペイン、イギリス、フランスの帝国比較研究もあれば、宗教的な交わりの研究もあり、また環境史家A・クロスビーの提起した「コロンブス交換」もそこに位置づけられている。

重視されているのは、例えば、コロンブス交換のような双方向に向かって境界を越える視点であるが、その他にも、漁業などの特定の業種に注目したり、商業ネットワークのハブとして機能したアフリカ沿岸やカリブ海の島々の役割を明らかにしたりする。また、大西洋革命論に典型的にみられるように、人やモノだけでなく価値観や思想の交流を跡づける姿勢や、先住民と新参者が遭遇する辺境フロンティアでの出来事を解明する試みもある。さらには、支配をめぐる競争の時代を経た後に、統合が強化されて、最終的にはクレオール化が優勢になっていく歴程として、時系列的に大西洋史を描こうとする場合もある(Greene and Morgan 2008: 10-21)。

大西洋史は魅力的で可能性に満ちているが、例えばヨーロッパについていえば、大西洋岸を中東欧や地中海世界と切り離しがちになる。また、アジア世界とヨーロッパの関係という視角が、相対的には後景に退くという懸念も示されている。こうした態度は、近世ヨーロッパの空間拡大をヨーロッパ史にどう位置づけるか、という古くからの問いを重視する立場の焼き直しだともいえる。また、近世ヨーロッパの経済成長の時期および理由をめぐる議論や、ヨーロッパ史の特殊性と近代性をめぐる議論を素通りすることへの違和感の表明という側面もあろう。

大航海時代以降の商業帝国や植民地帝国がヨーロッパ社会に与えた影響についての一致した見解はない。グラスゴー、リバプール、ブリストル、ハンブルク、アムステルダム、ナント、ボルドー、ビルバオ、リスボンなどの港湾都市の発展はめざましく、非ヨーロッパ世界との貿易がヨーロッパを大きく変えたことは間違いない。都市化のパターンは大西洋貿易の隆盛、地中海貿易の相対的な停滞と一定程度まで連動している。大西洋貿易の恩恵を受けたのは、いわゆる北西ヨーロッパにあたるイギリス、オランダ、フランスなどのヨーロッパの一部の地域であった。大西洋世界の成立はそうした地域における非農業経済の発展を促し、都市のありかたを変え、金融経済のありかたを洗練させ、プロト工業化を促すような投資も可能となった。社団的な秩序から脱した商業や製造業が生まれ、大西洋岸はヨーロッパの社会経済活動の中心となった。ただ、奴隷貿易を含む大西洋経済の形成と、ヨーロッパ内の社会経済の変化の直接的な連動を示す数値データは意外に少ないとされる。倫理的なまなざしと調査から浮かび上がる数値が常に一致することもなく、大西洋経済がどれほどの富を生みだし、ヨーロッパの社会経済の変化にどこまでかかわっていたのかについては、いまだに不透明なところがある(Scott 2015, I: chaper 10: Economic and Social Trend: 273-277)。

一方、そうした数値的な部分よりも確かだとされるのは、人びとの消費傾向や物質文化にかかわる変化である。近世を通じて、砂糖、茶、カカオ、綿、タバコ、コーヒーの輸入には劇的な増大があった。一六世紀には高級品だった砂糖は、一八世紀の終わりにはヨーロッパ人が年間平均で二キロを消費するまでになった。イギリス人は九キロの砂糖の多くを紅茶に使い、オランダ人は四・五キロの砂糖をコーヒーに使ったとされる。社交と物質生活にも変化がみられた。コーヒーハウスへの注目度はたかく、近世ヨーロッパは以前よりも少々しらふになったとさえいわれる。紅茶やチョコレートを消費するための用具が通常の家庭にもみられるようになり、イギリスの中間層の家族にとっては、プリントコットンの流行を追うことがその社会的地位を示すこととなった。中国産の絹織物はマニラからメキシコ、そしてセビーリャへと運ばれて世界を股にかける嗜好をつくった。

近世を通じて商品の交換はグローバルになり、ヨーロッパの消費者は世界中の商品を購入することができるようになった。近世の初めには、アジア物産は王や貴族のためのエキゾチックな贅沢品だったが、一八世紀には絹や陶磁器がアムステルダムの孤児やスペイン植民地の奴隷の子孫の手の届くところに来た。奴隷貿易や砂糖や綿のプランテーションは、ヨーロッパ人のグローバルな商品への欲求と密接に関係していた。商業利害の拡大とともに、近世ヨーロッパではアジア産の商品への需要が供給を大きく上回るようになった。真のアジア商品の不足分を補うために新しい商品が考案され製造されたのだった。産業革命を牽引したイングランドの織物工場や陶磁器工場は、アジア商品との競争に力点をおくことで大躍進したといわれることもある。

社会や文化の側面に光をあてるこうした研究は、公共圏を通じた情報交換の展開や、余暇と消費社会の誕生を強調し、それまで見えてこなかった女性や子供を含む人びとに光をあてた。一八世紀の北西ヨーロッパに登場して、時代と空間を超えて広がっていった消費社会や物質文化の実相が明らかにされたのである。ただ、こうした研究は大西洋経済の発展の結果を強調するあまり、この時期の北西ヨーロッパをそれ以前の世界や、同時代の他のヨーロッパ地域から切り離してしまいがちになる。当時の大部分のヨーロッパ人はそうしたモノの流れや流行とほとんど無縁であった。北西ヨーロッパの一角と大西洋世界の一部、あるいはそこに繁栄する都市中間層の世界に、近世ヨーロッパを矮小化することは避けたい。大西洋経済の繁栄、大西洋を越える知的水脈の意義、中間層の社会的結合がもたらしたもの、消費文化のインパクトは大きく重要だが、それは近世ヨーロッパ全体を席巻して飲み込んだわけではない。ヨーロッパは社会の構成が大きく異なる国家や多数の共同体に分節化されていた。一五世紀半ば以降、地中海貿易は収縮したとされるが、それでも近世を通じて一定の水準を保ち、イタリア諸都市も急速かつ完全にその商業上の役割を失ったわけではなかった。ヨーロッパ内の地域差と複数の時間の流れという観点からも、各地の状況をみていく必要があろう。

大航海時代以降のヨーロッパの拡大が世界に及ぼした影響は小さくない。イベリア半島諸国とともに、オランダ、イギリス、フランスはこれに深く関与した。ヨーロッパの商業帝国や植民地帝国に組み込まれた地域の社会には根本的な変化が生じた。アメリカ大陸の先住民は未知の疫病に晒された。一説によれば、一四九二年のアメリカ大陸の人口は四〇〇〇万から七〇〇〇万人で、これがその後の一〇〇年で九〇%減少したという。先住民は土地を奪われて強制的な労働を強いられ、政治的にも文化的にも劣位におかれた。アメリカ大陸では、広大な地域における征服と略奪、先住民の搾取と強制労働の前に、先住民の社会と文化は破壊されてその多くは絶滅した。激減した労働力の補充のために、アフリカから黒人奴隷が投入され、アメリカ大陸の住民構成や文化に大きな影響を与えた。こうした時空に生まれた様々な交渉や混交にかかわるテーマや問題群は、大西洋史がつとに注目してきたところである。一方で、アジアの国家や社会は独自の社会や経済のシステム、文化的規範や宗教を維持した。近世において、ヨーロッパが商業資本主義を活気づけ、海上貿易を拡大し、その結果として近代へと誘われたのは、当時のアジアがもっていた「獲得の力」と無縁ではない。近世という時代に、アメリカ大陸とアジアに活動域や交流空間を拡大したヨーロッパの独特の経験がそこにある。

五、ヨーロッパの主権国家体制

イタリア戦争、三十年戦争

中世ヨーロッパは社会的に分散しながらも、カトリック教会と神聖ローマ帝国、そしてラテン語という普遍性によって結びついていた。しかし、こうした一体性は宗教改革後には失われた。カトリック教会のもとから離脱したプロテスタント諸宗派がそれぞれの個別性を主張するようになり、またラテン語以外の俗語の国語化も徐々にすすんだ。同じ宗教信仰、典礼、儀式の暦に基づき、ローマを都として内部の境界線もなくひとつの聖なる空間として形成されていたヨーロッパの統一は終わった。宗教改革後の宗派化が、カトリック国の場合を含めて、それぞれの地における主権国家成立と関係していることはすでに触れた。ただ、主権国家は宗教改革期に突然に成立したものではなく、領域支配による個別国家の出現という一三世紀以来の出来事の延長線上にある。また、近世初めのイタリア戦争以来の諸戦争の国家形成に対する影響の大きさも、指摘されなければならない。戦争に関連しては、歴史社会学者C・ティリーの、戦争が国家をつくり、国家が戦争をつくったという見解はあまりにも有名である(Tilly 1975: 42)。

近世前半の一五世紀末から一七世紀半ばのヨーロッパの政治的な対立の中心には、スペインとフランスがあった。一四九四年から一五五九年までと、一六三五年から五九年まで両国は戦争状態にあった。ハプスブルク家とヴァロア家／ブルボン家の対決といってもよい。対決のはじまりとなるイタリア戦争は、フランス国王シャルル八世がアンジュー家の継承権を掲げてナポリ王国に侵入した一四九四年から開始された。このフランス王の動きに対して、その影響力の拡大を避けたいヴェネツィアなどの北イタリア諸国、ローマ教皇、スペイン、神聖ローマ皇帝、イギリスが連合してこれに対抗し、フランスはナポリ支配をあきらめた。シャルルの後を継いだルイ一二世は、一四九九年、ミラノ公国をやぶってイタリアへ再び侵入したが、フランスの勢力伸長を嫌う教皇、スペイン、ヴェネツィア、スイス、イギリスといった勢力によって、一五一三年までにはイタリア半島からの撤退を余儀なくされた。ルイ一二世のあとのフランソワ一世は、一五一五年にイタリアに侵攻し、翌年のノワイヨン条約でフランスのミラノ領有の要求をスペインに認めさせた。これによって、イタリア半島内に勢力を伸ばすというフランスの年来の希望がかなえられたが、それは続かなかった。

一五一九年、フランソワはマクシミリアン一世死後の皇帝選挙において、ハプスブルク家のスペイン王カルロス一世と対決したが敗北した。その結果、カルロスが皇帝カール五世として即位した。二一年には、皇帝と教皇の連合軍がフランス支配下のミラノに侵攻して戦争が再開された。当初フランスは劣勢で、フランソワ自身がマドリードに囚われるという事態もあったが(一五二五年)、まもなくハプスブルク家の強大化を警戒する勢力(北イタリア諸国、立場を変えた教皇、イギリス、オスマン帝国)がフランスと同盟を結ぶと、戦いは、対ハプスブルク戦争の様相を呈した。戦闘はイタリア半島のみならず、ピレネー国境地帯やネーデルラントなどのヨーロッパ各地で継続され、一五五九年にカールの息子フェリーペ二世とフランソワの息子アンリ二世の代になって、財政負担と国内の宗教問題に逼迫した双方の勢力が、カトー・カンブレジの和約(一五五九年)を結んだことで終結した。

中断をはさみながら六五年間つづいた戦争の結果、フランスのイタリア支配の野望がくじかれて、ハプスブルク家の優位が確立された。同時に、カール五世による普遍的帝国建設の試みが非現実的であることも明白になった。イタリア戦争という長期にわたる戦いのあいだには、常駐外交使節をおく制度が一般化し、主権国家間の勢力均衡を前提として、国際秩序を維持するという考え方も生まれはじめた。ルネサンスを伝える文物がイタリアの外にもひろまり、美術、絵画、建築、思想など文化的な刺激を与えた。イタリア戦争は、ある意味では、後進地の王侯貴族が先進イタリア文化を取り入れる機会ともなった。この過程でカトリーヌ・ド・メディシスのフランス王家との婚姻、ルネサンス国家の出現、コンコルダ(コンコルダート、政教条約)によるガリカン教会の形成などがみられた。フランスとスペインのイタリアでの衝突は、中世的な秩序やイタリア・ルネサンスの後退とともに、主権国家の存在感のたかまりをもたらした。

スペインとフランスは一七世紀に再び対決する。一六一八年に始まる三十年戦争にスペインが介入したのは、宗教的な理由というよりもイタリアとネーデルラントを結ぶルートを守るためであった。ネーデルラントとイタリアの領土を維持しつつ、オーストリアを支援することはハプスブルク王朝の威信としての意味もあった。三十年戦争の主戦場は神聖ローマ帝国であったが、皇帝と諸侯にとどまらずにフランス、ネーデルラント、イギリス、スウェーデン、デンマークなどの諸勢力が介入した。またスペインとネーデルラントの対立、フランスとスペインの戦いが重なった。戦争の前半は皇帝が優勢であったが、ハプスブルク家の勢力伸張を嫌う勢力がスウェーデンとフランスを中心に結びつくと形成は逆転していった。主戦場となった帝国の都市部では約三〇%、農村部では約四〇%の人口が失われたとされるが、推計の精度については議論の余地があり、また地域差もあったとされる。いずれにせよ、人口減少は戦争のみが理由ではなく、同時期の天候不順による不作や飢饉、疫病を含む複数の要因が重なってのことだった。

戦争を終結させたのはウェストファリア条約である。一六四五年からウェストファリア(ヴェストファーレン)地方の都市ミュンスターとオスナブリュックで協議が開始され、一六四八年に調印されたこの条約には、領土に関する規定、帝国の国制にかかわる規定、宗教上の規定が含まれている。フランスはアルザス地方の大部分とロレーヌ地方のメッツ、トゥール、ヴェルダンの三司教領への権利を獲得し、スウェーデンは西ポメラニア(ポンメルン)、ブレーメン大司教領などを得た。ブランデンブルク選帝侯が東ポメラニア、マクデブルク大司教領等を、バイエルン選帝侯が南プファルツを獲得し、プファルツ伯にはライン川流域のプファルツの所領と選帝侯の地位が認められた。また、スイスとオランダの独立が正式に承認された。条約の締結後もつづいたフランスとスペインとの戦争はピレネー条約(一六五九年)によって終結した。全体として、ハプスブルク家の勢力にかわって、フランスの強大化を方向づけるものだった。

三十年戦争後に神聖ローマ帝国が完全に形骸化したという見解は現在では後退している。帝国は三十年戦争のあとも、皇帝と帝国議会とともに近世末まで存続し、統一的な国制として領邦の共存や、フランスやオスマン帝国との対抗において機能していた。領邦は皇帝を頂点とする秩序の枠内にとどまったという面もあったのだ。しかし同時に、皇帝のもとでの帝国の中央集権化の可能性は後退し、それがフランスのような絶対主義国家となることはなかった。また、帝国内の秩序の保証者となったスウェーデン王とフランス王は帝国内の問題に介入できるようになった。これは帝国の内政とヨーロッパの国際政治を結びつけた。帝国内の地方分権的な秩序が確立されて領邦君主の支配権が強化された結果、皇帝と帝国に敵対しない限り、領邦君主は帝国内外の諸国と独自に外交して同盟を結ぶことが認められた。

一方、教皇はこの条約を認めず、キリスト教世界の普遍的な平和は実現されなかった。その後の戦争でも宗教的意味が無くなることはなかったが、宗教よりも「国家理性」を優先し、勢力均衡のために戦争が遂行される時代に入っていることがはっきりとした。ヨーロッパ諸国は、イタリア戦争と三十年戦争の時代に、財政と軍事をととのえた。外交と統治によって領域と至高の主権の確立された国家の枠組みをつくりだし、お互いに関係しあっていくなかで一定の秩序を形成しようとしはじめる。一般に、こうした国際秩序を主権国家体制というが、そこにはカトリック国もプロテスタント国もあり、大国も小国も少なくとも法的には対等な主権を行使した。また外交と戦争のルールを定め、条約を締結し、使節を駐在させる近代的な国際関係の端緒がここにみられるという見解もある。もちろん、近代以降の国際関係のありかたを、あまりに直接的に近世ヨーロッパの世界に読み込むことには批判がある(コラム「ウェストファリア神話」)。ここにもまた、初期近代と近世の対抗、ヨーロッパ・モデルの普遍性と特殊性をめぐる問題が影を落とすのである。

主権国家の位置

おおよそ一四世紀からフランス革命までの四〇〇年は、中央集権的に支配領域を統治するための物理的な手段をほぼ独占する近代国家がヨーロッパに登場してくる時期だとされてきた。主権国家は、一般には、支配、統治、裁判にかんする最高かつ絶対の権力を有する独立の領域のことだが、そうした定義の前提となる概念としての主権はジャン・ボダンの『国家論』(一五七六年)のなかにすでにみられる。従って、少なくともある部分においては、近代国家の起源を近世前半に見出すこともできよう。もちろんこの場合は、近世ヨーロッパにあらわれた主権国家が、主権者の命令によって統治される一元的な国家としての性格を保持していた、という想定と密接に結びついている。これに対しては、実態においてはどのような統治が実践されたのかを、主権者は誰であるかといった点や時間的な変化の問題などとともにていねいに問うていくことができよう。

ところで、主権者の命令によって統治される一元的な国家といった場合、その主権者は、近世においては、しばしば君主と一致させて考えられる。実際、君主の多くは自らの手にある領土内の秩序を維持することと、その領域をさらに拡大することに関心を払っていた。当時の国家と呼ばれる領域は、ひとつの領域を支配下におく君主が、皇帝やカトリック教会といった普遍的権威のもとから脱して、支配領域内で貴族、聖職者、都市などの諸身分から裁判権、徴税権などを奪って主権者となり、その領域内の統括権と支配制度を中央に集中し独占することによって形成された。つまりこれは、いわゆる絶対王政として理解されてきたものに相当する。絶対王政期の国家はその領域のなかで統一的な制度的組織形態を整え始めたといわれる。

しかし最近では、近世ヨーロッパに生まれた諸国家は、「絶対主義」と呼ばれる体制のもとですら、一枚岩の政体ではなく、多様な慣習や特権を持つ諸地域と諸団体が、離合集散の可能性を保持したまま集塊していたという点がむしろ強調されている。社団的に編成された領域内における利害の調整者としての君主の役割が前面に出され、絶対主義という用語を使い続けるのに懐疑的な立場も一部にはある。絶対王政のもとでの統治が、社会諸集団の権力関係の複雑な絡まりあいのなかにあり、統治の場において重要だったのは交渉や対話、そして様々な互酬的関係であったことが実証的に明らかにされたためであろう。近世の国家の頂点にある君主の主権は現実には絶対性をもちえず、一円的な統治が実践されることは少なかった。君主は領域内の様々な政治共同体とのあいだで複合的な関係を築いて秩序を維持していた。この現実を、複合国家や複合君主政、礫岩国家といった用語を用いて説明しようとする研究は、近年の日本を含めてみられる(古谷・近藤 二〇一六、焦点「ブリテン諸島における革命」も参照)。

こうした見解に対しては、近世の国家が複合的であったとしても、近世における変化を問う余地はまだあるのではないか、ということができる。これは再び近世と初期近代の関係へと連なる。例えば、代表議会の機能停止と新しい統治部局の登場、法の整備、貴族が宮廷人や官僚や軍人として国家に参加していく過程、教会や地域社会が様々な回路と方法で担っていた分野への国家介入の拡大、オランダとイギリスが先導した財政と官僚機構の整備、ドイツやオーストリアにおける中央政府の統制強化といった変化を、総合的に捉えることが出来るのかということでもある(Scott 2015, II: chapter 18: Governance: 479-480)。

また、絶対主義を軸とする歴史理解を不要とする議論に対しては、実証研究のみから絶対主義はなかったとすることに対して反対する議論が日本でも紹介されている(コサンデ、デシモン 二〇二一)。そこでは、一六世紀から一八世紀のフランスでは、王権神授説やボダンの主権論にみられる絶対主義は言説的構築物として実際に機能し、教会を従え、法と司法に支えられた王権が、公共善を掲げて法を付与し、不要となれば破棄したのだとされる。また、絶対主義は法に縛られているという意味で専制ではなく、政治的エリートもこれを受け入れていた。しかし、近世末期に信仰の力が衰えていくと、超越的次元を持つ司法的行政は、必要に迫られて導入した官僚行政のもとで、その威力を減じて功利主義的な行政的王政へと性格を変化させていった。そうしたなかで絶対主義は衰退していったのだと説明される。思想史を軽視すべきでないという立場からの絶対主義概念の擁護も重要だが、司法的王政から行政的王政への変化をダイナミックに捉えようとしている点も興味深い。

変化をめぐる問題については、社会学者T・アートマンの議論が出発点になるかもしれない(Ertman 1997; Scott 2015, II: chapter 18: Governance)。これは、ヨーロッパの大部分の地に存在していた代表議会を、イングランド、スカンディナヴィア諸国、ポーランド、ハンガリーなどの北部と東部にみられた二院制と、ドイツ地域の領邦国家、フランス、スペイン、ナポリ、シチリアなど中部と南西部の三院制に分類したO・ヒンツェの研究を発展させたものである。

貴族と聖職者からなる上院と、州や都市の代表からなる下院から構成されたイギリス議会に代表される二院制は、身分を越えた参加型の地域統治を生み出し、地方と国家の両方の場面での協力的な交流を促した。これに対して、フランスやスペインやドイツの身分代表の要素が強い議会では、内部が分裂して君主に対抗する力が弱く、地域統治に結びつく参加型の機関とはなっていかなかった。そのため地域統治の場では中央からの統制が強まっていき、最終的には君主が代表議会を押しのけて、絶対主義的な統治を実践するための道が開かれたのだった。さらなる違いは、行政を実際に担う人びとのありかたにかかわる。フランス、ポーランド、ハンガリーなどでは、フランスで特に発達した売官制に典型的にみられるように、行政が家産制的な性格を持った。これに対してドイツとイギリスでは、相対的には近代官僚制に近い仕組みが構築された。これらの諸特徴を掛け合わせると、次の四つのカテゴリーが浮かび上がる。すなわち、フランス、スペイン、ナポリなどの家産制的な絶対主義、ドイツ地域の領邦国家の官僚制的な絶対主義、ポーランド、ハンガリーなどの家産制的な立憲主義、イギリス、スウェーデンなどの官僚制的な立憲主義である。なお、それぞれのかたちが形成されるにあたっては、各々の成立時期が重要だったとされる(Ertman 1997: 19-34, 317-324)。

社会学者による図式的な分類ではあるが、近世における変化をよりダイナミックに捉えるために、この図式を代表議会や行政官僚を構成する政治共同体、つまり、国家の政治に何らかの方法で関与したり、影響力を行使したりする機会を持つ「政治国民」の範囲のひろがりという問題にかかわらせていくことができよう。「政治国民」の拡大やその利害の方向性については、すでにみた消費社会の展開や物質文化の変容、そして次にみる公共圏や世論の影響力と関係づけて論じられ、成果が生まれている。例えば、そうした分野における成果を前記のカテゴリーに絡めていくことで、思想史や制度史と社会史や文化史を横断し、絶対王政か複合国家かという問いを超えて、近世ヨーロッパの主権国家群の変容の道程を見出していく可能性がひらけるのではないだろうか。

「一七世紀の危機」から一八世紀へ

「一七世紀の危機」とはE・ホブズボームが一九五四年に発表した論文のなかで唱えた概念で、一七世紀ヨーロッパにみられた各種の現象を総合して「危機」としたのであった。その中身は、人口増加の鈍化、毛織物生産の不振、国際商業の停滞、各地で発生した政治的な混乱などであった。政治的な混乱とは、三十年戦争、ネーデルラントの反乱、カタルニアとポルトガルの反乱、ブリテン諸島における内戦、フロンドの乱、ラージンの乱などを指した。よく知られるように、当初、これは封建制経済から資本主義経済への移行の最終局面として説明された。中世末期から各地でみられていたブルジョワ的要素と封建社会の矛盾が、もはや覆い隠すことの出来ない段階に達して破綻したという理解であったから、生産関係を近代的、資本主義的なものへと移行させるはずのブルジョワ革命の有無も議論の俎上にのせられた。そうした経済史的な解釈に同意しなかったH・トレヴァー＝ローパーは、これを社会と国家の間の諸関係の危機だとした。権力が集中するルネサンス国家の宮廷から排除され、多くの負担を強いられた地方の疲弊と不満のたかまりが緊張をたかめ、これが政治的混乱をもたらしたというのである。混乱に直面したルネサンス国家は改革を迫られた。改革がおこなわれずに課税強化を選択したスペインでは国力が疲弊したのに対し、オランダは最終的にハプスブルク家の宮廷を排除するという改革に成功した。フランスではリシュリューやコルベールらの改革が体制を立て直し、合理的な支配形式としての絶対王政を樹立させた。これに対してイギリスでは、そうした転換が成功せずに革命という政治的混乱に至ったという説明になる。

行政機構が複雑化し拡大した国家を維持し、軍事活動を支えるためには課税強化が必要であった。近世国家において、これは都市や社団の権利、貴族や教会の特権とぶつかり、地域ごとに様々な地点に着地した。そうした社会的、政治的な抗争が暴力的なものとなっていったのには、この時期に農業危機があったからだという主張がある。これは農業危機の背後に自然条件の変化があったのではないかという想定へと至る。先述のように、この時期には厳しい冬の記録が散見される。人口密集の度合いが高い地域では、小さな気候変化も大きな影響をもたらす。他に食糧を得る手立てのない人びとは価格にかかわらず最低限必要な量の穀物を購入しようとするので、ちょっとした穀物供給不足が大きな価格上昇につながった。「一七世紀の危機」は、環境が歴史に与えた影響に注目する人びとによって、小氷河期と結びつけられていった。しかし、自然災害が自動的に人口動態や経済、社会における破壊的な結果を招いたわけではない。確かに、低温傾向は食糧供給に影響し、悪天候は当時の文脈では神の摂理と解釈されて社会不安を生み出して、中央と地方の関係に緊張をもたらした。しかし、そのなかでは、例えば、政治指導者や宗教指導者の動向、決断もまた意味を持っていた(Scott 2015, I: chapter 10: Economic and Social Trend: 278-280)。

気候という指標が「一七世紀の危機」にくわえられ、アジア、アメリカ大陸、中東と西アフリカの一部がこの危機のなかに含まれるようになった。これにより、近世ヨーロッパの危機は世界的な危機へと範囲が拡大された。諸説にどう対峙するかはそれぞれの立場もあり様々だが、一七世紀のヨーロッパに何らかの危機が訪れていたという認識は定着している。一五九〇年代から一七世紀半ばにかけて社会経済的な試練があり、一説によれば、この時期のヨーロッパには二四の反乱を数えることが出来る。気候変化、戦争、疫病、飢饉などがあわさって、一七世紀のヨーロッパの社会と経済と政治に多大な影響を与えたのであった。

主権国家体制が確立する近世ヨーロッパの一七世紀は、拡大の一六世紀のあとの停滞期であり、一八世紀の再拡大の前の転換期でもあった。イタリア戦争、三十年戦争を経て、一七世紀後半に、事実上、ヨーロッパの覇権を握ったのはルイ一四世治下のフランスであった。この時期の国際関係はフランスを軸に展開した。ネーデルラント継承戦争、オランダ侵略戦争、プファルツ継承戦争など、フランスは国土拡大を目論む戦争を繰り返した結果、一七紀末までにはフランスのさらなる強大化を恐れる諸国が結束していった。「一七世紀の危機」を経てスペインの弱体化は明らかになっていたが、北東欧でもスウェーデン、ポーランドにかわって一七世紀末からはロシアの台頭がみられた。近世はロシアが東西に拡大する時期でもあった(焦点「ロシアの「大航海時代」と日本」)。三十年戦争後のドイツではプロイセンの台頭が本格化し、ハプスブルク家はドナウ川流域を中心とする家産領の経営へと関心を転じはじめた。オーストリアは、バルカン半島やイタリア、中欧に広大な権益を持ち、西欧と東欧の中間に重要な地位を築いていた。また、プロイヤン、メクレンブルク、ポンメルン、ブランデンブルクなどでは、典型的にはいわゆるユンカーのもとで農場領主制が強化された。そうした地域では、人口は伸びず、都市化も進まず、情報の流通も相対的に少なく、新技術も定着しなかった。大西洋経済の形成によって消費社会が展開し始めた北西ヨーロッパとは異なる状況で、そうした地域の「政治国民」のありかたもこうした条件からの影響を受けた。

ウェストファリア条約で正式に独立を承認されたオランダは、商業、海運業、金融業を中心に商人と都市貴族が支える社会を形成し、技術、学問、文化の先進地帯をなして、植民地を含むヨーロッパ世界の中心に位置した。一七世紀後半にその国力は峠を越えたともいわれるが、これをどうみるかは議論もあろう。オランダは、一八世紀に至っても金融、出版、情報、そして消費文化の中心として重要な位置を占め続けたのである(コラム「オランダ独立戦争」)。一七世紀のイギリスはブリテン諸島が内戦状態となったため、三十年戦争には深くかかわることがなかった。その結果、戦争によって大陸諸国が疲弊したのに対して、相対的に国力を維持することになった。ブリテン革命を経たイギリスは国内政治を安定させ、一七世紀末にはオランダとも結びついて海洋国家として発展した結果、フランスに対抗する勢力となった(焦点「ブリテン諸島における革命」)。

ルネサンス期をひとまずの起点とすれば、宗教改革、イタリア戦争、三十年戦争、大西洋世界の形成へと続くヨーロッパ近世史の半ば過ぎまでのストーリーは、極端に単純化していけば、ルネサンス国家から絶対王政へというかたちで局面を打開していったフランスの興隆、そして複合国家の管理術などでこれに応じようとする諸勢力の対抗の時代のそれとして、その一面を描くこともできよう。近世の終盤においてこの状況を変えていくことになるのはイギリスである。近世の終点としてのフランス革命=ナポレオン戦争へと至る過程で、イギリスは商業活動、財政、軍事でフランスを超えていくことになる。近世前半にあらわれてきた主権国家体制のもと、一八世紀ヨーロッパの国際関係は拡大したヨーロッパ世界のなかでの英仏の対立を軸に展開する。

六、一八世紀のヨーロッパ世界

標としての「科学革命」

三十年戦争を、政治史上の近世ヨーロッパの中間地点とするなら、思想史、社会史、文化史におけるそれに相当するのは科学革命であろう。ルネサンス期以来の古代文化に対する姿勢が変化し、未来を向いたより実用的な知識を重視する啓蒙以降の世界へと近世ヨーロッパが入っていく兆しを、そこにみることもできるからである。

通常、科学革命は、一六、一七世紀のヨーロッパでみられた科学の革新のことを指す。それはH・バターフィールドが『近代科学の誕生』(一九四九年)で提唱した概念を起源とする。具体的には、コペルニクスやヴェサリウスの活動を始まりとして、ニュートンの『プリンキピア』(初版一六八七年)にクライマックスをみることが多い。科学革命の時代を通じて、自然や物理的な宇宙を研究する方法が変化し、経験的な観察、実験、自然法則の定式化がおこなわれるようになった。コペルニクスの地動説、ハーヴェイの血液循環論、ガリレオ、デカルト、ニュートンらの近代的力学、新しい原子論などが登場したことで、古典に基づく自然の理論体系が近代的なそれへと更改されたという。地球を中心とした宇宙観から太陽を中心とした宇宙観への転換を含むこの時期の科学の展開を、T・クーンがパラダイムシフトの例として挙げているのがよく知られている(クーン 一九七一)。

こうした変化を強調する考えには、ルネサンスの場合と同じく、連続性を重視する立場からの反対がある。科学革命期の科学の革新は部分的で中世からの遺産にもとづいていた。その思想はキリスト教の神を中心に組み立てられており、ガリレオ、ケプラー、デカルト、ホイヘンス、ニュートンたちの活動も、スコラ学の自然研究と全く断絶しているわけではない。当時の科学は信仰と結びつき、近代以降の世俗的で合理的な知性と単純に重ねられない部分が多い。科学革命期の人びとのあいだでは、錬金術、占星術、生気論などが引き続き科学的探究の重要な文脈を構成していたことも、よく知られている。近代科学の成立は一八世紀末以降のことであり、医学についてはコッホやパスツールの時代まで大きな転換はなかった。科学者(scientist)という言葉が登場し、科学が技術と結びついて社会を変える力をもったのは一九世紀のことで、そこで「第二の科学革命」が起こったとする見解もある。要するに、我々が通常思い描くような科学は近世にはそもそも存在していなかったのである。

科学革命をめぐる議論は多岐にわたる。革命という用語は誤解を惹起するとして、その使用に慎重な立場もある。ただ、そうしたなかにあっても、科学革命期のヨーロッパにおいてある種の知的展開が生じて新しい科学体系の構築がはじまった、という点は一致している(Shapin 2018; ヘンリー 二〇〇五)。近世ヨーロッパ史の流れという観点から、ここでみておきたいのは、科学革命を一七世紀とそれ以前とに切り分けて捉えていく見解についてである。それは科学革命が指すものを一七世紀の自然哲学者たちの活動に限定し、一五、一六世紀の学者たちの活動には「科学的ルネサンス」という別の用語を使用することを提案するというものである。その違いは、例えば、古代との対峙のしかたにみえる。一六〇〇年頃になると、自然を研究するものたちが過去との決別を目指すようになり、一六世紀のように古代の著作を失われた黄金時代への道しるべとはしなくなった。古典は引き続き非常に重要ではあったが、ニュートンが没する一七二七年頃には、ヨーロッパの知識人たちは、自然界を一六世紀の先人とは異なる方法でみるようになった(Dear 2019: 8-9, 47-60, 170-171; Shapin 2018: 4, 16-19, 66)。

コペルニクスやヴェサリウスは古代の知恵を修正し、自らの知見をそれにあわせていこうとした。一七世紀のデカルト主義者、ハーヴェイやニュートンは、古典から離れて新しい発見や自然界の支配に主眼をおくようになっていった。一六世紀は古典古代の文明の復興という知的営みに基礎づけられていた。これに対して一七世紀には、「斬新さを標榜する知的プログラムで〔中略〕進歩を遂げるための〔中略〕新しい野望」があらわれてきたのだった。そして、古典はあいかわらず尊ばれていたが、それは斬新さの主張と競い合うようにもなった。話題の中心は、古典的な先例よりも自然にアプローチするための方法となっていく。こうした古代との対峙のしかたの変化を含む科学における一大転換は、一六世紀と一七世紀のあいだのヨーロッパの空間的な拡大によって、知識の価値が変わったことと関係している。抽象的で瞑想的な知識よりも、自然界そのものを制御することに役立つ力学、数学、地理学、博物学そして航海術といった有用な知識が重視されるようになった。それは北西ヨーロッパのオランダ、イギリス、フランスといった諸国による商業帝国の拡大と不可分で、それこそが変化を推し進めた最大の動因のひとつだった(Dear 2019: 170-171; ディア 二〇二二:二九八—二九九頁)。

ルネサンス期を起点に、宗教改革、イタリア戦争、三十年戦争、大西洋世界の形成へと続くヨーロッパ近世史のストーリーは、ベイコン的な帰納法や実用知識と技術を重視する科学革命の展開と分かちがたく結びついている。ただ、科学革命期に自然に対する考え方やその探求の仕方が変わったとしても、自然を探究することが神とかかわっていることに変わりはなかった。科学革命の時代の科学は、神の綿密な計画のもとにつくられた世界を、特別な地位にある人間が自然に働きかけて解明し、その法則を発見することで神の計画の偉大さを認識しようとするものだった(古川二〇一八:五二頁)。ニュートンは神への奉仕のために自然の探究をおこなっていた。こうした部分に変化が起きてくるのは、一八世紀の啓蒙の時代を経てのことだった。啓蒙は自然界だけでなく人間界にも焦点をあて、やがて近代の経済学、言語学、歴史学、政治学などの基礎が生まれていく。

一七世紀の末までにヨーロッパはひとつの転換を経た。それは経済、政治、文化、社会の同時的な変化であり科学革命もその一部であった。一八世紀に入ると啓蒙期の知識人によって、科学的な知は宗教、政治、倫理思想などと結びつけられ、一部は体制を支えるイデオロギーを構成した。しかし同時に、啓蒙には体制批判的な世論の形成と深く関わっていく部分もあった。一八世紀の啓蒙の発現の仕方はひとつではなかったのである。

啓蒙のひろまり

啓蒙は一八世紀に特徴的な知的運動である。それは人間の境遇への理解を深め、人間の実践的境遇を進歩させることに捧げられた運動であった。啓蒙はヨーロッパ西端のブリテン諸島から東ヨーロッパ、そしてバルト海から地中海にひろがるヨーロッパ的な現象だった。大西洋を横断して南北アメリカの植民地にも達していたので、拡大した近世ヨーロッパ空間にみられた現象といった方がより正確であろう(Robertson 2015: 13-14; ロバートソン 二〇一九:二七―二八頁)。啓蒙は、人間理性を信頼し、それを積極的に行使しようとする運動で、理性を超越した神の啓示や恩寵をよりどころとする意識に根本的な変化を迫った。

人間社会は時代とともに進歩するという歴史意識は啓蒙の時代のヨーロッパに普及したものである。ルネサンス期であれば、黄金時代である古代から中世の暗黒にはいり、そのあとに再び輝くルネサンスが出現したという見方が中心にある。これは、やがて再び闇がやってくる可能性を念頭においていた。従って、未来に向かってよい方向に進む啓蒙期の観念とは必ずしも一致しない。例えばダランベールは、ルネサンス期の知識人が古代人への憧れから学問探究をすすめたことを認めた上で、科学革命期の自然哲学者たちの自然理解がルネサンス期の知を変化させ、それを古代から離脱させた点に注目する。そして、その延長線上に啓蒙期の人間社会の探究の基礎が築かれたとして、近代人を古代人に優越させた。またすでにみたように、一八世紀までに北西ヨーロッパ地域を中心に、海外の物産が本格的にヨーロッパ人の日常生活に入り込んで、異文化についての知識や情報も増大していた。そうしたものを提供しつづける拡大したヨーロッパ世界を全体的に捉えて、人間の境遇を進歩させるには、古典文献や人文主義では十分でなかった(Robertson 2015: 5; 古川 二〇一八:一一二頁、ロバートソン 二〇一九:一六頁、焦点「一七―一八世紀ヨーロッパにおける日本情報と日本のイメージ」)。

啓蒙の内容は多彩だが、理性、宗教的寛容、進歩、自由、有用性、伝統とドグマに対する懐疑といった部分には一定の共通性がみられる。これらは合理性、実証性、実践などの要素と結びついて、既存の権威や習慣に由来する観念を見直し、経験と観察に基づいて人間や社会の法則を発見し、社会を人間の幸福のため組織化するという共通の方向性を打ち出した。啓蒙は、ある意味では、宗教改革によって崩壊したヨーロッパを結ぶ普遍性が、別のかたちで、別の力を備えて出現したものだといえる(ポミアン 二〇〇二:一四九―一六九頁)。そうであったから啓蒙の信奉者は、国家の枠組みを越えるネットワークを形成した。モンテスキューはヨーロッパ各地を旅行した。ヒュームはフランスで不遇だったルソーをつれてイギリスに戻っている。ヴォルテールもイギリスに渡り、帰国後にイギリスの社会制度や思想を賛美しつつ紹介した。実際の移動と交流以上に、啓蒙思想家のあいだでは書簡による交流が盛んであった。ルネサンス期以来の言論空間としての文芸共和国は啓蒙そのものではないが、その機能が啓蒙期に活性化したとはいえよう(Goodman 1994)。

啓蒙のひろがりにおいては、コーヒーハウス、フリーメイソンの会所、サロンなどの社交の制度が大きな役割をはたした。また、『百科全書』の出版(一七五一―七二年)に典型的にみられる印刷文化も重要だった。その他にも、政治クラブ、慈善団体、劇場、図書館、読書クラブなどが知的交流や社交の機会を提供した。こうした空間では、コーヒー、タバコ、紅茶、砂糖などのかつてはエキゾチックで貴重だったものが、新聞、ニュース、意見、ゴシップ、ジョークなどと並んで、日常的に購入される新たな消費財となり始めた。こうした社交の制度を介して、教会や宮廷といったそれまで公共性を独占してきた場ではなく、また家庭などの私的な場とも区別される領域(ブルジョワ公共圏)が成立したとされる。そこでの議論は体制批判的な世論を形成し得たというJ・ハーバーマス以来の主張は、それへの留保の必要性も含めてたいへんよく知られている(ハーバーマス 一九九四)。

社交の制度や印刷文化に支えられて世論とも結びついた啓蒙は、集団的な事業という側面が強い。これに比べると一七世紀の科学者は相対的には孤立しており、権力によって沈黙させられる可能性もまた高かった。集団的なプロジェクトとしての啓蒙は社会的な相互作用のなかで新しい知識を生み出したが、その背景には効率的に改善された通信、輸送、移動の手段というインフラの整備があったことはいうまでもない。郵便事業は文通を効果的かつ日常的な活動として定着させ、道路整備や運河の建設は人やモノや情報を運んだ。書籍の生産も増し、識字率の向上により読者数も増加した。ルネサンス期においては名声や評判は特定の意見によって支えられていたが、啓蒙期のそれはより広範な世論の上に成り立っていた。時に世論は人間の合理性の最高法廷として評価されるようになった。

啓蒙の発現のしかたは地域によって異なるといわれる。例えば、プロイセン、オーストリア、ロシアでは啓蒙された君主だけが既存の権威や習慣を権力的に打ちこわし、自然の法則を貫徹させることができるとされた。東のフリードリヒ二世、ヨーゼフ二世、エカチェリーナ二世、さらには南のカルロス三世(スペイン)、ジョゼ一世(ポルトガル)、トスカーナ大公レオポルド(後の神聖ローマ皇帝レオポルト二世)などは啓蒙専制君主の典型として例に挙げられる。この東と南という地域性は、経済的に未発達な東ヨーロッパ、あるいは相対的に発展が停滞しているイベリア半島や北イタリアという地理的な配置に対応している。これらの地域では北西ヨーロッパのような規模での都市化、商業資本主義の成長、企業家的な中間層の台頭はみられなかったのである。

イギリス、フランス、ネーデルラントを含む北西ヨーロッパの一角以外では、啓蒙は国家主導ですすめられる傾向にあったが、フリードリヒ二世、エカチェリーナ二世といった君主はヴォルテール、ダランベール、ディドロらの著名な啓蒙思想家と直接的、個人的に接触していた。君主の側が啓蒙に関わったのにはいくつかの理由がある。例えば、一七世紀以来の科学の後援の延長線上で、技術的な革新を進めて地域の経済を活性化することを期待したからである。そのため、君主は啓蒙のなかでその地の統治に都合のよい部分を選択的に取り入れて、国家を強化しようとした。例えば、フリードリヒ二世の宗教的寛容政策はユグノーなどの技術水準の高い亡命者を受け入れるためであったのがよく知られている。啓蒙専制は、法の編纂や司法や行政の改革を一部で実践したが、貴族の社会的な特権や農奴制は維持され、フランス革命以降は自由思想にも弾圧をくわえた君主や政府の行動として、時に否定的に語られてきた。しかし、交流した思想家を含めて、これを文芸共和国がつなぐ啓蒙のヨーロッパ空間のなかに、曲説や変造物としてではなく配置していくことが重要だろう。

消費社会が展開し、社交の制度が定着し、公共圏が機能する北西ヨーロッパでは、政府も自らの限界を自覚して、世論を操作して味方につけることに関心を持っていた。為政者も一定度まで世論の形成の必要性を自覚し、啓蒙思想家も、政府の野望を抑制するために世論を形成することの有効性に期待していた。これに対して、中東欧においては、この考え方が絶対主義的な官僚行政を弁護するために用いられた。ヴォルテールなどの啓蒙思想家が君主の助言者となったのは、君主や政府を通じて考え方を社会に適用できると考えたからであった。北西ヨーロッパ以外では、啓蒙は伝統的なエリートによる権力の戦略であった。南欧や東欧では、伝統的なエリート以外の社会集団と啓蒙の関わりはそもそも大きなものではなかったが、北西ヨーロッパにおいても、その広がりは全てを包含するようなものではなかった。ヨーロッパのほとんどの地域の民衆にとっては、啓蒙とはほとんど関係がないもの、そうでない場合は効果的な社会統制のために権力者が用いる戦略の一部であった。ヨーロッパ内における「野蛮」である民衆の存在を、文明の光で照らし出し、その性質を陶冶し改善しなければならない。そのためには抑圧的な手法も取り得るといった類いの発想法を啓蒙の側にみることは容易い。また、こうした啓蒙の抑圧的な眼差しが、女性や非ヨーロッパ世界に対しても向けられていたことは、改めていうまでもないだろう(焦点「啓蒙主義とジェンダー」)。

啓蒙というパースペクティヴで多様な近世ヨーロッパ社会の実態の全てを捉えることはできない。啓蒙もまた多様ではあるが、それが届く範囲の限界については、地域ごとの時間の流れ、地域内での階層などが関係していることは明らかだろう。それでも、啓蒙の水平的、垂直的ひろがりは、啓蒙の発現の仕方、公共圏の展開、世論の存在と機能などと連動し、一八世紀ヨーロッパの政治社会のありかたを、ある部分で規定している。宗派化がすすみ、主権国家体制が定着するなかで、それまでのようには普遍性を主張し得なくなった宗派教会は、自然界、人間界の秩序や構造について、人びとを満足させる解答を出せなくなってきた。そうしたなかで知識人たちは、科学者も文化人も、文芸共和国のなかで情報を得て議論し、教会とは別のところに答えを求めていった。公共圏では非ヨーロッパ世界との交渉の深化によってモノと情報が増大するにつれ、それらの取り扱いをめぐって、科学も哲学も、音楽、芸術も、徐々にアマチュアとプロフェッショナルの分化を進めていった。消費に専念する人びとの数が増え始め、文化は購入される商品(日用品)となっていく。それにともない文芸共和国も、体制批判の可能性を秘めた文芸的、政治的な公共圏から、商業化した世界において様々なアイディアやパフォーマンスを競い合い、売買する空間となっていったのだった。一八世紀を通じて、公共圏は消費社会のなかで市場に侵食されて、部分的には変質していったともいえよう(ブルーア二〇〇六、Wisner-Hanks 2022: 423-425)。

英仏の対抗と一八世紀ヨーロッパ

収縮期であった一七世紀を経て、一八世紀になると北西ヨーロッパを中心に経済成長がゆっくりと開始され、その後は安定的で持続的な成長局面に入った。北西ヨーロッパにおける食糧事情は好転し、頻発してきた飢饉はまれなものとなる。コロンブス交換の典型例とされるジャガイモなどの新作物の導入や、農業技術の改良が食糧事情の好転の背景にあった。ヨーロッパの天候は一六九〇年代の厳しい時期を越えると改善し、一七世紀に減少した人口は一七三〇年頃までにほぼ回復した。その後は継続的に増加し、黒死病の流行が下火になったことも重なって、一七〇〇年に約一億人であったヨーロッパの総人口はその後の一〇〇年間でほぼ倍増した。余剰人口は工業を支える労働力を生みだし、消費物資やサーヴィスの需要が増した。一八〇〇年までには、ロンドン(九五万)を筆頭に、パリ(五五万)、ナポリ(四三万)、モスクワ(三〇万)、ウィーン(二五万)などの大都市があらわれた。新しい産業の発展やギルドの解体がすすんだ一八世紀後半のイギリスでは機械制工場が出現し、ヨーロッパ外への経済活動はさらに拡大した。この時期を通じて、西ヨーロッパと東ヨーロッパの状況の違いはさらに明確になっていった。一八世紀は、近代的な資本主義へと向かう経済の展開、それと対応する社会秩序の変化、政治の仕組みの変更などの点で、西ヨーロッパ社会がいよいよ近代の様相を帯びはじめる時期でもある。

一七世紀の戦争はどの国家が主権を持つのか、その内政はどのようにおこなわれるのか、どのような権威が住民に向けて行使されるのかをめぐって戦われた。一八世紀に入っても、多くの継承戦争があったことから分かるように、国家の範囲をめぐる戦争が継続していた。これは、統治者の正当性は血統上の相続によると理解され、その結果として、ある地方や国家の相続の主張が様々になされたからである。こうした抗争は国際政治における序列をめぐるものでもあったが、ルイ一四世のフランスによるヨーロッパ支配の野望はスペイン継承戦争によって潰えた。一八世紀のヨーロッパは複数の主権国家による紛争の時代が続いた。主権国家体制のもとでの勢力均衡、商業競争、世界にひろがる戦場は、国内政治のありかたにも変化をもたらした。海外の出来事は、人びとのニュースへの欲求を刺激し、議論と討論の材料を提供した。これが公共圏を支えていた面もある。君主と政府は世論を意識して、場合によっては抑制的に行動した。官庁と官僚機構が生み出され、国家政策を議論し、公益に照らしてそれを評価する世論が誕生したのだった。

近世前半のヨーロッパにおける政治的な対立がスペインとフランスを軸に展開したのなら、一八世紀ヨーロッパにおけるそれはフランスとイギリスのあいだであらわになった。大西洋世界も、ポルトガルやスペインの支配が継続する地域を含めて、この対抗軸と無縁でいることはできなかった。英仏の戦いの中心には、ヨーロッパ内の国境紛争と王位継承、そして海外植民地の争奪があった。英仏が対決した主な戦争には、プファルツ継承戦争(ウィリアム王戦争)、スペイン継承戦争(アン女王戦争)、オーストリア継承戦争(ジョージ王戦争)、七年戦争(フレンチ＝インディアン戦争)、アメリカ独立戦争、フランス革命＝ナポレオン戦争が含まれる。一八世紀は啓蒙の理性の時代であったが、戦争の時代でもあった。戦争による死傷者数は多大で、スペイン継承戦争では一二五万人が死亡し、オーストリア継承戦争では三五万人、七年戦争では一〇〇万人、フランス革命・ナポレオン戦争では二五〇万人の死者が出たとされる。

一八世紀前半のヨーロッパ外交は、パリ、ロンドン、ウィーンのあいだの勢力均衡が原則だったが、オーストリア継承戦争の頃からは、官僚主義的絶対主義のもとでプロイセンが台頭し、さらに東ではロシアがヨーロッパ情勢に関与するようになった。ロシアは神聖ローマ帝国にかわってオスマン帝国に対抗する存在となる。一八世紀半ばにはフランス、イギリス、オーストリア、プロイセン、ロシアという大国のネットワークができあがった。近世のロシアは一六世紀以来西欧商人との交流を深めてきたが、ヨーロッパ国際政治の舞台にロシアが登場するのは、一八世紀初めのピョートル大帝の時代であった。北方戦争に勝利したロシアはバルト海への出口を確保し、サンクト・ペテルブルクを建設して西欧化政策を遂行した。エカチェリーナ二世の啓蒙改革はこの延長線上にある。世紀半ばには、継承戦争(一七四〇―四八年)以来プロイセンと対立してきたオーストリアが、フランスと同盟関係を結んだ。イタリア戦争からのハプスブルク家とフランス王家の対立は終わり、マリ・アントワネットとのちのルイ一六世の結婚が実現した。プロイセンはイギリスと結び、ロシアはプロイセンとの対抗上オーストリアと同盟し、ヨーロッパの外交軸は変化した。いわゆる外交革命(一七五六年)である。

ヨーロッパの紛争はヨーロッパ外での戦争をますます伴うようになった。イギリスとフランスは北米とカリブ海地域、インドと太平洋地域で対決した。植民地を含む世界の各地にひろがったこれらの戦争を遂行するには、大量の人員と膨大な戦費の確保が必要だった。巨大な軍隊の徴集、維持、装備の充実は、一八世紀に台頭した強力な国家のもとで遂行された。七年戦争の頃には、フランスとロシアの軍隊は二五万人を超え、プロイセンもそれに劣らない規模になっていた。軍隊の規模が大きくなり、作戦が広範囲に及ぶようになると、国家は課税、融資、財政の革新により、より多くの資金を調達することを余儀なくされた。イギリスは、世論を形成するようになっていた「政治国民」の要望を議会主導の国政運営で吸い上げ、官僚制的な立憲主義のもとで、徴税体制を整備して効率的な財政軍事国家をつくりあげていった。一方で、家産性的な絶対主義のもとでの行政国家化が進展したフランスでは王権の脱神性化が起こると、「政治国民」の意向を受けとめる回路が十全に機能しなくなっていく。改革に行き詰まるうちに、財政には破綻をきたし、革命による混乱が加わる世紀末までには、フランスはイギリスに対抗し続けるのが困難になっていった。

七年戦争はヨーロッパにおける戦争であり、同時に海外植民地争奪戦だった。それは第二次英仏百年戦争における転換点となった。北米のフランス植民地は消滅し、イギリスは東西インド、西アフリカ、西地中海で、植民地帝国の形成を進めることになる。七年戦争の敗北によりフランスのヨーロッパ大陸での影響力が低下したので、オーストリア、プロイセン、ロシアによるポーランド分割(一七七二年)への抑制も効かなかった。ポーランドは一八世紀前半まではザクセンとの同君連合としての繁栄の可能性があり、天然資源も豊富であった。一六世紀以来西ヨーロッパへの穀物輸出を基盤とする農場領主制が確立し、穀物にくわえて羊毛などの工業原料を輸出して、安価な西欧の工業製品の輸入を進めた。これは都市の商工業の発展を抑えた。家産制的な立憲主義のもと、貴族による選挙王制が実践されたポーランドには、強力な財政軍事国家は成立せず、その「貴族の共和国」が一八世紀の後半には三次にわたる分割(一七七二、九三、九五年)によって地図上から消えるのはよく知られている。

アメリカの独立はヨーロッパが大西洋世界で経験した大きな敗北であった。しかし、ヨーロッパから分離したアメリカは、ヨーロッパ文明をモデルとする理想を追求する国家となった。それはヨーロッパの価値観と制度に対する自信となり、非ヨーロッパ世界に対する優越感につながった。ヨーロッパ人は人類共通の責務を果たすことを期待されているという感覚を得たという。政治的にも、経済的にも、そして思想的にも、この時代の大きな出来事や変化は大西洋的な性格を持つことがしばしばあった。一八世紀には、戦争は以前よりも世俗的で物質的なものとなっていたが、宗教は国家間の紛争や同盟関係に引き続き影響を与えた。イギリスの反フランス感情の背後にはカトリックに対する伝統的な反感があったから、プロイセンとの同盟は賞賛されたのだ。しかし、戦争は近世前半のように、カトリックとプロテスタント、キリスト教徒とイスラム教徒を戦わせるものではなくなっていた。それでも、宗教的意味合いは、例えば、反フランス革命の立場やヨーロッパ外での宣教活動の場面などに、色濃く残り続けて一九世紀へと引き継がれていく。

一方、宗教以外のイデオロギーも依然として重要で、世紀後半の革命を説明する際にはその分析が不可欠だという立場もある。例えば、専制への反対、自由と平等の理念などは、一七七〇年代から八〇年代にかけてのアメリカで洗練され、フランス革命でさらに強化されたといわれる。アメリカに登場した立憲主義の思想と実践は生きた手本となり、何をすべきかの指針を改革派の知識人や政治指導者に与えた(焦点「アメリカ独立」)。西ヨーロッパとアメリカのあいだには、同じ基盤に立つ大西洋文化といえるものが形成されていたのだ。これがフランス革命においても、ラテンアメリカの革命においても重要な意味をもったというのである(ベイリン 二〇〇七:七七―八一頁、問題群「大西洋世界のなかのフランス革命」)。アメリカ、フランス、ハイチ、そしてラテンアメリカでの革命につながる運動のなかで重要な役割を果たしていたのは、近代民主主義の知的起源でもある急進的啓蒙という潮流であり、それが一八世紀中から主導してきた「精神の革命」だという主張がある(イスラエル 二〇一七)。また、思想は大西洋をわたって東から西へ伝播しただけではなく、西から東へも流れたという大西洋史的な説明がなされることもある。カリブ海の島々での奴隷制度や普遍的権利についての主張とヨーロッパにおける自由をめぐる議論は共鳴しあい、双方向的に響き合っていたというのである(Klooster 2018)。

しかし、啓蒙の全てが革命を生み出すわけでもない。啓蒙思想家の多くは、東欧や南欧での啓蒙専制との結びつきを思い出すまでもなく、政府に間接的で抑制的な影響を及ぼして、世論にも目配りしながら、漸進的な変化による社会の進歩を促そうとしていた。権威主義との親和性も啓蒙のひとつの潮流であった。穏健な啓蒙思想家は、事情に通じた世論を生み出すことで、悪しき恣意的な政府が牽制されると考えたのだった。こうした望みは革命によって、むしろくじかれた。知的探究と自覚的な公衆との協同を目指した一八世紀的な運動としての啓蒙は革命によって終わった。そうだとすれば、革命後に本格化した民主主義をめぐる諸問題は、啓蒙とは別の問題として取り上げられるべき対象ということになる(Robertson 2015: chapter 4; ロバートソン 二〇一九:四章)。近世と近代を分けるともいえる革命の起源について、経済、政治、社会、文化、思想と、様々な角度からの接近がおこなわれてきたのは、問題群(「大西洋世界のなかのフランス革命」)が述べるとおりで、完全に一致した見解はない。

こうしたなか、一八世紀後半から一九世紀半ばのヨーロッパと大西洋世界において、古代に起源があるとされる民主主義が、支持されるにせよ反対されるにせよ、様々な改革や革命のなかでどのように再定義され、再創造されていったかを、思想的、実践的、制度的に明らかにするプロジェクトが進行中である。ヨーロッパ史としては、おそらくこちらに注目すべきであろう。そこには、近世末と近代をまたいで、また大西洋史という枠組みも超え、古代に起源を持つ民主主義が、一八世紀の後半以降に各地にひろまり、それぞれの文脈のなかに移植され、そこで解釈され、再編され、再創造されていく過程を、思想という範囲に限らずに、歴史の実態のなかで検討していく姿勢がみられるからである(Re-imaging Democracy; Innes and Philp 2013; Innes and Philp 2018; 中澤 二〇二二も参照)。

おわりに

近世から近代へ

一八世紀は一五世紀に始まる近世の最後の局面を飾る時代であった。しかし、そもそも一八世紀ヨーロッパを、全体として近世に含めることが出来るのかは不透明である。英文学の世界では一七〇〇年前後で初期近代(近世)は終わり、その後には一八世紀文学の時代がやってくる。歴史研究では一八世紀は近世と近代の継ぎ目としての位置におかれることが多く、一四五〇年頃からフランス革命の一七八九年や一八〇〇年までを、ひとかたまりの時代とすることも多い。本巻もそうである。しかし、近代のはじまりをそれよりも早めに一七五〇年頃におくこともある。一七五〇年から一八五〇年を革命と変化の時代としたり、前近代と近代の狭間としての「鞍部期／端境期」(ザッテルツァイト)としたりするのである。『初期近代ヨーロッパ史ハンドブック 一三五〇–一七五〇』の終点も一七五〇年である(Scott 2015)。

一七〇〇年や一八〇〇年よりも、一七五〇年代をより重要な分岐点だとする考え方にはそれなりの理由がある。そこには、秩序と安定の維持を重視する古典的絶対主義から、効率性と生産性のたかい社会を目指した啓蒙専制への移り変わりをみることができる。すでに触れたように、プロイセンが台頭し、オーストリア、フランス、ロシア、イギリスと共に、ヨーロッパが政治外交の主役を担いはじめたのはこの時期である。一七五六年に始まる七年戦争は、北米とインドにおけるイギリスの優位を決定づけ、一九世紀のパックス・ブリタニカへの途を用意した。農業生産性の向上、急速な人口増加、工業化への流れが北西ヨーロッパでいよいよ明確化するのもこの頃である。一八世紀半ばは、一五〇人以上の執筆者を動員した『百科全書』の出版開始(一七五一年)が示すとおり、一握りのエリートを超えてより多くの人びとが、人類の運命や社会の状態について議論するようになった。もちろん、北西ヨーロッパを中心とする地域と大西洋の対岸のこれまた一部の地域を中心に、ということである。非ヨーロッパ世界との交渉が、とりわけイギリスとロシアを中心に拡大したのもこの時期である(焦点「ロシアの「大航海時代」と日本」)。かつてのようなヨーロッパ中心史観を前面に出せば、一八世紀はその後の二〇〇年間の世界史を方向付けたとさえいえてしまう。

一八世紀、特にその後半のヨーロッパを近代から切り離すことが何処まで出来るのか。様々な変化がはじまった一八世紀後半は、一九世紀前半とあわせて、「二重革命の時代」と呼ばれてきた。この時期、イギリス発の社会経済の変化、フランスにおける政治変革の影響が各地に波及した。ヨーロッパと南北アメリカと西アフリカと分かちがたく結びついていた大西洋世界が一八世紀後半から一九世紀初頭に経験した、アメリカ独立、ハイチ革命、ラテンアメリカ諸国での革命は、講座第二期の第一七巻における主題であった。また、一八世紀後半は、オスマン帝国との関係がヨーロッパ優位へと傾いた時期でもある。

一八世紀には、北西ヨーロッパを中心に、メディアを通じた情報交換のひろまりや、余暇と消費社会の発達がみられた。しかし、そうした動きは限られた人びとによるもので、大多数は変化と直接的にはかかわらなかった。近世ヨーロッパは多様な国家や共同体に分節化された世界で、例えば、複合的な王朝国家には、ひとつの言語や国民感情による統合はなく、雑多な地域や集団が政治や法、経済や宗教の網の目によって複雑に関係づけられていた。経済活動の拡大や農業生産性の向上にも時間差と地域差があった。キリスト教、とりわけカトリック教会は合理主義や世俗主義による挑戦を受け、一七五〇年頃を境に教会が守勢に立つ場面も多くなってくる。しかし、宗教的な著作は流布し続け、宗教論争も衰えることなく続き、本格的な打撃はフランス革命まではみられなかったとされる。啓蒙の世紀にヨーロッパ全体が世俗化したということはもちろんできない。

近世的要素と近代的要素の混在は、近世／初期近代の末にあたる一八世紀ヨーロッパにおいて際だってくる。こうした状況のもとで、変化の風を捉えて成功するものが存在し得た。例えば、鉱物資源に恵まれ、工業地帯との交通に恵まれた広い土地を持つ貴族である。もし、その人物が、起業家精神を支える知識や個人的な資質を持ち、金融業者や銀行家、海外貿易商などと結びつき、また植民地での収奪に目をつぶる精神を保持していれば、様々な場面で優位に立つことができたであろう。これにくわえて、戦争や革命による混乱からも離れていられれば理想的だった(Blanning 2000: 10)。これはある種の戯画であるが、イギリスの地主が、近世末のヨーロッパにおいて成功する可能性を持っていたという意味である。そして、そうした成功者の一部は、やがて政治的にも、経済的にも、文化的にもパックス・ブリタニカを支えるイギリス地主貴族の世界をかたちづくった。最も先進的とされる北西ヨーロッパにおいて、伝統的な支配エリートの流れを汲む集団が近世と近代をつないでいった。一方で、例えば、ロシアにおける近世は、少なくとも一八六〇年代の農奴解放まで続いたとみることも可能で、北西ヨーロッパの経験は典型的なものではない。イベリア半島やイタリア、中欧、北欧、東欧といったヨーロッパ大陸の大部分では、近世が一九世紀半ばまで続くという説明もあり得るだろう。

「近世」という用語のもとで変化と連続をみようとしても、時代の全体像を描くのは容易ではない。そこに単純な近代化論の物差しが戻ってくることもない。複数の時間が流れ、地域差もあるヨーロッパの「近世」という「（泥沼」のほとりでその全景や部分を眺めるか、水面に見えている「飛び石」を伝いながらでも対岸（近代）へと渡っていこうとするかは、論者の立場によるのだろう。もし後者であれば、近世史家はその扱いを持て余し気味だといわれる（岩﨑 二〇二〇：六二―六三頁）、一八世紀後半をどう捉えるかという問題を、おそらく避けては通れない。一八世紀のどこまでを近世に含めることが出来るのかを考えることは、ヨーロッパにおける近世／初期近代の範囲や中身について再考し、そうした用語の特徴や有効性と共に、ローカルで特殊かもしれない近世ヨーロッパが纏うことになった「普遍性」の射程についても、あらためて意識化することにつながるのではないだろうか。

注

（1）ヨーロッパ近世史の過去七〇年ほどあいだの研究の展開全般については、目配りの効いたサーヴェイが発表されている（岩﨑 二〇二〇）。

（2）例えば、第二期で社会史的なテーマを扱った章の多くは現在でも通用する。第一期の政治史や思想史も、必要に応じて近代主義やマルクス主義の色合いを薄めて読むことが出来れば、基本事項の確認には引き続き有用な場合もある。

（3）アカデミックな歴史学の外ではコロンブスの航海やルターの抗議、王朝や宮廷を中心とする政治史や軍事史の語りが継続している。この問題はポピュラー・ヒストリーやパブリック・ヒストリーとして真剣に取り上げるべき主題である（Wiesner-Hanks 2021: chapter 6: Popular and Public History）。

（4）シリーズ中でタイトルのなかに古代、中世、近代、現代の用語があらわれているものは、それぞれ二冊、五冊、八冊、そして二冊である。単純に数だけをみると、近世は古代、現代と並んで最も少ない。初期近代をタイトル中に掲げているものは一冊もなく、一般向け歴史書のなかで積極的に使用されている様子はない。

（5）このセクションの記述の多くは以下に依っている（Scott 2015, I: chapter 2: Weather, Climate, and the Environment, chapter 4: Historical Demography; Kümin 2023: chapter 3: Environments）。

（6）このセクションの記述は Scott 2015, I: chapter 7: Language and Literary に依る。

参考文献

イスラエル、ジョナサン（二〇一七）『精神の革命――急進的啓蒙と近代民主主義の知的起源』森村敏己訳、みすず書房。

イム・ホーフ、ウルリヒ（一九九八）『啓蒙のヨーロッパ』成瀬治訳、平凡社。

岩井淳・竹澤祐丈編（二〇二一）『ヨーロッパ複合国家論の可能性――歴史学と思想史の対話』ミネルヴァ書房。

岩﨑周一（二〇二〇）「西洋近世史研究の七〇年」『思想』一一四九号。

ウィルスン、ピーター・H（二〇〇五）『神聖ローマ帝国――一四九五―一八〇六』山本文彦訳、岩波書店。

ウォーラーステイン、I（二〇一三）『近代世界システム』川北稔訳、I―Ⅲ巻、名古屋大学出版会。

エストライヒ、ゲルハルト（一九九三）『近代国家の覚醒――新ストア主義・身分制・ポリツァイ』阪口修平・千葉徳夫・山内進編訳、創文社。

エリアス、ノルベルト（二〇一〇）『改装版　文明化の過程』波田節夫ほか訳、上下、法政大学出版局。

エリオット、J・H（二〇一七）『歴史ができるまで――トランスナショナル・ヒストリーの方法』立石博高・竹下和亮訳、岩波書店。

奥西孝至・鳩澤歩・堀田隆司・山本千映（二〇一〇）『西洋経済史』有斐閣。

金澤周作監修（二〇二〇）『論点・西洋史学』藤井崇・青谷秀紀・古谷大輔・坂本優一郎・小野沢透編、ミネルヴァ書房。

川北稔（一九九七）「環大西洋革命の時代」樺山紘一ほか編『岩波講座　世界歴史』第一七巻、岩波書店。

岸本美緒（一九九八）『東アジアの「近世」』〈世界史リブレット〉、山川出版社。

岸本美緒(二〇一九)「総論　銀の大流通と国家統合」岸本美緒編『一五七一年　銀の大流通と国家統合』〈歴史の転換期〉6、山川出版社。

クーン、トーマス(一九七一)『科学革命の構造』中山茂訳、みすず書房。

小泉徹(一九九六)『宗教改革とその時代』〈世界史リブレット〉、山川出版社。

コザンデ、ファニー、ロベール・デシモン(二〇二一)『フランス絶対主義――歴史と史学史』フランス絶対主義研究会訳、岩波書店。

近藤和彦(一九九九)「近世ヨーロッパ」樺山紘一ほか編『岩波講座　世界歴史』第一六巻、岩波書店。

近藤和彦(二〇一八)『近世ヨーロッパ』山川出版社。

坂下史(一九九七)「国家・中間層・モラル――名誉革命体制成立期のモラル・リフォーム運動から」『思想』八七九号。

島田竜登(二〇二二)「構造化される世界――グローバル・ヒストリーのなかの近世」荒川正晴ほか編『岩波講座　世界歴史』第一一巻、岩波書店。

高澤紀恵(一九九七)『主権国家体制の成立』〈世界史リブレット〉、山川出版社。

中澤達哉編(二〇二二)『王のいる共和政――ジャコバン再考』岩波書店。

バーク、ピーター(二〇〇〇)『新版　ルネサンスの文化と社会』森田義之・柴野均訳、岩波書店。

バーク、ピーター(二〇〇五)『ルネサンス』亀長洋子訳、岩波書店。

ハーバーマス、ユルゲン(一九九四)『公共性の構造転換――市民社会の一カテゴリーについての探究』第二版、細谷貞雄・山田正行訳、未來社。

長谷川貴彦(二〇一二)『産業革命』山川出版社。

ブルーア、ジョン(二〇〇六)『スキャンダルと公共圏』近藤和彦編、大橋里見・坂下史訳、山川出版社。

古川安(二〇一八)『科学の社会史――ルネサンスから二〇世紀まで』ちくま学芸文庫。

古谷大輔・近藤和彦編(二〇一六)『礫岩のようなヨーロッパ』山川出版社。

ブロトン、ジェリー(二〇一三)『はじめてわかるルネサンス』高山芳樹訳、ちくま学芸文庫。

ベイリン、バーナード(二〇〇七)『アトランティック・ヒストリー』、和田光弘・森丈夫訳、名古屋大学出版会。

ヘンリー、ジョン（二〇〇五）『一七世紀科学革命』東慎一郎訳、岩波書店。

ポーター、ロイ（二〇〇四）『啓蒙主義』見市雅俊訳、岩波書店。

ボーツ、H、F・ヴァケ（二〇一五）『学問の共和国』池端次郎・田村滋男訳、知泉書館。

ポミアン、クシシトフ（二〇〇二）『増補　ヨーロッパとは何か——分裂と統合の一五〇〇年』松村剛訳、平凡社。

リグリィ、E・A（一九九一）『エネルギーと産業革命——連続性・偶然・変化』近藤正臣訳、同文舘出版。

Blanning, T. C. W. (ed.) (2000), *The eighteenth century: Europe 1688-1815*, Oxford, Oxford University Press.

Dear, Peter (2019), *Revolutionizing the sciences: European knowledge in transition, 1500-1700*, 3rd ed., London, Red Globe Press.（高橋憲一訳『知識と経験の革命——科学革命の現場で何が起こったか』みすず書房、二〇一二年、第二版の訳）

Ertman, Thomas (1997), *Birth of the leviathan: building states and regimes in medieval and early modern Europe*, Cambridge, Cambridge University Press.

Goldstone, Jack A. (1991), *Revolution and rebellion in the early modern world*, Berkeley, University of California Press.

Goldstone, Jack A. (1998), "The Problem of the 'Early Modern' World", *Journal of the Economic and Social History of the Orient*, 41-3.

Goodman, Dena (1994), *The republic of letters: a cultural history of the French enlightenment*, Ithaca, Cornell University Press.

Greene, Jack P., and Philip D. Morgan (eds.) (2008), *Atlantic history: a critical appraisal*, Oxford, Oxford University Press.

Innes, Joanna, and Mark Philp (eds.) (2013), *Re-imagining democracy in the age of revolutions: America, France, Britain, Ireland 1750-1850*, Oxford, Oxford University Press.

Innes, Joanna, and Mark Philp (eds.) (2018), *Re-imagining democracy in the Mediterranean, 1780-1860*, Oxford, Oxford University Press.

Klooster, Wim (2018), *Revolutions in the Atlantic world: a comparative history*, new ed., New York, New York University Press.

Kümin, Beat (ed.) (2023), *The European world 1500-1800: An introduction to early modern history*, 4th ed., London, Routledge.

Moritz, Carl Philip (1983), *Journeys of a German in England: a walking tour of England in 1782*, (trans. and intro. by Reginald Nettel), London, Eland.

Oz-Salzberger, Fania (2014), "Enlightenment, National Enlightenment, and Translation", Aaron Garett (ed.), *The Routledge companion to eighteenth century philosophy*, Abingdon, Routledge.

Robertson, John (2015), *The enlightenment: a very short introduction*, Oxford, Oxford University Press.（野原慎司・林直樹訳『啓蒙とはなにか――忘却された「光」の哲学』白水社、二〇一九年）

Scarfe, Norman (ed. and trans.) (1988), *A Frenchman's year in Suffolk: French impressions of Suffolk life in 1784*, Woodbridge, Boydell.

Scott Dixon, C., and Beat Kümin (eds.) (2020), *Interpreting early modern Europe*, Abingdon, Routledge.

Scott, Hamish (ed.) (2015), *The Oxford handbook of early modern European history, 1350-1750*, 2 vols., *I: People and place, II: Culture and power*, Oxford, Oxford University Press.

Shapin, Steven (2018), *The scientific revolution*, 2nd ed., University of Chicago Press.（川田勝訳『「科学革命」とは何だったのか――新しい歴史観の試み』白水社、一九九八年、初版の訳）

Starn, Randolph (2002), "The Early Modern Muddle", *Journal of Early Modern History*, 6-3.

Tilly, Charles (ed.) (1975), *The formation of national states in Western Europe*, Princeton, Princeton University Press.

Wiesner-Hanks, Merry E. (2019), *Women and gender in early modern Europe*, 4th ed., Cambridge, Cambridge University Press.

Wiesner-Hanks, Merry E. (2021), *What is early modern history?*, Cambridge, Polity.

Wiesner-Hanks, Merry E. (2022), *Early modern Europe, 1450-1789*, 3rd ed., Cambridge, Cambridge University Press.

Re-imagining Democracy (https://re-imaginingdemocracy.com/) 最終閲覧日二〇二三年一月二〇日。

コラム｜*Column*

ウェストファリア神話

明石欽司

「一六四八年のウェストファリア条約によって近代的な国際関係（主権国家の併存体制）が欧州に確立する」。この理解は、ウェストファリア条約が欧州世界にもたらした影響の大きさを示すものであり、長きにわたり近世・近代史の「常識」とされてきた。特に、国際政治・国際法等の研究者の間ではこの「常識」を基礎とした「ウェストファリア体制」という用語によって一定の共通了解がもたらされ、それを前提とした議論が繰り返されてきた。

　オスナブリュックで作成された神聖ローマ帝国皇帝・スウェーデン女王間講和条約（*IPO*）とミュンスターで作成された同皇帝・フランス国王間講和条約（*IPM*）の二文書からなる（ミュンスターで作成されたスペイン国王・オランダ連邦議会間条約も含まれる場合がある）ウェストファリア条約にはそのような「常識」を根拠付け得る規定が存在していることも事実である。例えば、皇帝直属の領邦君主を中心とする諸身分（帝国等族）に「主権」を認めたとされる*IPO*第八条第一項（*IPM*第六二条）、帝国等族と帝国内外の政治体との同盟を自由とした同条第二項（*IPM*第六三条）、そして、キリスト教諸教派間の平等を認めたとされる*IPO*第五・七条（*IPM*第四七条がこれら二箇条の準用を規定）である。これらの条項だけでも、「主権国家」の成立とその併存体制の維持、そして、欧州政治の世俗化（脱宗教化）がもたらされたとすることは可能であり、「常識」の一般的受容の根拠として十分であるようにも思われる。

　しかしながら、この「常識」は当時の欧州に存在した多様な政治体やそれら相互間の関係の実態から乖離した「神話」にすぎないとして、「領邦の主権国家化」や「ウェストファリア条約は神聖ローマ帝国の死亡証明書」等の「神話」に伴う諸言説を実証的論拠に基づいて否定する「神話」批判が過去二十余年ほど展開されている。その結果として、現在の国際政治史・国際法史研究においては、「神話」がもはや単純には通用しないとの認識が共有されていると言えよう。

　このような「神話」批判は近世史家により近年提示されている「複合国家」論や「礫岩国家」論等の近世国家の構造に関する諸理論を反映していると理解することも可能である（特に、これらの理論は一七世紀中葉以降の神聖ローマ帝国国制についての再検討に有用であろう）。ただし、「神話」の崩壊はより根底的な問題を研究者に突き付けていることを我々は認識せねばならない。それは「神話」の中核にある「主権国家」という観念自体を巡る問題である。

　従来の研究では、「神話」の肯定・否定のいずれの側に立つものであっても、「主権」が帝国等族（領邦）に認められたことをもって「主権国家」が成立したか否かという点を問題としており、帝国等族自体が国家であるとの理解が前提とされていた。ところが、「主権」を「国家」が有するという意味での「主権国家」が成立するためには、抽象的人格としての「国家」の観念が存在し、それが(現実の「主権者」から観念的に分離された)「主権」を有するとの論理が必要とされるはずである。それにもかかわらず、帝国等族が「主権国家」となったとする論理の中では、帝国等族が主権者であることと「主権国家」が等置されている。換言するならば、我々が現在共有している抽象的観念としての「主権国家」が過去に存在した統治体(帝国等族)にそのまま投影されており、帝国等族が国家であったのか、より根源的には、「国家」とは(そして「主権」とは)何かという問題が等閑視されているのである。

ウェストファリア条約が署名されたミュンスター市庁舎内の「平和の間」. ただし, ヘラルト・テル・ボルフ(Gerard ter Borch)によるこの絵画(1648年作)はスペイン・オランダ間条約批准の宣誓の様子を描いたものである.

これらの問題に対する解答は、既に過去の業績によってあたかも所与のものとされており、再度研究対象とする価値は見出され得ないように思われるであろう。また、仮に研究が進められるとしても、高度に抽象的かつ観念的な議論を招く可能性が高い(例えば、国家論が華々しく展開された一八世紀から一九世紀ドイツの理論状況を概観するだけでも、そのことは予測されるであろう)。それでも、「ウェストファリア神話」が妥当してきた時代(おそらくは一九世紀中葉以降)の経験をも踏まえつつ、新たな研究対象(史料)に基づく実証的な研究は可能であろう。そして、そのような研究としては、例えば、一七世紀後半から二〇世紀初頭までの「条約」の中で「主権」や「国家」がどのように表現されているのかという視点からの分析が考えられるのである。

歴史研究における一つの神話の否定は、「新たな神話」の創出に繋がるだけかもしれない。それでも、神話否定のための実証的な知的営為が、新たな知的営為の契機となることは確かである。そして、過去に実在した「真実」と「旧き神話」との乖離を「新たな神話」がより小さなものとするならば、(過去の「真実」の不可知性が承認されるとしても)歴史研究が有する学問的意義は失われないのである。

問題群 | *Inquiry*

問題群 | *Inquiry*

宗教改革とカトリック改革

踊 共二

はじめに――大文字の宗教改革

今日Reformationという単語は一般的な再編成や改革ではなくマルティン・ルターに始まる「宗教改革」を意味する。この用法は、大文字書きも含めて一七世紀以降に徐々に確立したものである(フランス語ではRéformationではなくRéformeが定着する)。しかし後述するように、現代の研究者のなかには、あえて小文字の使用を復活させたり複数形を使ったりする人たちがいる。それは宗教改革の多様性・不統一性に関する認識の深化ゆえである。一方、日本の歴史学や歴史教育において宗教改革は依然としてマルティン・ルターその人と結びつけられ、彼の思想と行動が西洋史上の画期をなす大事件として、また空前絶後の革新として語られることが多い。本稿はそうした見方が必ずしも適切でないことを示し、宗教改革の多様かつ豊富な内容を描きだすことを目的としている。以下、まずルターの宗教改革とは何であったか、とくに思想面に注目してその歴史的位置を考察することから始めたい。そのうえで欧州各地の動向を概観し、それぞれの特徴を明らかにする。そのさいにはカトリック改革にも目を配りたい。カトリック改革にはプロテスタントに対抗する側面があるため長らく「反宗教改革」ないし「対抗宗教改革」と呼ばれてきたが、改革の動きはすでに中世後期に始まっており、プロテスタントはまさにその渦のなかで生まれたというのが正しい認識である。

一、ルターとドイツの宗教改革

アウグスティヌス隠修士会士にしてヴィッテンベルク大学教授ルターが到達した新思想の核は「信仰のみ」すなわち「信仰義認論」にあったとされる。その「発見」は一五一五年ごろ、新約聖書のパウロ書簡(とくに「ローマ書」)を読むなかで起こったという。しかしA・E・マクグラスによればルターの発見はアウグスティヌスの再発見というべきものであった(マクグラス 二〇二〇)。アウグスティヌスは人間の自由意思や善き業に先行する神の恩恵を強調した五世紀の教父であり、彼によれば神の恩恵は信仰にも先だち、人間の自由意思には従属的な役割しかない。しかしその後の神学者たちは、程度の差はあれ人間の側の意思的な努力を重んじる傾向を強めた。アウグスティヌスも人間の自由意思自体は否定していなかった。なおルター時代のカトリック神学(スコラ学)には、アリストテレスの哲学を援用して「第一原因」としての神の存在を説き、普遍的なるものを出発点として教義を組み立てるトマス・アクィナスなどの「旧い道」と、現実世界の個物から考察を開始するオッカムのウィリアムらの「新しい道」があり、後者は哲学的思弁より聖書の個々の記述や歴史的な教会の具体的な教えに注目した。ルターの聖書研究は「新しい道」に従っていた。ただし「新しい道」は救済論に関して一枚岩ではなく、ガブリエル・ビールは人間の行いを、リミニのグレゴリウスは神の恩恵を重視していた。ルターは後者の立場に近い。ルターにあっては義認の前提となる信仰もまた人間の意思の働きではなく恩恵の賜物であり、「信仰のみ」は「恩恵のみ」と不可分である。人類はアダムとエバ(イヴ)の原罪によって完全に堕落し、自由意思の力も全壊したが、キリストがその罪を十字架の死によって贖った結果、神は人間を赦して恩恵を与え、信仰を得させるのである。それはルターにとっては聖書的真理であった。しかしカトリック教会は人間の主体的な意思や努力を強調しつづけており、これにも聖書的根拠があった。パウロは次のように明言している。

「神は、おのおのに、そのわざにしたがって報いられる。耐え忍んで善を行って、光栄とほまれと朽ちぬものとを求める人に、永遠のいのちが与えられる」と(「ローマ書」二章六、七節)。

中世後期以降、善き業は形式主義に陥っており、断食や巡礼、寄進や贖宥状の購入が常態化していたが、それはペストの大流行と社会的動乱によって死の恐怖におびえる人たちがすぐに実行できる指針を求めていたからだとされる。そしてそこには商取引にも似た金銭の授受が伴った。天国に直行できずに「煉獄」で苦しむ死者のための祈り(死者ミサ)は有償であり、祭壇や聖画像の奉献、教会堂の新築や改装にも多額の費用が必要であった。罪の償いになる「贖宥状」も金と引き換えであった。その悪しき代表例は、サン・ピエトロ大聖堂の改築のために豪商フッガー家に借金をしていたローマ教皇レオ一〇世とマクデブルクおよびマインツの大司教の地位を得るために同じくフッガー家から金を借りていたホーエンツォレルン家のアルブレヒトが計画し、ドミニコ会士テッツェルにドイツで販売させた「全贖宥」の刷り物である。それはあらゆる罪の償いを免除する証明書であった。ルターの「九十五箇条の論題」(一五一七年)は贖宥状の効力を否定し、教皇の姿勢を厳しく批判するものであった。そのころルターはすでに「信仰のみ」「恩恵のみ」の確信を抱いていた。

ただしこの思想はルターの独占物ではない。一五一二年、パリの人文主義者(司祭)ジャック・ルフェーヴル・デタープルはパウロ書簡の註解のなかで次のように論じている。「キリストだけが私たちの罪を赦し、長い巡礼の旅から私たちを解放してくださる」「恩恵のみによって私たちは救われる。私たちは恩恵により、信仰をつうじて救われる」「そして信仰さえ神の賜物である」と(Lindberg 2014)。ルフェーヴルの弟子ギョーム・ファレルがジャン・カルヴァンをジュネーヴに誘い、宗教改革を推進したことは周知の事実である。

ルフェーヴルとルターでは何が違うのであろう。思想面では瓜二つである。違いはカトリックとは別の教会を樹立し、権力の後ろ盾を得ることができたかどうかである。ルターはこれらの点で成功者であった。言い換えればルターの宗教改革は思想的にというより体制的に新しかったのである。重要なのは、ルターをヴィッテンベルク大学に招いたザクセン選帝侯フリードリヒ三世(賢侯)が改革を支持し、領邦規模で新しい教会を創始することを認めた事実である。レオ一〇世による破門の警告(一五二〇年)、実際の破門宣告、ヴォルムス帝国議会へのルター召喚とルターによる自説撤回の拒否(一五二一年)、同議会によるルター派禁止とルターに対する「帝国追放刑」(ヴォルムス勅令)の適用後、彼を窮地から救ったのも選帝侯であった。[1] ルターはヴァルトブルク城にかくまわれ、聖書のドイツ語訳にいそしんだ(完成は新約が一五二二年、新旧約全書が三四年)。この聖書の特徴は人文主義者ロッテルダムのエラスムスによる『校訂新約聖書』(初版一五一六年)のギリシア語テキストを用い、カトリックの古いラテン語訳(ウルガタ聖書)よりも原典に忠実であろうとした点にある。ルネサンスの「源泉に帰れ」の精神はドイツの宗教改革にも刺激を与えていた。エラスムスの『痴愚神礼讃』(一五一一年)は聖職者の偽善や戦争の愚かさを痛烈に風刺しており、このこともルターにとって追い風であった。ただし「聖書のみ」の立場自体はルターの独創ではない。その先駆的な担い手はフランスに発するヴァルド派、イングランドの聖書主義者ジョン・ウィクリフの影響を受けたロラード派、ボヘミア(チェコ)の改革者ヤン・フスの信奉者たちである。ルターは一五一九年にカトリック神学者ヨハネス・エックとの討論のなかでフスの教えにも正しい点があると述べている。宗教改革は中世後期の諸潮流の延長上にあったのである。ルターは神秘主義の遺産も継承しており、神と魂との「神秘的合一」を説く一四世紀の『ドイツ神学』(著者不詳)を愛読していた(Leppin 2016)。

ルター不在中のヴィッテンベルクではアンドレアス・ボーデンシュタイン・フォン・カールシュタットが教会改革

を加速させ、パンとブドウ酒の両種を用いた聖餐式を実施し、偶像崇拝を誘発する教会内の聖画像の破壊を断行していた。なお両種の聖餐(カトリック用語を使えばミサ聖祭のさいの聖体拝領)は伝統的に聖職者だけで行われ、信徒にはパンだけが与えられていたから、宗教改革は一種の民主化をもたらしたといえる。それは特権的な聖職者や修道士の存在を否定するルターの「万人祭司」の理想と関わっていた。しかし選帝侯の目にはカールシュタットは急ぎすぎていた。当惑した選帝侯は一五二二年にルターを呼び戻す。ルターは外的な改革に固執せず、まず信徒たちの内面に変化が起きるのを待つべきとの考えを示して事態を収束させた。

この間、ルターの書物や絵入りのパンフレット類はドイツ全土で読まれ、また朗読されるようになった。「九十五箇条の論題」のほか、『キリスト者の自由』(一五二〇年)も大反響を呼んだ。[2] しかし、最新技術としての活版印刷術によって大量印刷されたルター文書は彼自身が制御できない不穏な動きを各地で誘発した。人文主義と宗教改革の教会批判に共鳴したウルリヒ・フォン・フッテンやフランツ・フォン・ジッキンゲンらの騎士戦争(一五二二年)がその例である。ドイツ農民戦争(一五二四―二五年)も宗教改革思想の刺激を受けていた。聖書の教えを社会正義の実現のために用いたクリストーフ・シャッペラーや、聖書を根拠に終末を予言し、農民反乱のなかで救われるべき選民の結集を計画したトーマス・ミュンツァーの名をあげれば、このことは容易に理解できよう。なお一五二五年に編まれたシュヴァーベン農民の「十二箇条」には、聖書的な万人の自由・平等の原理に基づく農奴制の廃止、教区共同体による牧師の選出、十分の一税(教会税)制度の適正化と共同体による自主運営など、P・ブリックレのいう「共同体宗教改革」の要求が記されていた(ブリックレ 一九九一)。そこにはルターの教えと重なる要素もあったが、暴力的運動に危機感をおぼえたルターは諸侯に弾圧を求めた。ルターにとってキリスト者は霊的には神以外のだれにも服従しない自由を有するが、現世の秩序を守るべく神がたてた権力には服従しなければならない。この思想は「二王国論」と呼ばれる。ここには人間の罪深さとそれに起因する社会悪に関するルターの悲観的認識が反映されている。

ザクセンをはじめとするルター派領邦ではその後、修道院の廃止と財産接収、これを財源とした公的な救貧制度や地方の牧師たちを統制する巡察制度が導入され、全土の教会を統括する行政官庁としての宗務局が設置され、いわゆる領邦教会体制が整備される。(3) 宗教改革の歴史は政治史であり、法制史でもある。そしてそれは外交と戦争の歴史でもあった。一五二六年、神聖ローマ皇帝カール五世(スペイン王としてはカルロス一世)はイタリア支配をめぐるフランス王および教皇との争い(イタリア戦争)やオスマン帝国の軍事的脅威を背景にルター派諸侯の協力も求めざるをえなくなり、第一回シュパイヤー帝国議会でヴォルムス帝国議会(一五二一年)のルター派禁止令を保留にして対立を和らげた。しかしイタリア戦争が皇帝側に有利な展開をみせると、一五二九年の第二回シュパイヤー帝国議会ではふたたびルター派を禁止する。宗教改革派の諸侯はこれに対して「抗議」(protestatio)を行う。これを機に宗教改革派はプロテスタントと呼ばれるようになる。

二、ツヴィングリと宗教改革の複雑化

ドイツ語圏スイスではルター主義とは異なる宗教改革が進展していた。(4) その指導者は都市チューリヒの元カトリック司祭フルドリヒ・ツヴィングリである。ツヴィングリはエラスムスに心酔する人文主義者であったが、聖書を唯一の規範とし、為政者と連携して改革を行った点ではルターと同じである。一五一九年にはルターの著作も読んでいた。しかしツヴィングリの改革には都市的な共同体精神が反映されていた(メラー 一九九〇)。このことは市参事会の主催する「公開討論会」(一五二三年)の場で教会改革の諸方針が打ち出されたことに表れている。ツヴィングリは討論会のために『六十七箇条の論題』を公表した。なおツヴィングリとルターの神学面の違いは小さくなかった。第一にツヴィングリはカトリック教会が求める善き業をルターと同じように批判したが、信仰によって個人の生活と社会のあり

方が変わり、漸進的に「聖化」が起きるべきだと考えていた。この点でツヴィングリの宗教改革は道徳改革でもあった。その駆動装置は一五二五年に設置された婚姻裁判所(道徳裁判所)である。修道院の廃止はルター主義と同じだが、教会から聖画像を撤去した点は急進派に近い。またツヴィングリはチューリヒ農村部で起きた農民騒擾のさい、都市支配領域の農奴制を廃止する提案を市当局(市参事会)に対して行い、これを広い範囲で実現させていた(一五二五年)。それはルター派のドイツ諸領邦とは大きく異なる展開である。

ルターとツヴィングリの違いは人間観・社会観・権力観において顕著であったが、聖餐論の不一致も深刻であった。ルターは聖書の字句にこだわり、最後の晩餐のさいにキリストは卓上のパンとブドウ酒を自身の体と血「である」と語ったのだから(「マタイ福音書」二六章)、キリストの体と血は聖餐において「現在する」のだと主張した。一方、ツヴィングリは「である」を「意味する」「象徴する」と解釈した。この対立はプロテスタントの連携を一時的に妨げる要因となる。しかしルターは聖書解釈において字義を重視しつつも転義的・寓意的な読みも認めており、大局的にはツヴィングリと同じであった。また両者とも、新旧約聖書の個々の戒めや勧告が同時代の特定の人たちに向けられたものか時と場所の違いを超えて普遍的に適用すべきものなのかを文脈によって区別した。たとえば聖書には「信じてバプテスマ(洗礼)を受ける者は救われる」(「マルコ福音書」一六章一六節)と書いてあるが、ルターもツヴィングリも自分で「信じる」力のない幼児(嬰児)に洗礼を施す中世教会の古い慣行を維持した。新約聖書時代とは違い、キリスト教社会の確立後は教会と家族・関係者たちが責任をもって幼児を信仰に導くことができると考えたからである。この姿勢はやがて急進派の批判にさらされることになる。なお聖餐論争においてルターは聖書の字義に執着したが、パン(ホスチア)とブドウ酒が実体的にキリストの体と血に「なる」というカトリックの聖変化説(化体説)は認めなかった。「である」と「なる」は違うからである。

チューリヒに始まるスイスの宗教改革はやがてザンクト・ガレン、ベルン、バーゼル、シャフハウゼンなどの都市に広がった。その陣営はルター派とは区別され、ツヴィングリ派ないし「改革派」と呼ばれた。ドイツの帝国都市コンスタンツやシュトラースブルク(ストラスブール)もスイス改革派に近い路線をとり、一五三〇年にはチューリヒと同盟を結ぶ。ルターとツヴィングリの対話を促していたドイツのヘッセン方伯フィリップもチューリヒやバーゼルと同盟する。なお当時のスイスは一三の主権邦(都市邦・農村邦)、従属邦(準州)、主権邦の共同支配地からなる緩い同盟体であり、宗教改革はその団結を阻害する要因となる。中央部のカトリック諸邦(とくにルツェルン、ウーリ、シュヴィーツ、ウンターヴァルデン、ツークの五邦)は宗教改革に敵対しており、一五二九年と三一年には内戦(二回のカッペル戦争)が起きる。その結果、各主権邦はそれぞれカトリックか改革派のいずれかを選択することになった。ただし主権邦グラールスやアペンツェル、共同支配地バーデンのような両派併存地域もあった。

一五三一年、ツヴィングリは従軍牧師としてカッペルの戦場で命を落とす。その後チューリヒの教会を指導したのはハインリヒ・ブリンガーである。彼は人文主義の教育を受けた学識者であり、ヨーロッパ各地に大きな影響を与えた。彼は改革派の神学を練り上げ、一致と連携の輪を広げた。彼が深く関わった「第一スイス信仰告白」(一五三六年)と「第二スイス信仰告白」(一五六六年)は、キリストの霊的臨在と信徒の霊的交わりを強調する聖餐論や、神による選びと救いの「予定」に関する神学が形成され普及する歴史において重要な位置を占める。なおブリンガーは書簡を用いて幅広い交流を展開しており、カルヴァンやフィリップ・メランヒトン(ルターの協力者)などの神学者だけでなく、ドイツのヘッセン方伯フィリップ、プファルツ選帝侯フリードリヒ三世、イングランドのヘンリー八世やエドワード六世、エリザベス一世、デンマークのクリスチャン二世といった君主たちともつながっていた。

ところで、ツヴィングリの宗教改革はルターのそれと同じく急進派との対決のなかで進められていた。チューリヒでは門閥市民の息子コンラート・グレーベルや聖職者の庶子フェーリクス・マンツらがツヴィングリの改革の不徹底を批判し、聖書的根拠のない幼児洗礼を廃止して自覚的信仰を前提にした成人洗礼を実施すべきだと主張した。ただし急進派も分裂しており、農村部で教区民による牧師選出や十分の一税納入停止の運動を支援するヴィルヘルム・ロイブリンのような民衆運動家もいた。ロイブリンはシュヴァルツヴァルトのホルプ・アム・ネカー出身の元カトリック司祭である。チューリヒの急進派は一五二五年一月に再洗礼を実行に移し、改革派教会から分離して個人の家や野外で集会を開いた。彼らはやがて再洗礼派と呼ばれるようになる。再洗礼派は道徳改革に情熱を注ぎ、戒告と破門を実践して共同体の純化をめざした。ツヴィングリの教会は破門を実施しなかったから、再洗礼派はそれを悪の巣窟とみなした。再洗礼派の教えはシャフハウゼンやザンクト・ガレン、ベルン、バーゼルなどにも広がる。指導者たちの一部はヴァルツフート、アウクスブルク、シュトラースブルクなど、西南ドイツやアルザス地方の別系統の再洗礼派とも交流した。ヴァルツフートではロイブリンから成人洗礼を受けた宗教改革者バルタザル・フープマイアーの指導下、都市全体が再洗礼派の教えに従った(一五二五年)。フープマイアーは改革のために剣をとることも辞さない武闘派であった。チューリヒにも彼に賛同する急進派がいた。無抵抗(非暴力)路線が主流になるのは、一五二七年、シュヴァルツヴァルトのベネディクト会修道院ザンクト・ペーターを脱出した元修道士ミヒャエル・ザトラーがスイスに来てからである。彼はシャフハウゼンの農村で「シュライトハイム信仰告白」を編み、聖書を根拠として成人洗礼の正当性を説くとともに剣(暴力)の放棄、官職と宣誓の拒否、悪魔の支配下にある現世と再洗礼派教会の分離、放逐(破門)による共同体の純化を呼びかけた。再洗礼派はカトリックからもプロテスタント正統派からも迫害され、追放や処刑の憂き目にあうが、リヒテンシュタイン家が支配するモラヴィア(チェコ)の都市ニコルスブルク(ミクロフ)のように再洗礼派を保護した場所もある。なおモラヴィアでは一五三〇年代にチロル出身のヤーコプ・フッター(帽子製造工)を指導者とする再洗礼派コロニーが随所に形成され、スイスの再洗礼派も相当数これに加わっている。彼らフッター派の特徴は財産共有と農業・手工業の集団化である。一方、ベルンやジュラの山岳地帯、アルザスやプファルツ地方に潜伏して生き延びたスイス再洗礼派は制度としての財産共有を導入せず、共同金庫を設けて孤児や病人、貧しい寡婦を助けた。

一五二九年の「抗議」以降、ドイツのプロテスタント諸侯は軍事的結束をはかっていた。しかしそれはルター派とツヴィングリ派の対立によってうまく進まなかった。当時プロテスタント諸侯の筆頭と目されていたヘッセン方伯フィリップは一五二九年に両派の聖職者たちを集めて歩み寄りを促すが、聖餐論の不一致ゆえに決裂に終わる(マールブルク会談)。一方、皇帝側はプロテスタントに神学的立場の説明を迫っていた。一五三〇年、ザクセン選帝侯ヨーハンはメランヒトン編の「アウクスブルク信仰告白」を提出した。しかしスイスと西南ドイツのプロテスタントは別行動をとった。ツヴィングリは『信仰の弁明』を、シュトラースブルクなど西南ドイツの四都市はマルティン・ブツァーらが起草した「四都市信仰告白」を提出したのである。皇帝側は「アウクスブルク信仰告白」だけをとりあげ、ヨハネス・エックに依頼してその内容を吟味させ、謬説であるとの判断を下して一五二一年のルター派禁止令を再確認した(アウクスブルク帝国議会)。危機感を強めたプロテスタント諸侯は一五三一年にシュマルカルデン同盟を結び、軍事的衝突に備えたが、皇帝側がまたも譲歩したため、小康状態が続く。その間プロテスタント側は、ツヴィングリに近い立場の西南ドイツ諸都市とルター派とのあいだで「ヴィッテンベルク一致信条」(一五三六年)を作成し、神学的な妥協にいたる。聖餐におけるキリストの体と血については、現在説(共在説)も象徴説も、また霊的臨在説も成り立つ表現が用いられた。

ところで、ルター主義は北欧にも伝播した。宗教改革思想はすでに一五二〇年代にユトランド半島に達し、一五三四年に即位したデンマーク=ノルウェー王クリスチャン三世の時代にルター派の国教会が成立する。この王はドイツ滞在中にルターを知り、プロテスタントになっていた。教会組織のモデルはドイツの領邦教会である。スウェーデンではヴィッテンベルクで学んだオラフ・ペーテルソンらが国王グスタフ一世の保護を受けて宗教改革を導入した(一五二七年)。なおスカンディナヴィア半島北部の先住民サーミの世界には中世にカトリックと正教が伝えられていたが、独自の民族宗教も健在であった。ルター派の伝道はスウェーデン王権による征服と資源(木材や鉄鉱石)の収奪と結びついていた。一七世紀初頭にはグスタフ一世の子カール九世によって「異教」の根絶が進められた。その過程は北米やアジア、アフリカへのキリスト教の布教と植民地化の連結を思わせる。

三、シュマルカルデン戦争からアウクスブルク宗教平和令まで

一五四四年にカール五世はイタリア戦争を一時的に中断することに成功した。そして二年後、プロテスタント諸侯に対する攻撃を開始する(シュマルカルデン戦争)。それはルターが死去した年のことである。戦争は皇帝側の勝利に終わった。ザクセン選帝侯ヨーハン・フリードリヒは捕虜になり、ヘッセン方伯フィリップも投獄された。プロテスタント側の帝国都市にも厳しい罰が下され、下からの宗教改革的要求の回路であったツンフト(職業組合)体制が多くの都市で廃止させられた。ただし皇帝は妥協も試み、教会会議(公会議)で結論が出るまでという条件で、プロテスタントに聖職者の結婚と二種の聖餐だけは認めるとの決定を下した(一五四八年のアウクスブルク仮信条協定)。しかしこの二点を除けば教義も礼拝も再カトリック化しなければならなかった。当然、プロテスタントの反発は大きかった。

シュマルカルデン戦争後、カール五世はドイツとスペインを一体的に統治するハプスブルク帝国の実現をめざすが、これはカトリック諸侯からも拒絶され、一五五二年、ドイツの支配を弟フェルディナント(オーストリア大公)に委ね、スペインで暮らすようになる。フェルディナントはプロテスタント諸侯の抑圧は難しいと判断し、一五五五年にアウクスブルク宗教平和令を公布する。この平和令は諸侯に対してカトリックかルター派かの選択を許すものであった。その選択は「一人の支配者のいるところ、一つの宗教」の原則に従い、領邦全体で行うべきものとされた。個々の領民には宗派選択権はなかったが、領邦の宗派に従えない場合には移住する権利が認められた。なお宗派選択権は帝国

都市には与えられなかった。プロテスタント化した都市にもカトリックの少数派がいる場合があり、フェルディナントはその力を温存しようとしていた。彼は一五五八年に神聖ローマ皇帝フェルディナント一世となるが、ひきつづき領邦国家の宗派決定権を尊重する立場をとる。ただし領邦君主側は、勢力を増しつつあるカルヴァン派の信仰を選ぶことはできなかった。また司教などの高位聖職者が支配する領邦にはカトリック以外の選択肢はなかった。

四、カルヴァンと宗教改革のヨーロッパ的拡大

ルターの著作はヨーロッパ中で読まれたが、その教会組織の重心はドイツ諸領邦と北欧にあり、その点でルター派にはローカルな性格が濃かった。一方、チューリヒのツヴィングリとジュネーヴのカルヴァンが育てた改革派の教会は国際的であった。カルヴァンはフランス人であり、その活動範囲は相当に広かった。彼はパリ大学やオルレアン大学で学んだ人文主義者であり、ルフェーヴルとも交流していた。一五三三年、パリ大学総長ニコラ・コップがエラスムスの『校訂新約聖書』を用いながら教会批判を展開すると、カルヴァンも追われる身となり、スイスのバーゼルに逃れた。この時点でカルヴァンはすでに宗教改革的な回心を経験していたようである。ルフェーヴルの弟子ファレルも宗教改革陣営に移り、バーゼルやベルン、ジュネーヴを舞台に活動していた。エラスムスもバーゼルにいたが、宗教改革には関わらなかった。一五三六年にカルヴァンはバーゼルで主著『キリスト教綱要』(初版)を執筆する。それはルターの著作を読みこんで書かれていた。この年彼は偶然ジュネーヴに立ち寄るが、そこではファレルが都市当局と市民を説得しながら宗教改革運動を展開していた。カルヴァンは彼に乞われて改革の手助けをすることになる。

ジュネーヴは当時、同地の司教の地位を牛耳るサヴォア公の支配下にあり、スイスの改革派都市ベルンなどを頼って独立闘争を繰り広げていた。ベルンは西部スイス(ヴォー地方など)の征服を進めており、ジュネーヴへの接近の背

後にも領土的野心があった。カルヴァン着任のころにはすでに、いわゆる市民総会の場で聖書にもとづいた説教、カトリックのミサの廃止、聖画像の撤去などが決められていた。カルヴァンはジュネーヴの教会と社会を観察し、チューリヒのツヴィングリと同じく道徳改革こそ急務だと判断した。そして一五三七年に「教会規則」を起草し、聖書の模範(「マタイ福音書」一八章)に従い、罪深い行いを改めない信徒への戒告と破門(聖餐式からの排除)、悔い改めと赦しのシステムを確立しようとした。カルヴァンによればジュネーヴの風紀は非常に乱れていた。なおカルヴァンは教会が自律的に破門権を行使すべきだと考えていたが、市当局はこれを昔日のカトリック司教の裁治権に近いものと受けとめ、都市自治への侵害とみなした。カルヴァンは反対派の攻勢によって一時ジュネーヴを離れざるをえず、一五三八年から四一年までシュトラースブルクに滞在した。そこにはフランスの改革派(ユグノー)の亡命者たちがいた。同地でカルヴァンはドイツのプロテスタントとも交流して視野を広げ、『キリスト教綱要』を大幅に増補した(一五三九年)。

一方、ジュネーヴでは政争の末に反カルヴァン派の力が衰え、カルヴァンの帰還が実現する(一五四一年)。彼はただちに市当局に新しい「教会規則」を示して採択させることに成功した。これによれば教会の職制として牧師・教師・長老・執事があり、長老と執事は信徒が務め、前者は信徒の生活指導、後者は救貧を担当すべきものとされた。この制度は事実上、教会と都市国家の融合を意味した。長老職は市当局(市参事会)の構成員一二名が占め、いわゆる長老会はこれに牧師五名が加わって構成された。この組織が破門を含む教会罰(訓練)を実施するというのがカルヴァンの構想であった。しかし破門宣告は事実上、市当局に委ねられていた。破門は市民生活にも影響するからである。その後一五六〇年になると長老の選出は牧師(会)の承認を要することとされ、教会訓練における牧師側の主導権確立の道が開ける。当時ジュネーヴにはフランスのユグノー亡命者たちが数多く到来して経済的に重要な役割を果たしており、その存在がカルヴァン派の力を強めさせていた。なおカルヴァンはスイスの改革派の連携も推進し、チューリヒのブリンガーとの関係を強め、一五四九年に「チューリヒ和協書」を編んで聖餐論の共通理解の基礎を築いた。

ジュネーヴでは異説への対応をめぐる問題が頻発した。たとえば一五五三年、スペイン生まれの医師（神学者）ミシェル・セルヴェトゥスがジュネーヴを訪れて三位一体論を否定する言説をひろめ、市当局によって異端者として火刑に処せられた。チューリヒやバーゼルもこれを支持していた。翌年、ジュネーヴやバーゼルで活動していたフランス出身の神学者セバスティアン・カステリョが匿名で『異端は迫害されるべきか』を出版し、ジュネーヴの行き過ぎを批判した。なおセルヴェトゥスの影響で反三位一体論者（ユニテリアンの先駆）となったイタリア人ジョルジョ・ビアンドラータはハンガリーに逃れたが、その教えは国王ヤーノシュ二世に認められ、反三位一体派は「トルダの勅令」（一五六八年）によってカトリック、カルヴァン派、ルター派とともに公認された。

ところでジュネーヴには一五五九年に神学院（アカデミー）が開設されて牧師の養成が行われた。そこにはヨーロッパ各地から留学生が集まった。ジュネーヴはフランスへの伝道者の派遣基地でもあり、神学院の役割は大きかった。フランスの改革派教会はジュネーヴの伝道者たちが秘密裏に組織化したものである。フランスではカトリック教会に失望した手工業者や商人だけでなく貴族のなかにも改革派に転向する人たちがいた。そこにはブルボン、コンデ、コリニーなどの名門も含まれている。一五五九年にはパリで改革派の全国教会会議が開かれ、「ガリア信仰告白」と「教会規則」が採択された。迫害下のユグノーの結束は固く、彼らの礼拝は訓練された牧師の説教と詩篇歌を中心に催されていた。

フランスの近世史は宗教的憎悪と殺戮（さつりく）の歴史であり、宗教改革は王と貴族たちが繰りひろげる壮絶な権力闘争と結びついていた。ルネサンスと人文主義の新潮流に一定の理解を示したフランソワ一世の没後、一五四七年に即位したアンリ二世はプロテスタント弾圧を徹底しようとした。一五五九年、カトー・カンブレジ条約によってイタリア戦争を終結させたアンリ二世はジュネーヴ遠征を企てるが、事故死によって計画は果たせなかった。続くフランソワ二世、シャルル九世は年若くして即位し、政治の実権は母后カトリーヌ・ド・メディシスが掌握した。亡き夫アンリ二世はカトリックの急先鋒ギーズ公フランソワの影響を受けていたが、カトリーヌはこの勢力と距離をとり、改革派への寛容政策によって権力を安定させようとした。しかしギーズ公フランソワによるヴァシーの改革派礼拝襲撃事件（一五六二年）を契機にユグノー戦争が始まる。この戦争は断続的に一五九八年まで続き、流血の惨事が繰り返された。一五七二年にはユグノーの領袖ブルボン家のアンリ（ナヴァール王）とカトリーヌ・ド・メディシスの娘マルグリット（マルゴ）との政略結婚の祝宴を狙ったギーズ公アンリによるサン・バルテルミの大虐殺が起き、コリニーらの改革派貴族が命を落とす。虐殺はフランス全土に飛び火した。アンリ・ド・ブルボンはこの時カトリックに一時的に改宗して命をながらえ、「旧教同盟」を率いるギーズ公に対する反撃の機会をうかがった。一五七三年、シャルル九世の死後王位についたアンリ三世は宗教より政治的安定を優先するポリティーク派の手法をとろうとするが、戦乱を終わらせることはできなかった。それどころか王位継承をめぐる争いに巻き込まれ、王位継承権のあるアンリ・ド・ブルボン、ギーズ公アンリとの三つ巴の戦いのなかで死去する（一五八九年）。それは彼がギーズ公を暗殺させた後のことであった。生き残った王位継承者アンリ・ド・ブルボンがフランス王となるが、彼は宗教戦争を終結させるために再度カトリック改宗を行い、一五九八年にナントの王令を発してユグノーに信仰の自由を与えた。それは一五五五年のアウクスブルク宗教平和令とは違って個人を対象としていた。ただしユグノーの宗教活動には制限が加えられ、パリ中心部では礼拝は許されなかった。それでもフランスは平和と社会的経済的発展の可能性を得ることができた。しかしそれは一六八五年にルイ一四世がナントの王令を廃止するまでのことである。それ以後ユグノーは改宗を迫られ、拒む者は投獄され、ガレー船の漕ぎ手にされ、また処刑された。一〇万人のユグノーが国外に逃れたが、亡命先はスイス、オランダ、イギリス、ドイツのブランデンブルク＝プロイセン、ヘッセン、プファルツなどである。

カルヴァン主義はスコットランドにも伝わった。それは一五四〇年代、フランスのメアリ・オブ・ギーズ（スコットランド王ジェームズ五世妃)が幼い娘メアリ・ステュアート(フランス王太子フランソワの妃)の摂政を務めた時代である。カルヴァン主義の伝播はジュネーヴ滞在経験のあるジョン・ノックスの働きによる。ただしそれ以前、一五二〇年代にすでにセント・アンドルーズ大学の知識人たちにルターの教えが伝わり、四〇年代にはパースで手工業者のプロテスタント小集団が摘発されている。やがて摂政支配に不満をもつ貴族たちがプロテスタント化すると、情勢は大きく変わる。ノックスはプロテスタント貴族の側に立って改革を進めることができた。一五六〇年、メアリ・オブ・ギーズが貴族反乱の渦中で病死すると、エジンバラで開かれた議会が宗教改革の導入を決める。この議会では「スコットランド信仰告白」が採択され、全国に長老主義の教会が成立する。なおメアリ・ステュアートは夫フランソワ(二世)の死後スコットランドに戻るが、古い信仰を棄てることはなかった。彼女は一五六七年に貴族たちによって退位させられ、イングランドのエリザベス一世を頼るが、幽閉されて処刑されることになる(一五八七年)。メアリのあとを継いだジェームズ六世は、エリザベス一世の死後、一六〇三年にイングランドの王位を得てジェームズ一世となる。そこで彼が対峙したのは国教会に反抗するカルヴァン派、すなわち後述するピューリタンである。

カルヴァン主義はネーデルラントにも根づくが、この地にはそれ以前にルターの宗教改革思想が伝わっていた。宗教改革時代のネーデルラントを支配したのはスペイン系のハプスブルク家であり、同家はカトリック信仰の維持と強化をめざした。しかし中世後期以来ネーデルラント(とくに北部)は、個々人が聖書を読んでキリストの模範に従うことを理想とする「新しい敬虔」(devotio moderna)の中心地であり、宗教改革を受け入れる素地があった。プロテスタントにも影響を与えた『キリストに倣いて』(一四一八年ごろ)の著者トマス・ア・ケンピスは「新しい敬虔」運動の担い手であった。一五二〇年代にはブリュッセルやアントウェルペンなどでルター派が摘発されており、改革思想は非常に早く伝わっていたといえる。そして既存の秩序を揺るがす大きな運動が俗人説教師メルヒオル・ホフマン(毛皮工)の到来とともに巻き起こる。彼は最初ルターとツヴィングリの影響下にあったが、やがて終末論に傾倒し、シュトラースブルクで再洗礼派となり、各地を旅して多くの人々に成人洗礼を施した。再洗礼派は一五三〇年代にはアムステルダムにも出現する。そうしたなか、ハールレム出身のヤン・マティス(製パン工)とその弟子ヤン・ファン・ライデン(仕立工)が千年王国の到来を説く。その実現の場所はヴェストファーレン(ウェストファリア)の都市ミュンスターだと予言され、北ドイツとオランダから多くの再洗礼派が同市に結集した。再洗礼派はこの都市を支配して旧約聖書的な統治と財産共有を実行に移す(一五三四—三五年)。しかし諸侯の軍隊に鎮圧され、悪名だけを後世に残した。再洗礼派の残存勢力を再組織化したのはフリースラントの元カトリック司祭メノー・シモンズであり、彼のグループ(メノナイト)は無抵抗主義の立場をとった。メノナイトは一七世紀にスイス系の再洗礼派と合同することになる。

ネーデルラントでは一五四〇年代からカルヴァン派の運動が活発化した。彼らは為政者の役割を尊重し、再洗礼派とは距離をとったため、貴族や都市の指導層にも支持を広げることができた。ネーデルラント支配の強化を試みるスペインのフェリーペ二世がパルマ公マルハレータ(摂政)に異端審問とプロテスタント迫害を強行させると、貴族たちは中止の請願を行った(一五六六年)。彼らは「乞食ども」(ヘーゼン/ゴイセン)と揶揄され、厳罰を下される者も出たが、その勢いは衰えず、ついに一五六八年に貴族オランイェ公ウィレム(一世)を指導者として反乱を起こす。カルヴァン派の多い北部七州がウィレムを支持し、ユトレヒト同盟(一五七九年)によって独立国家オランダの基礎を築いた。スペインは一六〇九年に休戦条約を結び、事実上の独立を認める。オランダ諸州はカルヴァン派を公認宗派としたが、各地でカトリックや再洗礼派、ユダヤ教徒に私的礼拝が許された。カルヴァン派内部では救いと滅びの二重の予定と恩恵の不可抗性を説くホマルス派と、恩恵を受け入れたり拒んだりする人間の自由意思を信じるアルミニウス派の対立が起きるが、一六一九年の「ドルト信仰基準」によって前者の説が採用され、安定が得られた。

五、イングランドとスコットランドの宗教改革

一六世紀のイングランドではケンブリッジ大学が思想面での台風の目であった。そこにはヴィッテンベルクに留学してルター神学を受容したロバート・バーンズがおり、ギリシア語・ヘブライ語の原典を用いて聖書を英訳したウィリアム・ティンダルもいた。しかし彼らの活動範囲は狭く、教会組織の再編としての宗教改革を担ったのは王権である。ただし神学的な基礎は不確かであった。周知のようにこの国の宗教改革は国王ヘンリー八世の離婚問題を端緒とする。一五二〇年代半ば、王はキャサリン・オブ・アラゴン(神聖ローマ皇帝カール五世の叔母)との結婚を解消し、彼女の若い侍女アン・ブーリンと結婚しようとしていた。背景には世継ぎ(男子)の不在およびカール五世との対立があった。皇帝を恐れる教皇クレメンス七世はこの離婚に反対であった。しかしヘンリー八世は一五三三年に自らの計画を実行に移し、イングランドはカトリック教会と決別することになる。それを支えたのは王の側近トマス・クロムウェルである。彼は一五二〇年代末に王が召集した「宗教改革議会」を主導し、カトリック聖職者の権力を奪う法案を次々に成立させ、一五三四年には国王をイングランドの教会の首長と位置づける「国王至上法」を制定させた。こうして「国教会」が生まれる。その後、修道院の解散と財産没収が進められ、国家財政は飛躍的に強化された。ヘンリー八世は反対者を厳しく弾圧し、『ユートピア』(一五一六年)で有名な人文主義者トマス・モア(大法官)を反逆罪で一五三五年に処刑し、男子を産まない妃アン・ブーリンさえ陰謀と不義密通の罪で斬首させた(一五三六年)。王はその後すぐに彼女の侍女ジェーン・シーモアと結婚し、待望の男子を得る(一五三七年)。のちのエドワード六世である。

ヘンリー八世は教会改革には消極的であったが、戦略上ドイツのルター派諸侯との連携が必要なため、ドイツ滞在中のバーンズを呼び戻して外交の任にあたらせ、ティンダルの英訳聖書に倣ったマイルズ・カヴァデールの『大聖

書』(一五三九年)を正式に承認した。なおティンダルの聖書は一六一一年の『ジェームズ王欽定訳聖書』にも受け継がれている。国教会の教義的改革はカンタベリー大司教(大主教)トマス・クランマーが慎重に進めたが、当初はカトリックとルター主義の折衷が目立った。たとえば一五三六年の信仰告白「十箇条」は信仰義認論を説くものの、その内容はカトリックの義化説に近く、神による一方的な義の宣言の思想とは異なっていた。三九年の「六箇条」では聖餐における聖変化が擁護され、聖職者独身制も保たれている。それは王の要望でもあった。ヘンリー八世の死後、エドワード六世が九歳で即位すると、クランマーらは大陸の宗教改革者(ブツァーら)の協力を得てプロテスタント化を推進し、四九年に「礼拝統一法」と「共通祈禱書」を定め、五三年には「アウクスブルク信仰告白」を土台にした「四十二箇条」を制定した。ただしクランマーは聖餐論においてはツヴィングリ的であった。

一五五三年にエドワード六世が早世すると、ヘンリー八世とキャサリン・オブ・アラゴンの娘アンが即位し、カトリックを復活させる。クランマーは処刑され、殉教者となった。五八年にメアリが死亡してヘンリー八世とアン・ブーリンの娘エリザベス一世が即位すると、イングランドはプロテスタントに戻る。ただしエリザベスは国家の安定を優先し、宗教的には中道を好んだ。新しい「共通祈禱書」(一五五九年)にはそれが表れており、祝祭日や聖職者の式服の定めはカトリック的であった。ただしカトリック信仰自体は禁じられた。大陸に逃れた司祭たちは密かに母国を訪問し、隠れて信仰を守る人々の司牧を行った。なお当時のイングランド国教会の教義は「三十九箇条」(一五六三年)によって明確化されるが、それは改革派の思想を採り入れつつ国王を教会の首長とするものであった。

イングランドには国教会の権威主義的な主教(監督)制度ではなく長老制度を求める人々もおり、彼らはピューリタンと呼ばれた。なかには悔い改めた者だけの教会を組織するグループもあり、「分離派」と名づけられた。その一部は弾圧を逃れ、一七世紀前半にオランダ(ライデン)を経てアメリカに渡る(一六二〇年)。いわゆるピルグリム・ファーザーズの上陸である。彼らの教会は水平的な会衆主義に立っていた。イングランドに残った分離派(独立派)は、やがてピューリタン革命(一六四二―四九年)の担い手となる。

六、カトリック改革

贖宥状販売を主導したレオ一〇世はメディチ家出身のルネサンス教皇だが、次のハドリアヌス六世(一五二二年登位)はユトレヒト出身の神学者であり、道徳改革に意欲を示した点で異色であった。しかし彼は一年で死亡し、レオ一〇世の従弟がクレメンス七世として教皇となり、改革は後退する。後継のパウルス三世(一五三四年登位)はピサ大学で学んだ人文主義者であった。彼はプロテスタントとの対話とカトリックの立て直しのための公会議を計画し、改革を志向するガスパロ・コンタリーニやジョヴァンニ・カラッファを枢機卿に抜擢して「教会改革建議書」(一五三七年)を作成させた。この文書は歴代の教皇による私利私欲の追求の歴史を批判し、在俗聖職者・修道士の堕落を指摘して信仰と道徳の再建のための制度改革を提案するものであった。具体的には聖職禄の集積の禁止や聖職者の任地(教区)定住の義務化などである。なおコンタリーニとカラッファでは改革の方向性が正反対であり、前者はプロテスタントとの宥和に努め、後者はその根絶をめざした。パウルス三世は両方の道を模索する。コンタリーニは幾度かドイツに赴き、メランヒトンらと会談して信仰義認論に理解を示し、これを含むかたちの「信仰と業」による「二重の義認」を説いた。とりわけ一五四一年のレーゲンスブルク会談においてである。愛の業の実践によって義認は完成するとコンタリーニは説いた。その主張はパウロ思想とヤコブの教え――「人が義とされるのは行いによるのであって信仰だけによるのではない」(「ヤコブ書」二章二四節)――の組み合わせであり、聖書の総合的解釈にもとづいていた。しかしルター派はこれを拒絶し、カトリック教会もそうした義認(義化)の二重性を認めなかった。ただしブツァーはこれとほぼ同じ思想を抱いていた。ツヴィングリやカルヴァンの神学においては第二の義認は「聖化」と呼ぶべきものであった。いずれにせよ神学面で歩み寄りの余地がなかったわけではない。一方カラッファは強硬であった。彼は一五四二年にローマに設けられた異端審問所(検邪聖省)の首席審問官となり、異分子の詮議と弾圧を推進する。

公会議はようやく一五四五年に始まった。北イタリアのトレントで開かれたこの会議はプロテスタントとの対話の機会にはならなかったが、近世のカトリック教会のあり方を方向づけた点で重要である。おもな決定事項は、神学面では「聖書と教会の伝承」の両方を権威の源泉とすること、義認は「信仰と行い」の両方によること、「行い」は恩恵と人間の自由意思の「協働」によって実現すること、自由意思はアダムとエバの堕罪(原罪)によって完全に失われたわけではないしキリストの贖罪による人間の再生によって強められていること、七つの秘跡すなわち洗礼、堅信、聖体拝領、告解、終油、叙階、結婚を維持すべきこと、ミサ聖祭のパンとブドウ酒はキリストの体と血に実体的に変化するという化体説を堅持し、信徒には従来どおりパンだけを与えるべきこと、聖人崇敬を維持して聖画像(芸術的表現)を適切に活用すべきこと、などである。制度改革については、複数の司教職の兼務禁止、任地居住の義務化、司教区会議の開催、巡回指導による司牧の充実、各司教区における神学校の設置などが決められ、修道制の意義と会則遵守の必要性なども再確認された。会議は三期にわたり一五六三年まで続いたが、その間、一五四九年に教皇パウルス三世が死亡して最後のルネサンス教皇と呼ばれるユリウス三世が登位し、その死後一五五五年にはカラッファ(パウルス四世)が教皇となった。彼はプロテスタント弾圧を強化し、公会議後に「禁書目録」(一五五九年)を作成させた。その後も改革は続き、「公教要理」(一五六六年)、「聖務日課書」(一五六八年)、「ミサ典書」(一五七〇年)などが発行され、信徒教育と典礼の整備が進んだ。なおトレント公会議は贖宥の効力を再確認したが、その「販売」は一五六七年に禁じられ、宗教改革の契機となった悪弊は除去された。

カトリック改革の成功は新しい修道会や修道団体によるところが大きい。カプチン会やウルスラ会は貧しい人々への奉仕に尽力し、一般信徒の信頼を得た。戦場での負傷と回心、幻視の体験をもつスペイン(バスク地方)出身のイグナティウス・ロヨラが同郷のフランシスコ・ザビエルらを誘って結成したイエズス会も改革に貢献した。一五四〇年に同会を認可したのはパウルス三世である。イエズス会士は定住や定時の共同の祈り(聖務日課)を義務とせず、ロヨラの『霊操』(一五四八年)を用いて内面的訓練を行いつつ、教皇の命令でどこにでも布教に赴いた。彼らは高等教育・神学教育にも熱心であった。彼らの活動によって西欧各地で再カトリック化が成功し、アジアやラテンアメリカへの布教も進展した。ただしこの過程はスペイン・ハプスブルク帝国による植民地形成と軌を一にしていた。

ところで宗教改革とカトリック改革の研究においては一九八〇年代から「宗派化」という概念が用いられている。H・シリングによれば、それは宗派を問わない共通現象で、教会と為政者が連携して政治・社会・文化の全領域を「宗派的にすること」を意味する(Schilling 2007)。この過程は社会的規律化を伴った。その具体的内容は、礼拝出席の義務化、各種の禁令や道徳令などの布告、地方教会の統制のための巡察、教理問答教育、家庭訪問、道徳裁判、異端審問、検閲、禁書、飲酒・歌舞音曲・奢侈の取締り、民間医療・占い・魔術の禁圧などである。なおH・R・シュミットは都市民や村落住民による下からの宗派化も起きていたと論じている(Schmidt 1992)。いずれにせよ、この過程は多くの場合、宗教と政治の融合現象を伴っており、それ自体「世俗化」の遠因となるというのがシリング説である。

次にジェンダー史の問題について短く検討しておく。カトリック女性には修道女となる選択肢があり、彼女たちは祈り、観想、読書、写本製作、慈善活動、年少者の教育といった知的領域で働くことができた。活躍の場は近世のカトリック改革のなかで増えていった。彼女たちは上長に服従する義務を負ったが、結婚と家族生活からは自由であり、その意味では自律的であった。この点を強調するのはM・E・ウィーズナー＝ハンクスやU・シュトラッサーである(Wiesner-Hanks 2019; Strasser 2003)。一方プロテスタント教会は修道院を廃止し、改革者たちは異口同音に女性の理想的な生き方は良き妻および母として家庭内の役割を果たすことだと主張した。彼らは家父長制を思想的に強化したといえる。いうまでもなく改革者たちは女性に信仰の擁護や伝道を求めなかった。ただしバイエルンの貴族女性アルグラ・フォン・グルムバッハのように自ら新しい信仰を広めた例外的事例もある。なお再洗礼派にあっては女性信徒による説教、預言、執事としての救貧活動などの事例が数多く確認できる。ただし女性が牧師になったケースはない。

おわりに——宗教改革と現代

宗教改革は中世の延長とも近代の起点ともいわれる。いずれにせよ宗教改革は継続的な運動であり、思想であり、また制度であり、それらはさまざまな領域に甚大な作用を及ぼしながら現代にいたっている。以下、いくつかの重要なテーマを選んで概略を述べておきたい。まず宗教改革と「経済」についてである。宗教改革者たちは修道制を否定し、職業を神の召命とみなした。とくに都市共和国に生きたカルヴァンは新しい商業活動に関しても柔軟であり、カトリック教会が禁じていた利子取得についても五％の範囲で認め、経済の発展に寄与した。スイスの改革派都市チューリヒやバーゼルで金融業が発達する背景にはこの時代の思想的変革があった。なおジュネーヴは当時、経済的危機を脱するためにバーゼルから利子付きの融資を正式に受けていた。ジュネーヴではやがてユグノー亡命者たちが時計工業・織布・出版・製紙業などを発展させる。ところでマックス・ヴェーバーのいうようにカルヴァンの二重予定説が「資本主義の精神」に結びついたかどうか、つまり選び(救い)の不確実性ゆえに不安を覚えた信徒たちが現世の職業ないし事業に禁欲的に取り組み、浪費を慎んで財産形成と投資を繰り返し、その成功によって選びの確証を得るといったメカニズムがあったのかどうかを歴史的に検証することは困難である。

なおヴェーバーによれば、宗教改革はカトリシズムの魔術性を拒絶し、迷信的な儀礼や聖人崇敬を禁止した点で

「脱魔術化」「合理化」「近代化」を推進する役割を担った。そしてその帰結は「世俗化」であり、信仰自体の衰退であったという。しかし世俗化を不可逆的な歴史法則ととらえることはできない。二〇世紀から二一世紀にかけて、諸宗教の世界的な再活性化が生じており、「脱世俗化」「再神聖化」といった概念が生まれている。なおA・H・アンダーソンは「アフリカの宗教改革」という表現を用い、プロテスタンティズムの中心はいまやアフリカにあると論じている(Anderson 2001)。二〇一七年の統計では世界の五億六〇〇〇万人のプロテスタントのうち二億人以上がアフリカ人であり、その数はヨーロッパと北米のプロテスタント人口の合計を超えている。プロテスタンティズムは「非西洋化」しているのである。ただしアフリカで伸びているのは聖霊の直接的な働きかけや病の奇跡的な癒しを強調するアメリカ生まれのペンテコスタリズムである。それは「書物」の宗教としての伝統的なプロテスタンティズムとは異なるが、聖書に記された幾多の奇跡や癒しの再現を伴う点で新しい聖書主義とも評される。「アフリカの宗教改革」のなかに魔術的要素をみる宗教学者もいるが、じつは北米にもほとんど同じ状況がある。二〇一九年の統計ではアメリカ人の五五%が「奇跡」を信じている。先頭を走るのは非西洋世界にも波及したペンテコスタリズムであり、その特徴は聖霊の働きによる忘我と異言、預言、神癒、悪霊の追放などである。

ところで近年においてはN・タイヤックのように一六世紀から一八世紀まで、P・ウォレスのように一五世紀から一八世紀まで射程に収めて「長い宗教改革」の過程を追う研究者が増えている(Tyacke 2012; Wallace 2019)。先述のように宗教改革という単語を複数形で用いたり小文字化したりする歴史家もいる(英語でReformationsまたはreformations、ドイツ語でReformationen)。C・リンドバーグやH・A・オーバーマンがその例である(Lindberg 2014; オーバーマン 二〇一七)。しかしT・カウフマンのように大文字・単数の伝統を守る研究者もいる(Kaufmann 2016)。それは現象面で多様であっても共通性こそ重要だという考えによる。それでも、複数形と小文字の使用が歴史認識の大きな変化を反映していることは看過できない。つまりルターの思想と行動が大文字の宗教改革の中心にあり、規範的であるという歴史の見方の相対化が起きているのである。そして世界的視野で宗教改革と「近代」を結びつける西洋中心的な歴史観も見直され、宗教改革の歴史的評価は一〇〇年前より低くなっている。しかしプロテスタンティズムは現在も世界各地の宗教と社会の動向に大きな影響を及ぼしており、宗教それ自体として生命力を保っている事実を過小評価することはできない。

最後に「宗教改革」という日本語訳について再検討しておきたい。そもそも「宗教」とは「宗門」「宗旨」「宗派」「教門」「教法」といった古い用語とは違って明治初期に主に外交の分野で religion の訳語となった言葉で、当初は宗教一般ではなく欧米人の信じるキリスト教をさしていた。当時この言葉が仏教や神道も含むと考える日本人はほとんどいなかった(宗教という用語は仏教界の一部では使われていたが、一般的ではなかった)。そういう時期に Reformation が「宗教改革」と訳されたのであり、それははるか彼方、西洋キリスト教世界内部の改革を意味していた。そうだとすれば、宗教が仏教も神道も含む一般的概念となって久しい今日、宗教改革という訳語は適切性を失ってはいないだろうか。ルターやカルヴァンはヨーロッパの教会改革者であり、カトリックとは違って世界宣教(世界の諸宗教との対決)の意欲をもたなかった。彼らの Reformation はあくまでヨーロッパの「キリスト教改革」なのである。この表現のほうが明治初期の翻訳の意図とも合致する。その複数性を意識すれば「キリスト教諸改革」になろうか。このように表現すれば一六世紀の改革思想が近現代のプロテスタント宣教師や知識人による非西洋の宗教(迷信)への否定的評価や攻撃に直結するわけではないこと、また宗教改革の(いわゆる)「世界史的意義」は宗教改革それ自体というよりオランダやイギリスの植民地主義の副産物であることも理解しやすくなる。もちろん、すでに定着している用語の使用中止を提案するつもりはない。行論のなかで適切な言い換えの試みがなされるべきだというのが筆者の考えである。

注

(1) 当時のドイツ(神聖ローマ帝国)は約三〇〇の領邦国家と八五の自由帝国都市からなっており、皇帝に絶対的権力はなかった。皇帝はカトリックの立場を貫くが、けっきょく宗教改革を阻止することはできなかった。
(2) 「九十五箇条の論題」は最初、学識者間の議論と大司教アルブレヒトへの送付用にラテン語で作成されたが、すぐにドイツ語版も出た。ルターはこれを一五一七年一〇月三一日にヴィッテンベルク城の付属教会の扉に掲出したと伝えられるが、その真偽は不明である。こうした出来事はないという説や、大学の係員が複数の教会の扉に掲示したとの説もある。
(3) 最初の宗務局は一五三七年、ヴィッテンベルクに設置された。
(4) 当時のスイス諸邦は神聖ローマ帝国に属してはいたが、一四九五年以降、帝国最高法院の管轄権や帝国税(軍税)の適用外となっており、内政も外交も独立的に行っていた。

参考文献

『宗教改革著作集』全一五巻(一九八三―二〇〇三)教文館。

「特集 宗教改革五〇〇年――社会史の視点から」『思想』二〇一七年一〇月号、岩波書店。

「ルターと宗教改革」『日本ルター学会研究年報』第七号/宗教改革五〇〇周年記念号(二〇一七)。

アッポルド、K・G(二〇一二)『宗教改革小史』徳善義和訳、教文館。

伊勢田奈緒(二〇一六)『女性宗教改革者アルギュラ・フォン・グルムバッハの異議申立て』日本評論社。

ヴェーバー、マックス(一九八九)『プロテスタンティズムの倫理と資本主義の精神』大塚久雄訳、岩波文庫。

踊共二編(二〇一七)『記憶と忘却のドイツ宗教改革――語りなおす歴史 一五一七―二〇一七』ミネルヴァ書房。

オーバーマン、H・A(二〇一七)『二つの宗教改革――ルターとカルヴァン』日本ルター学会・日本カルヴァン研究会訳、教文館。

金子晴勇(二〇〇二)『エラスムスとルター――一六世紀宗教改革の二つの道』聖学院大学出版会。

キリスト教史学会編(二〇一八)『マックス・ヴェーバー「倫理」論文を読み解く』教文館。

ゲルツ、H=J(一九九五)『トーマス・ミュンツァー――神秘主義者・黙示録的終末預言者・革命家』田中真造・藤井潤訳、教文館。

指昭博（二〇一〇）『イギリス宗教改革の光と影――メアリとエリザベスの時代』ミネルヴァ書房。
サンシャイン、G・S（二〇一五）『はじめての宗教改革』出村彰・出村伸訳、教文館。
スクリブナー、R・W、C・スコット・ディクソン（二〇〇九）『ドイツ宗教改革』森田安一訳、岩波書店。
出村彰（二〇一〇）『ツヴィングリ――改革派教会の遺産と負債』新教出版社。
永田諒一（二〇〇〇）『ドイツ近世の社会と教会――宗教改革と信仰派対立の時代』ミネルヴァ書房。
永本哲也ほか（二〇一七）『旅する教会――再洗礼派と宗教改革』新教出版社。
日本キリスト教文化協会編（二〇一八）『宗教改革の現代的意義――宗教改革五〇〇年記念講演集』教文館。
ブリックレ、P（一九九一）『ドイツの宗教改革』田中真造・増本浩子訳、教文館。
プロスペリ、A（二〇一七）『トレント公会議――その歴史への手引き』大西克典訳、知泉書館。
前間良爾（一九九八）『ドイツ農民戦争史研究』九州大学出版会。
マクグラス、A・E（二〇二〇）『宗教改革の知的な諸起源』矢内義顕・辻内宣博・平野和歌子訳、教文館。
メラー、B（一九九〇）『帝国都市と宗教改革』森田安一・石引正志・棟居洋訳、教文館。
森田安一編（二〇一〇）『ヨーロッパ宗教改革の連携と断絶』教文館。
ルター、マルティン（二〇一一）『キリスト者の自由――訳と注解』徳善義和訳、教文館。
ルター、マルティン（二〇一二）『ルター著作選集』徳善義和ほか訳、教文館。
Anderson, A. H. (2001), *African Reformation: African Initiated Christianity in the 21st Century*, Trenton/New Jersey, African World Press.
Dickens, A. G. (1966), *Reformation and Society in Sixteenth-Century Europe*, New York/Harcourt, Brace & World.
Eire, C. M. N. (2016), *Reformations: The Early Modern World 1450-1650*, New Haven/Conneticut, Yale University Press.
Hamm, B. (2003), *The Reformation of Faith in the Context of Late Medieval Theology and Piety*, Leiden, Brill.
Kaufmann, Th. (2016), *Erlöste und Verdammte: Eine Geschichte der Reformation*, München, Oscar Beck.
Körner, M. H. (1980), *Solidarités financières suisses au XVIe siècle*, Lausanne, Payot.
Leppin, V. (2016), *Die fremde Reformation: Luthers mystische Wurzeln*, München, C. H. Beck.
Lindberg, C. (ed.) (2014), *The European Reformatios Sourcebook*, 2nd ed., Chichester/West Sussex, Wiley-Blackwell.

Ludwig, F. et al. (eds.) (2019), *Reformation in the Context of World Christianity: Theological, Political and Social Interactions Between Africa, Asia, the Americas and Europe*, Wiesbaden, Harrassowitz.

Mcgrath, A. (2007), *Christianity's Dangerous Idea: The Protestant Revolution-A History from the Sixteenth Century to the Twenty-First*, San Francisco/California, HarperOne.

Safley, Th. (ed.) (2016), *A Companion to Multiconfessionalism in the Early Modern World*, Leiden, Brill.

Schilling, H. (2007), *Konfessionalisierung und Staatsinteressen: Internationale Beziehungen 1559-1660*, Paderborn, Ferdinand Schöningh.

Schmid, H. R. (1992), *Konfessionalisierung im 16. Jahrhundert*, München, De Gruyter.

Schreiner, Th. R. (2015), *Faith Alone: The Doctrine of Justification: What the Reformers Taught... and Why It Still Matters*, Grand Rapids, Michigan, Zondervan Academic.

Scribner, R. W. (2001), *Religion and Culture in Germany 1400-1800*, Leiden, Brill.

Strasser, U. (2003), *State of Virginity: Gender, Religion, and Politics in an Early Modern Catholic State*, Ann Arbor, Michigan, University of Michigan Press.

Tyacke, N. (ed.) (2012), *England's Long Reformation 1500-1800*, London, Routledge.

Wallace, P. (2019), *The Long European Reformation: Religion, Political Conflict, and the Search for Conformity 1350-1750*, 3rd ed., New York, Red Globe Press.

Wiesner-Hanks, M. E. (2019), *Women and Gender in Early Modern Europe*, 4th ed., Cambridge, Cambridge University Press.

コラム｜*Column*

魔女狩り

黒川正剛

魔女狩りが頻繁に見られたのは、一五世紀から一八世紀にかけてのヨーロッパとニューイングランドである。処刑者数は四万から六万人を数え、そのうち二万から二万五〇〇〇人が神聖ローマ帝国領域内で処刑された。約八割が女性、約二割が男性であった。

一四二〇年代以降、アルプス山脈西方一帯を中心にイベリア半島北東部からイタリア中部にかけての地域で、悪魔を崇拝し、子どもを殺してその肉を食べ、乱交を行い、魔術を使って人畜に病や死をもたらし、収穫に損害を与えるなど様々な悪行をなす男女からなる魔術師たちが告発され始めた。彼らは夜、雄山羊の姿をした悪魔や箒に跨がって、あるいは獣に変身して悪魔が主宰する集会に集まり、キリスト教世界を転覆する陰謀を企てているとみなされた。一五六〇年代以降に本格化する魔女狩りで告発された魔女とサバト（魔女の集会）の祖型である。このような魔術師の姿には、中世後期に迫害を受けたカタリ派やワルド派などの異端に対して捏造された罪状が深く影響している。またこれらの地域で同時発生的に悪辣な魔術師の存在が摘発され始めたことには、当該地域で活発な説教活動を行っていたフランチェスコ会・ドミニコ会修道士が情報を交換していたことが関係している。

一五世紀における処刑数は少なく、被告は女性に特化していなかった。一四八六年に出版されたドミニコ会修道士の異端審問官ハインリヒ・クラマーの魔女狩りの手引書『魔女への鉄槌』は魔術を女性と緊密に結びつけ、魔女像の構築に影響を与えたことで有名だが、執筆を促したのはインスブルックで魔女を裁こうとしたクラマーに対して起こった地元民の反発と裁判実施の挫折の経験であった。クラマーは魔女という新種の異端の増大とそれに伴う世界の終末に並々ならぬ恐れを抱いていたが、その恐れは社会全体で共有されていなかったのである。魔女の諸行為は、一〇世紀の『司教法令集』の伝統を受け継ぎ、現実ではなく幻想とみなされることが多かった。続く一六世紀前半は、宗教改革が始まった影響もあり魔女狩りは広がらなかった。

この状況が激変するのが一五六〇年代である。以降、魔女狩りは一六三〇年代まで激化する。これには複数の要因が絡んでいる。トレント公会議（一五四五―六三年）を経て顕在化したカトリックとプロテスタントの全面的対立はヨーロッパ各地に宗教紛争を引き起こし、社会的混乱と不安を生み出した。新旧両派は聖・俗界問わず各々の立場から人々を善きキリスト教徒にすることに腐心した。社会から邪悪と不信仰を根絶し、社会を改革することを熱望する敬虔な人々にとって魔女

ペーター・ビンスフェルト著『魔術師と魔女の自白に関する論考』(1591年)の扉絵

は格好の標的であった。民衆世界の粗野な文化要素や性的紊乱は魔女の諸相と重ね合わされ、悪魔に唆され人類を堕罪させたイヴは女性の原像として再認識されるとともに家父長制社会が進展し、女性に対する否定的な評価が顕在化した。社会に蔓延する邪悪と不信仰を煽動するのは、その存在を以前にも増して肥大化させた悪魔であり、その手下として実際に病・死や不作などの損害をもたらすのが、隣近所に住んでいるかもしれない魔女であった。魔女狩りは新旧両派を問わず行われた。

全地域に等しく当てはまるわけではないが、魔女狩りの激化には、小氷期の影響も関係している。気候の寒冷化は穀物や葡萄の収穫に大きな損害を与えた。その原因に魔女の魔術が想定されたのである。

魔女狩りには、日常生活の中で突然起こる病・死や悪天候による不作などの災厄が、魔女が実践するマレフィキウム(有害な呪術)に起因すると考えられ、小規模の裁判で裁かれるパターンや、魔女たちがサバトに秘密裏に集団で集まり、陰謀と反逆を企てているとみなされた結果、拷問による強要のもと芋づる式に魔女が告発されて大規模な裁判にいたるパターンなどがある。魔女狩りが駆動するには民衆側の強い要求が必要であり、また魔女が集団で国家や君主、そしてキリスト教に対して反逆を企んでいるという陰謀論も重要であった。

魔女狩りが激化したのは、中央集権化が進んでいなかった地域である。多くの領邦に分割され各々が恣意的な司法権を行使しえた神聖ローマ帝国が典型である。国家が司法権を占有しようとした国では魔女狩りは抑えられる傾向にあった。魔女を裁判にかける法的手続きは国・地域によって様々であったが、一五世紀末以降、裁判の多くは世俗裁判所によって担われ、そこではローマ法と異端審問の訴訟手続きが採用された。

一六四〇年代以降、拷問批判、近代的合理主義思想の芽生え、国家の中央集権化による地方法廷の監督の伸長などの諸要因により魔女狩りは衰退する。しかしそれ以降、魔女狩りは北欧、東欧、北米に拡散した。

魔女狩りが高揚した時代は「驚異」大流行の時代と重なる。怪物の誕生、彗星の飛来、アメリカ大陸の食人族の「発見」などの驚異と魔女は交叉しながら、当時のヨーロッパの想像界(イマジネール)のありようを教えてくれる。

産業革命論
――欲望解放と自然的制約

小野塚知二

はじめに

産業革命は、何重もの意味で重層的な概念である。この重層性が一方では、さまざまな想念を喚起し、多彩に用いられる誘因となったが、他方では、複雑な重層性ゆえに、この概念は誕生以来つねに論争の的であり、また、さまざまな誤解や混乱の原因となってきた。産業革命を論ずるためにこれまでに何千もの書籍と論文が書かれたのはそれゆえである。

本稿は、まず、産業革命の技術的側面に注目して、いかなる技術革新があったのかを整理したうえで、それ以外の社会的・経済的・文化的な変化に説き及ぶ。

一五―一八世紀の欧米に発生した諸変化を、人の欲望(ヒトがおそらくは本来的に持っている意欲・情動)の解放過程であるととらえることに、大きな異論はないだろう。ルネサンスから、宗教改革、一七―一八世紀の英仏における市民的ヒューマニズムまでを貫く論理を、端的に「人文主義(humanisme)」とこれまで呼んできたのだが、それは教会組織による教義の独占的解釈権や赦免権を拒否したうえで、現世的欲望をもつ生身の人間を事実判断と価値判断の中心に据える原理、すなわち人間中心主義を意味していたのである。このようにとらえるなら、「大航海時代」や「地理上の発見」の原動力も、一五—一八世紀に生起した他の変化と整合的に、解放されつつあった欲望であったと理解できる。また、この欲望という点で、すでにこの時期には東洋と西洋とが非対称な関係で結び付いていたこと、つまり、後述する「大分岐以前の分岐」の存在に気付くことができる。

かつてJ・U・ネフが指摘したように、一六—一八世紀のフランス(および大陸諸地域)では高価な美術・工芸品を産み出す方向に技芸(arts)を進化させたのに対し、同時期のイングランドは中下級の日用品を大量に産み出す方向に技芸を進化させた(Nef 1957)。それらはいずれも人間中心主義原理の表現であり、方向性の相違は社会体制の相違を反映していた。身分格差の大きかった大陸諸地域では王侯・貴族・大商人の欲望を、封建制が終わりつつあったイングランドでは勤労大衆の欲望を、それぞれ満たす方向に技芸が向かったのである。これに対して、同時期のアメリカで発生した変化はそれとは様相を異にして、先住民の抑圧と疫病蔓延による人口の壊滅的減少、征服者による収奪、黒人奴隷の導入などで特徴付けられるが、その原動力はやはり、ヨーロッパにおいて解放されつつあった欲望であったと解釈することができよう。

この欲望解放過程と、人間中心主義原理への転換を最終的に完了させたのが産業革命である。その意味では産業革命は単なる技術革新一般ではなく、したがって、それは「第二次、第三次……」という具合に何度も発生する現象ではない。こうした、史上一回限りの現象としての産業革命を学問的に論ずる作業にはすでに二世紀に及ぶ歴史がある。それは、その時代の人びとが欲望充足とその人間的基礎・人間的制約と自然的基礎・自然的制約とをいかに認識してきたかの歴史を表している。

一、産業革命の技術的な三側面

産業革命には、機械革命、エネルギー革命、および原料革命の三つの側面があるが、当初は機械革命の側面が注目された。エネルギー革命の側面が概念化されたのはそれよりはるかに遅く、さらに原料革命は本稿（およびそれに先立つ小野塚 二〇二〇 a）によってはじめて概念化された。産業革命の意味を、現在から将来を展望する観点で再確定しようとするなら、機械革命・エネルギー革命だけでなく、原料革命の側面があったことも認識する必要があるのだが、そのことは産業革命という概念に何を投げかけているだろうか。

「産業革命」という語の起源と機械革命

「産業革命（la révolution industrielle, the Industrial Revolution）」という語は、英国で生起していた産業上の変革（機械と工場のすばらしく高い生産性）に気付き、魅了された一九世紀初頭の北フランスやベルギーの人びとによって使われ始めた。職人が道具を操作するのに比べて機械は百倍の効率でモノを産み出す。道具はそれを操る人が疲れれば、人とともに遊休するが、機械は故障しない限り、また動力が供給され続ける限り、何時間でも連続して運転することができる。道具は人が随時操らなければ、それ自体は有用な機能を果たせないが、機械には有用な機能を果たす機構（mechanism）が組み込まれているからである。機械と工場の力に魅せられたヨーロッパ大陸の人びとは、英国から機械製造職人を引き抜き、また、機械の図面や部品を密輸して、その力をわがものにしようとした。英国は当初それに対して、機械輸出と職人渡航を禁止して機械の秘密を独占しようとした[1]。

力強く動く機械と、機械が整然と配置された工場の発揮するずばぬけた生産性が、人びとの物財への際限のない欲望を満たす新たな可能性として注目されたのである。欲望解放―人間中心主義原理―機械への注目は、当時の人びとにあっても自然に結び付いていた。機械の大量導入以来、世界の人びとは機械のもたらす高い生産性・精密さ・便利さに魅了されて、大勢としては機械を受容してきた。機械・工場制の高い生産力への憧憬は、それからわずか半世紀のうちに世界各地に伝染した。一八六〇―七〇年代は伊・日・独といった後発の近代国民国家が登場した時期であったから、機械・工場制に担保された生産力は国家目的とも合致して、富国強兵殖産興業政策を媒介にして、各地に波及した。産業革命論と現在の開発経済学との間に同型性が観察されるのにはこうした背景が作用している。

このように産業革命とはまずは何よりも機械革命としてドーヴァー海峡の両岸で認識され始め、この認識は直ちにヨーロッパ諸国、アメリカ合衆国、さらに日本にも及んだ。幕末の日本が「鎖国」を解除して世界資本主義への参入を選択した最大の理由は、黒船とその武装、そしてペリーが幕閣に見せた蒸気機関車(模型)など、機械とその力を身に付けなければ、日本の独立が保てないという支配階級と民衆の一部に共有された焦慮にあった(石井 一九九一:第三章)。

産業革命の波及力の経済学的基礎

こうした産業革命の波及力・伝染力を、経済学の理論的な問題として最初に理解しようとしたのがマルクスである。日本の開港の数年後に執筆された『資本論』においてマルクスは、産業革命がもたらした「機械と近代産業」の特質を、ある業者が同業他社よりも多くの利潤を上げることのできる理由(分業と機械に基礎付けられた生産力)に関わらせて論じている(『資本論』第一巻「資本の生産過程」第四篇「相対的剰余価値の生産」の第一三章「機械群と大産業(Maschinerie und große Industrie)」)。もし、ある業者が同業他社よりも多くの利潤を上げられるのであれば、当然、同業他社も、かつての道具をその分業・技術を模倣しなければ市場から淘汰されてしまう。ここには二つの含意がある。第一に、用いた手工的技術に依拠する自営の中産的生産者層が資本家と賃労働者へと両極分解する過程（＝資本の原始的蓄積）は機械の導入によって最終局面を迎える。第二に、「ある業者」を産業革命の先発国、「同業他社」を後発国に置き換えるなら、機械の力をわがものにしうるか否かが、独立国と従属国・植民地への世界の両極分解を決定する要因となる。機械革命がなぜ世界中に波及するのかは、経済学的な理屈としてだけではなく、国民の独立自存という政治的課題としても解明されたのである。そこには社会ダーウィニズムや社会進化論が色濃く影を落としている。

機械革命による欲望充足は、資本主義という新しい生産様式を確立させたから、産業革命は単なる技術的変革の画期にとどまらず、封建制・絶対王政から資本制への体制転換の画期としても理解されるようになった。

産業革命の機械革命としての側面は現在も継続している。人類が主たる労働手段としての機械を放棄して、道具のみに逆戻りする可能性はまずない。一部の高級な工芸品や美術品を除けば、人びとが求める財・サービスのうち、商品形態で供給されているもの（小野塚 二〇一八：第八章）の多くは機械によって産み出され、輸送されている。今後も情報技術や人工知能と結び付いて、巷間言われるindustry4.0などの仕方で機械は使われ続けるであろう。つまり、人類が機械革命から卒業する可能性はない。機械が人にもたらす害悪は、一九世紀初頭の「ラダイト（機械打ち壊し）」やチャップリンの『モダン・タイムス』（一九三六年）のように、何度も指弾されてきた。たとえば、日本でも、京都学派の一人であった歴史家の鈴木成高（しげたか）は『産業革命』（一九五〇年）で、近代機械文明の害悪を資本主義・社会主義といった体制（生産様式）とは独立の問題として指弾した（馬場・小野塚 二〇〇一：一二二－一二四頁）。だが、いま、この問題意識を継承する者はいない。機械文明に害悪があるのだとするなら、それは機械の本質というよりも、機械を使う側（と機械との関係）の問題として処理されうるであろう。

こうした機械革命の延長上には、これまで人がせねばならなかった労働の多くをロボット・ＩＴ・ＡＩが担い、人間は苦役から解放されて、より創造的で楽しいことに専念する将来を展望することも不可能ではないだろう。そこでは、勤労(職業)が所得をもたらし、それが生活の原資になるという近世から現代までを支配した勤労倫理(「働かざる者食ふべからず」)は後退して、生のための基本的資源が全員に無償で保証されるということにならざるをえないであろう。その成否は、いま一義的かつ科学的に確定していることではなく、現在以降の人間=社会の判断と選択によって決められ、実現されることである。

「エネルギー革命」の概念化

機械革命の側面が産業革命当時から認識されていたのに対して、エネルギー革命が認識されるようになったのは、はるかに遅い。その理由の一つは、エネルギー革命が化石燃料を用いた熱機関の登場という仕方で現れ、それは当初、機械革命と重ねて認識されたからである。確かに、一八世紀末から一九世紀に普及したピストンの往復によって回転運動のエネルギーを発生する蒸気機関も、一九世紀末以降に登場した蒸気タービンや内燃機関(ガソリン機関、ディーゼル機関、ガス・タービン(ジェット)機関)もそれ自体は機械である。その機械(動力機)が他の機械(作業機)と結合して原動力を供給し、また発電機を駆動して電力という新種のエネルギー形態をも実用化した。さらに交通機関と結合して鉄道、汽船、自動車、航空機などをもたらした。これらはいずれも機械革命の様相を呈しているが、それは他方では労働手段(道具・機械)の駆動力や調理・暖房の熱源という点では、伝統的な再生可能エネルギー(人力・畜力・水力・風力・薪炭)のみの状態からの大きな転換でもあった。

そのうえ、化石燃料自体は産業革命に先立って暖房・調理・窯業用の熱源として利用されていた。英国やヨーロッパ大陸諸地域では遅くとも一七世紀には薪炭(森林資源)の不足にともなって石炭(泥炭を含む)が用いられていたし、中国では石炭の利用は唐代・宋代に遡る(南宋では北部の炭田から離れたため石炭利用がいったん停滞する)。また、化石燃料の蓄蔵する化学エネルギーを運動エネルギーに変換する熱機関のうち、早期に普及したニューコメン式揚水機が他の作業機に動力を供給する動力機としての機能をもたなかったことも、熱機関が同時代の人びとに必ずしも革命的な変化と認識されなかった理由である。

伝統的再生可能エネルギーからの革命

再生可能エネルギーとは、地球のエネルギー収支という観点からみるなら、人力・畜力・水力・風力・薪炭が消費された時点から遡るごく短い期間(数日からたかだか百年程度)に地球が太陽から受け取ったエネルギーの一部を何らかの仕方で利用するエネルギーである。人力・畜力・薪炭は、植物が太陽光のエネルギーを光合成に用いて大気中の二酸化炭素を炭水化物(植物体)という形で固定化した化学エネルギーを利用している。人力・畜力・薪炭を消費した結果発生する二酸化炭素も短期間のうちに光合成で植物体に固定化される。これに対して熱機関の熱源である化石燃料は過去の地球が太陽から受け取ったエネルギーによって形成された数千ー数億年前の生物体が、長い時間をかけて変性したものである。長い時間をかけて生成したものを短期間で採掘し、一挙に大量に燃やすならば、いずれ化石燃料は枯渇するし、他方では、地上と水中の植物では光合成しきれないほどの二酸化炭素を排出する。すなわち、資源問題と温暖化問題である。

一九世紀後半の英国を代表する経済学者W・S・ジェヴォンズが『石炭問題』(一八六五年)で示した懸念は、産業文明が享受している熱機関のエネルギーは、有限の資源である石炭に依存しているから、永続的ではないということであった。しかも、過去の石炭消費量の推移から推計するなら、石炭消費量は今後も幾何級数的に増加するから、いずれは石炭採掘量の限界に到達してしまう。それゆえ、石炭に依存しない文明に早く移行しなければ、近代文明は立ち行かなくなるというのがジェヴォンズの心配事であった。しかし、彼の心配は同時代から後世にいたるまでほとんど共有されていない。その第一の理由は石炭の埋蔵量の大きさにあった。一八六〇年代に世界の石炭消費量は年間たかだか数億トンであり、現在でも八〇億トンであるが、可採埋蔵量は九千億トンだから、ジェヴォンズの心配は当時としては千年後に訪れることであったし、現在の消費量でも石炭は百年以上もつ。彼の懸念が共有されなかった第二の理由は、石炭以外にも石油、天然ガス、シェールガス、原子力など、二〇世紀に新たなエネルギー源が次々と実用化されてきたことにある。

むろん、ジェヴォンズの懸念は定性的にはまったく正しい。有限の資源は使い続ければいつか枯渇し、価格は急騰する。価格が急騰するなら、化石燃料の消費量は減少するはずだが、化石燃料に代わるエネルギー源が実用化されないならば、近代産業文明は崩壊する。

エネルギー革命からの卒業

しかし、まさに、この新種のエネルギー源という点で、人類は化石燃料に依存したエネルギー革命からは卒業可能な地点に差し掛かっている。水力・風力・地熱・潮汐・太陽光発電など再生可能なエネルギーで人類が必要とする動力源と熱源を供給することは原理的にも技術的にも可能である。現在の人類が一年間に消費しているエネルギー総量(一三一PWh)は、地球に吸収される太陽のエネルギーのわずか〇・〇一二%を人類の活動に利用可能な仕方に変換できるならまかなうことができる。むろん、日照時間の差や天候による発電量の変動などがあるから、再生可能エネルギーで必要量を安定的に調達するためには、蓄電・充電や遠隔地間送電などによる補完と設備の冗長化も必要となるが、化石燃料と原子力に依存しないエネルギー供給が可能であることは直観的に明らかだろう。

産業用の動力・熱源、家庭の照明・暖房・調理用のエネルギー、そして交通機関の動力のほとんどは、こうした再生可能電力に置き換えることができる。大型長距離の船舶輸送については風力(コンピュータ制御の帆)と太陽光発電・蓄電を組み合わせることで化石燃料への依存を極小化しうる。航空輸送がおそらく最後まで化石燃料に依存し続ける分野となるだろうが、航空機が排出する二酸化炭素は現在の総排出量の三%程度である。つまり、各種のエネルギーのために排出している二酸化炭素の九七%は排出せずに済むことを具体的に展望できる地点に現在の人類は到達している。

原料革命の前——森林資源による制約

温暖化・気候変動問題への関心のほとんどはエネルギー転換(=エネルギー革命からの卒業)にとどまっており、産業革命のもう一つの大事な側面を見落としている。われわれは、いまも機械革命とエネルギー革命の延長上にいるが、エネルギー革命からは卒業可能なところに来ている。しかし、いま一つの根源的な変革が産業革命によってもたらされていた。それが原料革命であり、この変革も大量の温暖化ガスを排出し続ける原因となっている。つまり、エネルギー転換だけではゼロ・エミッションは達成できないのである。

人類は原始時代から一九世紀にいたるまで、土木・建築・造船・機械製造の主たる資材として木材(森林資源)を用いてきた。ピラミッドや西洋中世の大聖堂のように石材も土木・建築の資材ではあったが、一つが数トンにもなるような重く大きな石材は人力や荷駄では移動できず、木製のコロやクレーンを用いなければ、運搬することも、高所に吊り上げて設置することもできない。ブリューゲルの「バベルの塔」の細部を見るなら、あちこちに木製のクレーンや足場が描き込まれていることがわかる。つまり、石を利用可能な資材にしてきたのは木材だったのである。製鉄原料も古代から一九世紀にいたるまで鉄鉱石・砂鉄と木炭であった。農業原料としては人糞尿や畜糞・厩肥のほかに多用されたのは森や野で刈り取られた枝葉(緑肥)や草木灰であった。

こうして、土木・建築・造船・機械製造、製鉄、農業のすべてにおいて、森林資源が本源的な原料を人類に供給し続けてきたのである。したがって、森林資源を使い尽くした文明は一つの例外を除いて、すべて滅亡・衰退している

（ダイアモンド 二〇一二）。

原料革命のもたらした変化

森林資源を使い尽くしたのに滅亡せずに、「持続的に成長」した唯一の例外が、原料革命を経験した近代産業文明である。それは英国に始まる。

英国では、すでに一八世紀初頭から人口と一人当たりGDPの両面で成長が常態化し、食料需要に応えるために低湿地の干拓・排水事業や、輸送需要増大に対応した港湾や道路・橋梁の整備などに、大量の鉄材を用いるようになっていた。英国は鉄鉱石は豊富に産出するが、製鉄のもう一つの原料である薪炭を獲得するために国内各地にあった森林を短期間のうちに伐採してしまい、森のない土地へと変貌した。長大な木材が得られなくなったため、一六世紀以降の近世イングランドを特徴付けてきた木骨造り（half-timber）の建築は廃れて、煉瓦建築に取って代わられ、また、造船用の木材は輸入に依存するようになった。森林資源の枯渇は英国の建築・造船・製鉄に甚大な影響を及ぼし、豊富な森林資源の残っていたスウェーデンやスペインから大量の鉄を輸入するようになった。一八世紀の英国は、森林資源の枯渇と鉄材輸入という点で危機に瀕していたのである。

ところが、こうした状況に対応して、英国各地で産出する石炭を製鉄原料にしようとする試みが登場する。とはいえ、石炭には硫黄・燐・珪素など炭素以外の成分も含まれているため、そのまま製鉄に用いるなら、使い物にならない低品質の鉄しか得られない。イングランド南部のエイブラハム・ダービー（同姓同名で三代続いた金属製錬業者。初代は一六七八－一七一七年）は一八世紀初頭から一九世紀初頭まで約一世紀をかけて、石炭を乾留して炭素純度の高いコークスに加工して製鉄原料に用いる技法を開発し、改良した。コークスは木炭よりも機械的強度が高いため、高炉を大型化しても底部の木炭が潰れて通気を妨げることがなくなり、製鉄量は飛躍的に増した。英国は森林資源の枯渇という危機を凌いで、むしろ、その後の近代産業文明に道を拓いたのである。

原料革命はこれに留まらなかった。一九世紀後半には製鋼技術の一連の革新(一八五六年ベッセマー転炉、一八六四年ジーメンス=マルタン平炉、一八七八年トマス塩基性転炉、さらにその後の塩基性平炉)があり、銑鉄(鋳鉄)よりも可鍛性の高い鋼を大量に、安定的な品質で産み出すことが可能となった。さまざまな機械や蒸気機関(殊に汽罐(ボイラー))、さらに銃砲の性能が飛躍的に向上するのは、この一九世紀後半の製鋼技術の成果である。さらに、天然ガスを用いる直接還元製鉄法や、石油コークス製の電極を用いたアルミ精錬法も開発された。

ドイツの化学者F・ハーバーとC・ボッシュは一九〇六年に、石炭と水と空気からアンモニアを合成する安価な方法を確立した(現在では石炭の代わりに天然ガスも用いられている)。ハーバー=ボッシュ法は、一方では硫安・燐安・塩安など化学肥料の、他方ではダイナマイトなど現在まで用いられる窒素系爆発物の原料を供給し、二〇世紀の農業と戦争のあり方を大きく変えた。肥料はながらく有機質肥料で、一九世紀中葉以降はそれに加えて、J・リービヒの無機栄養説などもあって鉱物(チリ硝石、グアノなどアンモニア原料)や骨粉を原料とする肥料も用いられ始めたが、それで養うことができた世界人口はたかだか一六億人であった。ところが第一次世界大戦後に化学肥料が世界中で使われ始めるようになってから、百年もせずに世界の人口はおよそ五倍に増加する。それは化学肥料が可能にした農業生産力に支えられた人口である。逆にみるなら、いま、人類が化学肥料を用いられなくなったら、いかに食料配分を効率化し、また、食料損失(フードロス)を減らしても、現在の人口を養うのは不可能である(小野塚 二〇二二)。

原料革命からの卒業可能性

ここまでは、従来も経済史学が描いてきたバラ色の側面である。産業革命によって人類は自然の(とりわけ森林資源と農地面積の)制約から初めて「解き放たれた」という物語である。ところが原料革命も温暖化ガス発生の原因であった。原料革命では石炭・石油・ガスは何かを製造する原料に用いられているのだから二酸化炭素は発生しないと考えるのは早計である。現在、人類はその経済活動を通じて年間におよそ一〇・五ギガトンの炭素を大気中に排出している。このうちエネルギー用が七・九ギガトン(七五%)で、原料用が二・六ギガトン(二五%)となり、原料革命は温暖化ガス排出量でみるなら四分の一を占めている(小野塚 二〇二〇 a)。前述したようにエネルギー革命からは卒業可能なところに到達しているので、現在の排出量の四分の三は、そう遠くない将来に排出せずに済む可能性があるが、エネルギー革命からの卒業だけでは、温暖化ガスの排出は止まらない。

ところが、原料革命からの卒業の可能性は、現時点では、贔屓目に見ても非常に小さく、事実上ほとんどないといって差し支えない。再生可能な電力価格が低減し、いまや原子力(廃炉や使用済み核燃料の処理・保管など現時点で計算不可能な費用は除いた、既存原発の発電費用のみ)よりも安価になり、今後もさらに低減するなら火力発電とも価格面で比肩しうるようになると予想されているから、エネルギー革命からの卒業可能性はいますでに具体的に展望しうる。しかし、原料革命に投入されている化石燃料を使わずに済む方法は、純粋に原理的な議論としては代替法がないわけではないものの(たとえば、水を電気分解して水素を発生させ、その水素で鉄を精錬し、アンモニアを生成する方法など)、まったく実験室的な段階に留まっており、実用化のめどはまったく立っていないし、価格面での比較が可能な状況にはほど遠いからである。製鉄や肥料・爆薬製造に必要な水素を水の電気分解で生産するとして、そのために必要な電力をいかに調達するのかは、現在のエネルギー転換の構想の中には含まれておらず、まったくの画餅にすぎない。現在の展望をはるかに超えて、再生可能電力がありあまるほどに供給されるようになってはじめて、温暖化ガスを排出しない製鉄・化学肥料・爆薬製造の代替法の費用計算も可能になるだろうが、それは、はたしていつ訪れるのかを現時点で誰も占うことができないのである。

「科学技術は無限に、しかもある局面では急速に進歩するのだから、意外に近い将来に、コロンブスの卵のように、文字通り革命的な解決策が編み出されるのではないか」といった夢想はここでは無益である。酸化鉄(鉄鉱石)や酸化水素(水)を還元するのに必要なエネルギー量は化学的に決まっており、人間の都合では低減できない。一八世紀初頭から二〇世紀初頭にかけて、化石燃料を用いて鉄鉱石や水を還元する安価な一連の方法が開発され、人類はいまもその延長上にあるのだが、化石燃料はそもそも製造原価がゼロで、採掘と輸送の費用がかかるにすぎない。それに比べて、電力で水素を生成し、それで鉄鉱石を還元し、またアンモニアを得ようとするには、膨大な電力を投入しなければならず、製造原価はもとよりゼロではありえない。しかも水素は常温常圧では保管にも運搬にも不便だから、極低温にして液体水素とするか、大量に水素を吸着する物質を開発しなければならない。

温暖化・海面上昇を可能な限り低く留め、将来世代に過大な負荷を与えないために温暖化ガス排出量を極小化することが人類的課題であると広く認識されるようになってきたが、そこに立ちはだかっているのが原料革命である。それゆえ現時点で将来を展望しながら産業革命を論ずる際に、もっとも重要な意味をもつのがこの原料革命の側面である。

だから、温暖化問題に対処するのは絶望的に困難であると諦めるのか、それとも、原料革命から卒業する可能性が当面ない以上、むしろ、エネルギー転換の重要性と緊急性はなお一層高いと考えるのかは、将来世代に対するわれわれの責任感のあり方(つまり、各自の思想や価値観の問題)に依存しており、「科学的な最適解」を一義的に示すことができるわけではなく、そこは思想闘争・政策闘争の局面に委ねざるをえない。同様に産業革命論も最適解は一義的には定まらず、その時代と研究者の価値観に依存してきた。

二、産業革命とは何であったのか

産業革命は単なる技術革新一般でも、産業化(industrialization)[2]一般でもなく、何らかの新しい社会・体制・文明のあり方に道を拓いた画期として論じられてきた。ただし、その新しい何かをめぐっては、論者たちの認識は必ずしも一致せず、産業社会、資本主義(資本制的生産様式)、近代工業文明等々さまざまな新しさが主張されたわりには、それら相互の関係や異同は明らかにされないままに残されてきた。また、産業革命の革命性をめぐって、前代との断絶性と連続性をめぐる論争があり、また、その背後には変革の速度(変化は急激であったか緩慢であったか)や変革の包括性(社会・経済のほとんどの分野に及んだのか、それとも一部分にとどまったのか)をめぐる見解の相違も存在していた。さらに、産業革命当時から、産業革命とは人間・社会にとって望ましい変化なのか否かをめぐる論争があり、産業革命を悲観的・否定的にとらえる傾向と、楽観的・肯定的にとらえる傾向とが対立・共存してきた。それは事実認識の相違だけでなく、論者の価値観や倫理的判断をはらむ論争となり、産業革命論は思想闘争の戦場ともなったのである。

産業革命の画期性

かつて、産業革命とは資本主義発達史の最終的画期とされ、それによって産業資本が全社会的に確立したと広く考えられていた。いまも、理論的にはこうした命題は可能であるが、問題は、「資本主義」や「産業資本」という概念にどれほどの説明力を期待するかにある。これらの概念で近現代社会の大概のことは根源的に説明可能であると思うのであれば、いまも産業革命を資本主義発達史の画期とするのは意味があるが、そこには二つの命題が前提として作用している。第一は、資本主義が充分に成熟したあとには社会主義が待ち構えており、それゆえに資本主義をいったんは全面的に経験しなければならないという命題である。第二は、日本やドイツのように、少なくともかつては「特殊に病的」であった資本主義と比べるならば、より健全な資本主義はありうるし、また現にあったという命題である。ところが、いま、社会主義の可能性や社会主義の夢は一九六〇年代末以降の世界では明らかに衰えており[3]、社会主義体制への変革の期待を内に秘めた資本主義発達史の意義を語ることも困難である。また、日本特殊性論やドイツの「特殊な道(Sonderweg)」の説明力にも疑問が呈されて久しく、それらを完全に否定し去るのではないにせよ、日本やドイツの特殊性と見えてきたことは、実は資本主義・近現代社会・産業社会にとってより普遍的な本質の一つの尖鋭な現象であったのだという解釈がなされるようになってきた。したがって、資本主義発達史的な産業革命像は死滅してはいないが、その説明力は相応に低下している。ただし、二〇一〇年代以降、格差や貧困の拡大に注目して、T・ピケティのように改めて資本概念に注目して、資本主義の問題性を再定義しようとする動きは学問の中にも、また、政治運動・社会運動の中にもあるから、今後ふたたび資本主義発達史的な産業革命像が生み出される可能性は否定できない。

しかし、第一節で産業革命の技術的な側面を概観したことを踏まえるなら、資本主義発達史よりもう少し長い時間軸の中に産業革命を位置付け、また、従来の「経済学」的な生産様式論よりも、人間=社会の経済を自然との関係の中により深く位置付ける産業革命論が可能であろう。その場合、エネルギー代謝という点では人類=地球は少なくとも太陽系に開かれた開放系であるが、物質代謝という点ではほとんど大気圏下層の中に閉じ込められた閉鎖系であるということを前提にして、土地・大地の有限性の中でいかに人間=社会の再生産(持続)は可能なのかという問いが重要になる。

ここで土地・大地とは、単に陸地を意味するのではなく、むしろ「森林」という概念で表象できる。それは、森林限界を超えた高山・極地と、森林が崩壊した後に広がった砂漠・乾燥気候帯とを除く陸地であり、他方で、その豊穣性は海を含む地球全体の水循環・大気循環の中で担保されてきた。森林資源を枯渇させた前近代文明は例外なく衰滅し、森林資源枯渇後も唯一「持続」しているのが、産業革命に始まる産業社会であるというのが、人類史・自然史的な観点に配慮した場合の産業革命の画期性である。英国に始まる産業革命が森林資源枯渇後も「文明の持続」を可能にしてきたのは、第一に、過去の自然(=化石燃料)をエネルギー革命と原料革命の両面で活用したからであり、第二に、他国の自然を利用(自国内ではまかないきれない食料・原料を貿易によって確保)できたからである。

ただし、それは一時的な持続可能性にすぎない。他国の自然を利用して産業文明を維持できるのは、世界人口が地球全体で生産可能な食料の範囲内に収まっている限りであることは二百年前のD・リカードとT・R・マルサスの論争の制約条件となっていた。自由貿易によって当面は英国の経済成長が可能であることを主張したリカード本人も、また、リカードを継受したJ・S・ミルも、「定常状態(stationary state)」という語で、他国の自然への依存=貿易による産業発展・経済成長が一時的な解決策(ないし問題の先延ばし)にすぎないことは自覚していた。ただし、この自覚はマルクス経済学や新古典派経済学には継承されなかった。[4]

したがって、現在の人類に問われているのは、資本主義かそれ以外の諸々の生産様式かという問題以前に、過去の自然と他国の自然に依存した産業文明が持続可能なのかという問題である。この問いに答える点で、経済学も歴史学も大きく遅れを取り、諸他の学問分野と社会運動の後塵を拝さなければならない状況にある。

産業革命の世界史的な意味

産業革命とは世界史的には、誤解を恐れずに単純化していうなら、欧米による世界支配の(これも一時的な)完成を意味している。K・ポメランツらの「大分岐」論はこの点を説明する言説として提示されている。しかし、大分岐の原因のひとつを石炭の利用に求めたのは炯眼であるとはいえ、エネルギー革命と原料革命のいずれもが一時的な性格を運命付けられていることは明示されていない。また、大分岐以前に、すでに、西洋は東洋・新大陸に対して濃厚な欲望を示していたのに対し、東洋は西洋に対してそれほど強い欲望を懐かなかったという非対称性(西洋が相対的に貧弱な航海技術で「世界」に進出して、おのれの欲望を満たそうと真剣に努力したのに対して、東洋には航海技術はあっても西洋の文物への欲望を満たすための努力は西洋ほどにはしなかったという相違)は、分岐の議論の中に位置付けられていない。「大分岐以前の分岐」をいかに説明するかが課題となろう。

西洋の中でなぜ英国が産業革命を主導したのかという「小分岐」に関しては、長谷川貴彦(長谷川 二〇一二)の指摘が妥当する。付け加えるなら、森林資源から化石燃料への原料革命の最初の主たる舞台が英国であったのを説明する際に、以下の点を明示する必要があるだろう。第一に、英国の森林資源の希少性がヨーロッパ大陸より先に現れたことが、エネルギー革命と原料革命の両方が英国で先んじて発生した原因である。第二に、スペイン帝国の衰退後、ヨーロッパ最大の海洋帝国となった英国が、綿業の「自給化」に成功したということである。後者については、東洋産の薄地綿布に匹敵するものを一八世紀のヨーロッパでは麻糸に頼らなければ製造できなかったのだが、まず緯糸用の綿糸を輸入原棉から製造可能とし、次に、中欧諸地域と競合する麻織物(細く強靭な麻糸を経糸に用いた織物)では、英国はその最初の植民地であるアイルランド産の麻糸を経糸に利用し、長い年月を経て、輸入原棉から細く強靭な経糸(高番手綿糸)を供給可能としたことが大陸諸地域との分岐をもたらした要因である(竹田 二〇一二)。その背後には、原棉を安定的に大量に輸入し、綿布・綿糸を安定的に大量に輸出しうる海運力を英国こそが備えていたという事情が作用している。経糸用高番手綿糸を紡ぐ機械は、英国で開発されなかったとしても早晩はヨーロッパ大陸のどこかで開発されただろうが、その国は綿製品の輸出と原棉輸入の両面で英国の海運力に依存しなければならなかったであろう。この点で、英国の造船業・海運業・保険業や貿易金融の先駆性をヨーロッパ大陸諸国との比較においても、東洋との比較においても改めて確認する必要があろう。ここで造船業とは決して鉄鋼製純汽船の建造能力のみを意味するのではなく、むしろ、一八世紀後半以降の三檣ないし四檣の全装帆船(full-rigged ship)から、汽帆船の時代を経て、最終的に鋼製汽船にいたる技術革新の過程を英国が一貫して主導したことが重要である。

産業革命とは、一国資本主義の確立の画期であったと考えるより、むしろ、過去の自然と他国の自然に依存した産業社会が世界規模で確立するための長い過程で、それは一八世紀初頭(ダービーのコークス製錬法の着手やニューコメン機関と飛び杼の導入)から始まり、二〇世紀初頭(先進諸国=帝国主義国において、製鋼技術・造兵技術や化学肥料の製法が確立し、大量の食料輸入による人口維持が可能になった時期)まで約二世紀を要した。つまり、英国に始まり、とりあえず日本までを包含する形で生起した世界史的な現象として産業革命はとらえられるべきであり、この長い過程の中に、先進諸国における資本主義確立と諸他の地域の植民地化は包摂されている。

産業革命の革命性と幸不幸——構造的見解と数量的見解

産業革命の古典的な概念には、産業革命を経済構造や社会構造の変動の画期とみなすか否かという論点と、産業革命によって経済成長率や投資率の画期的な変動があったのか否かという論点とがあった。一九世紀末—二〇世紀前半にかけてのA・トインビーやP・マントゥーの古典的な産業革命論では、産業革命とは以下のような経済構造・社会構造上の不可逆的で断絶的な変化であると考えられた。第一は、道具から機械への変化、工場制と近代産業の確立など、産業の技術・生産組織・生産力的な側面の変化で、第一節で概観した機械革命の側面に相当する。従来、人が道具を用いて仕事をしていた作業場(workshop)やマニュファクチュアから、機械(作業機だけでなく、それを駆動する動力機と、動力機から作業機に動力を伝える伝動機構)を備えた工場が発生したことが強調された。道具と人力によって限界が画されていた長い時期を終えて、機械の性能と機械の力によってモノを生産する近代産業が完成する。近世がいかに個人の際限のない欲望を解放しても、その欲望を次々と満たし続ける生産力をともなわなければ、欲望の解放は画に描いた餅になってしまうから、産業のこうした技術・生産組織・生産力の面での変化は、近代の経済社会にとって必須の要因と考えられた。第二に、こうした技術革新によって、自営の小生産者が駆逐され、その一部は機械を備えた工場の所有者へ、大半は、そうした工場で働く賃労働者へと二階級に両極分解すること(資本の原始的蓄積の完了)も構造的な見解では重視された。第三に、生産だけでなく、運輸・通信・金融・保険などの工業以外の分野にも変化が波及して、資本主義の経済制度と経済基盤(infrastructure)とが確立する。最もわかりやすいのは蒸気機関を動力源に用いた鉄道や汽船が生まれて、輸送のあり方に大きな変革をもたらしたことだが、それは単に運輸にとどまらず、金融・保険や、それらと密接に関係する通信にも変化は及んだ。第四は、第二次産業と第三次産業が発展する(より多くの非農業人口を養う)ための論理的な前提として、農業生産力(ことに農業の労働生産性)の上昇が産業革命に先立って、あるいは産業革命と同時に進行したことも重視された。農業生産力の上昇は、非農業人口を食料面で養うことと、農村から過剰人口を排出して、新たに発展する商工業に供給することの二つの役割を担った。

こうした構造的見解の多くは、マルクス主義や諸種の社会主義・社会改良主義の議論と親近的な関係にあり、経済構造・社会構造の変化とともに生活水準の低下に注目する断絶・悲観説的な見解だったが、トインビーやマントゥーの議論を批判する仕方で連続・楽観説も二〇世紀前半には唱えられた。J・H・クラッパムやT・S・アシュトンは、成長率、貯蓄率、投資率などの推計値は開発せずに、トインビーやマントゥーと同様の構造的な観点から論じたが、産業上の革命的な変化は、基軸産業であるはずの綿業においてすら検出できず、一六世紀の初期産業革命(early industrial revolution、絶対王政期の殖産興業政策による産業発展(Nef 1957))から、連続した長く緩慢な産業発展こそが産業革命の本質であると考えた。また、産業革命以前の「古き良きイングランド(Merry old England)」は神話にすぎず、産業革命以前の実態は貧困と汚濁にまみれた社会であって、産業革命によって生活水準が低下したとするトインビーらの説を否定して、産業革命を経験した幸福を主張する論を展開した。

産業革命論の諸類型

こうして、一九世紀末から一九六〇年代にかけて、産業革命研究は方法的には、A構造的見解とB数量的見解が、また産業革命の歴史像としては、断絶説／連続説と悲観説／楽観説が登場することとなった。それらの相互の関係を図示するなら**表1**のようになる。

表1　産業革命論の諸類型

	断　絶　説	連　続　説
悲観説	A：トインビー，マントゥー	A：鈴木成高，B：クラフツ
楽観説	B：ロストウ，ディーン&コウル	A：クラッパム，アシュトン

最初に唱えられたのは、断絶・悲観説としての構造的見解(トインビーやマントゥー)である。一九世紀前半に、自ら資本家・経営者として産業革命終期から直後の英国社会をつぶさに観察し、経験したエンゲルスが、英国商務院統計課長G・R・ポーターとの論争で、労働者階級の生活水準が低下したと主張したのもこの断絶・悲観説に位置付けうるだろう。それに対して、二〇世紀前半にはクラッパムやアシュトンが連続・楽観説の構造的見解を唱えた。

アシュトンの『産業革命』(一九四八年)の末尾にはたいへん印象的な一節がある。それは、英国最大の植民地であったインドが独立にいたる過程にあり、激しい国共内戦で中国が混乱のさなかにあり、そしてアイルランドの英連邦離脱を目前にした、その時期に、産業革命も経験せずに独立して有頂天になっている愚かな民族・国を露骨にあざ笑い、産業革命を経験した自らの幸福を誇っているかのようにすら読めるだろう。しかし、それが、欧米の世界支配の終焉の始まりの時期に書かれていることにも注意する必要がある。この終焉過程は、米ソ両国が開発援助で競争した時代でもあった。

こうした二通りの構造的見解に対して、一九六〇年代に登場したのがW・W・ロストウの数量的な見解である。マサチューセッツ工科大学で経済史を担当していたロストウの『経済成長の諸段階』(一九六〇年)によれば、経済成長は、①伝統的社会、②離陸の準備、③離陸、④成熟への前進、⑤大量消費社会の五段階に分けられ、その段階区分は投資率（社会全体の投資額がＧＤＰに占める比率）の水準でなされる。伝統的社会では労働生産性が低く、経済活動の大半は食料確保に向けられており、投資率は五％未満と減耗補塡分しかないので、経済は実質的に成長できない。離陸の準備段階になると、投資率が五％を超え経済成長が可能になる。離陸段階では貯蓄率と投資率が急増し、ＧＤＰの一〇％以上が投資に向けられて、経済は持続的に成長するようになる。この段階では経済成長を主導する産業分野が出現して他分野へ成長を波及させるとともに、持続的な経済成長に適合的な政治・社会・制度の仕組みが整えられる。成熟への前進段階では投資率は二〇％にもおよび、全分野に近代産業技術が確立し、重化学工業を中心とした第二次産業の比率が高まり、また成長率もさらに高まる。大量消費社会で経済成長は完全な成熟の段階を迎え、一人当たりＧＤＰが上昇して、耐久消費財やサービス需要が増大するというバラ色の成長路線を描いた。

その背後に作用していたのは、アメリカ合衆国の外交・軍事戦略であった。第二次世界大戦後、ソ連の援助を受けた開発が「反帝国主義」の倫理的優位性もともなって、第三世界の各地で試みられたが、それに対抗して、資本主義的な経済成長と産業発展の方が優れていることを主張するためには、産業革命はむろん明るい未来を導く楽観説で描かなければならなかったが、それが、クラッパムやアシュトンが唱えたように何世紀にもわたる長く緩やかな変化では第三世界の人びとを魅了することはできない。したがって、さまざまな大統領の下で、経済外交政策顧問、国務省政策企画本部長や国家安全保障担当大統領特別補佐官を務めたロストウは、「産業革命以前の悲惨」と「産業革命を経験した幸福」を、誰の目にも対比可能な形で示す必要があると考え、投資率や成長率などの数字を駆使して、一世代のうちに感得できる急激な経済成長としての産業革命像を生み出したのである。ロストウの『経済発展の諸段階』に付された副題が「一つの非共産主義宣言（A Non-Communist Manifesto）」であったのは、この書物の政治的な性格と、ロストウ自身の共産主義への訣別とをよく物語っている。英国のマルクス主義史家として著名なＥ・ホブズボームは、ロストウのこうした政治的立場の対極にいたはずだが、諸種の連続説が唱えられる状況に対応して、あえてロストウの「離陸」概念を支持して、断絶説を主張した。

ロストウの産業革命論はそれゆえ、学問的な性格よりも、低開発地域向けの開発戦略という政治的性格を濃厚に帯びていた。英国のP・ディーンとW・A・コウルはアシュトンやロストウの「幸福な産業革命」観を受け継ぎ、持続的成長が常態化したのは産業革命期以降であるという点でロストウを裏付けた。しかし、ロストウが英国の離陸段階を一七八三—一八〇二年と短く取ったため、綿業中心の産業革命像となり、製鉄業が果たした役割が軽視されていると批判して、より長い時間の中で産業革命をとらえるべきだと主張した。

こうした一九六〇年代までの研究状況に一石を投じたのが、N・クラフツに始まる一連の成長率再推計である。クラフツらは、ディーンとコウルのイギリス産業革命期に関する成長率推計の方法的な誤りを指摘し、彼らの推計値は高すぎるとして、一七八〇—一八〇一年と一八〇一—三一年について、より低めの推計値を提示した(成長率と人口増加率の推計値については(小野塚 二〇一八:表一三—一)を参照)。クラフツらはこうして、ロストウに由来する産業革命の劇的成長の像を大きく修正したので、数量的に見ても断絶説的なロストウの産業革命観に対抗して、漸次的な成長率上昇を唱える新たな連続説を提示したことになる。クラフツらは同時に、ロストウの楽観説にも批判を加えた。一七七〇—一八二〇年の間に、労働者の多くの生活水準は向上していない可能性を示唆したし、労働者のうちで生活が良くなった者が悪くなった者よりも多かったとするアシュトンの見解に疑義を提した。さらに、余暇時間の減少、労働時間の増加、環境の悪化、新しい階級関係、農業から製造業への人口移動などにも注目するなら、従来の楽観説は再検討の必要があるというのが、クラフツのもう一つの結論である。こうして、かつて鈴木成高によって直観的に唱えられていた連続・悲観説が、クラフツらの研究によって、より堅固な数値的な裏付けをもって主張されるようになり、古典的な論争では断絶・悲観説と連続・楽観説が対立していたのが、新たな対立軸として断絶・楽観説と連続・

悲観説とが浮かび上がっている。

成長率や貯蓄・投資などマクロ経済指標を推計した結果、英国の産業革命は決して、一国経済の全体が劇的に変化した現象ではないことが現在では多くの研究者に受け容れられている。それゆえ、ロストウ的な意味での「離陸」としての「産業革命」はもはや死滅したと唱えた論者も出現したが、クラフツの研究が刺激となって、むしろ英語圏では産業革命に関する多面的な研究が巻き起こった。その結果、下層民衆の時間規律、公害や環境・景観の変化、工場制の悪影響などについて新たな知見も付け加えられ、産業上の変化と密接に関係するその他の分野でのさまざまな不可逆的な変化を総合的に意味するものとして、むしろ「産業革命」概念の復権(rehabilitration)が主張されるようになった。

三、産業革命概念の現在

機械の導入、工場制の普及といった、産業の技術・生産組織・生産力的な側面での革命的な変化という意味では、産業革命は産業による相違と地域による相違が大きいため、全産業・全地域で一斉に革命的変化が進行したということは、いまやできない。他方、資本主義が生産様式として確立し、産業社会に移行する過程で、一部の産業や地域が技術・生産組織・生産力面での革命的変化を経験したことは否定できない。しかし、それは決して全般的ではなく、他の業種や地域では、道具を用いた作業場での手工業が問屋制やマニュファクチュアという形態と結び付いて営まれたり、機械・工場での作業の前工程や後工程に、道具・手作業による新工程が新たに生み出されることすらあった。つまり、産業革命の時期にすべての産業・地域で道具を用いた手工業が駆逐されたのではなく、それらは多くの産業・地域に残存したし、また、機械制大工場に対応して、外見上は古い道具・手作業による工程が新たに導入されることもあった。産業革命期に、それ以前とは断絶した新たな技術・生産組織・生産力的基盤を獲得した産業と、そうではなく、在来の技術・生産組織・生産力的基盤の上に成立した産業とが併存し、補完的な関係にあったのである。こうして、純粋に産業上(industrial)の変革としてみるなら、産業革命には断絶/連続の両面だけでなく、再編があったということになろう。革命性だけを強調するのも、連続性・漸進性・停滞性を一方的に強調するのも、いずれも誤りなのである。しかし、純粋に産業上の変化以外の点にも眼を向けるなら、産業革命とは、以下のように、機械と工場を起点とするさまざまな不可逆的かつ総合的な変化の複合であったことが判明する。

自営小生産者の両極分解と外在的時間規律の生成

機械は道具に比べて構造が複雑で、大型で高価だから、自営の小規模手工業者は機械を購入しがたく、機械は大規模な工場に設置されることになる。こうして機械が導入された産業では自営小生産者が労資の両階級に分解して、資本の原始的蓄積が最終的に完了する。

また、機械を導入する初期投資額を早く回収するために、経営者は機械をできるだけ長時間運転しようとした。従来の道具を用いた手作業なら、道具を操る者(職人)の疲労で、一日当たり、また一週間当たりの労働時間には自ずと限界があったが、機械は疲労して休憩を必要とするということはない。したがって、労働者を交代制にして、一日中、機械を運転するという新しい働き方が発生した。また、動力機の導入も労働の長時間化をもたらした。アークライトの水力紡績機の動力源は巨大な水車だったが、川の水は夜間も日曜・祝日も流れるから、夜間や日曜・祝日に仕事をしない従来の労働慣行では、水車が空回りして、機械が遊んでいる時間が目に見える形で露呈するようになる。蒸気機関も同様の長時間化と昼夜兼行を要請した。蒸気機関はいったん停止して汽罐を冷ましてしまうと、再起動する際に汽罐を温めて、充分な蒸気圧にまで高めるために無駄な燃料を必要とする。こうして、蒸気機関を導入した工場では、昼夜違わず蒸気機関を回し続けて、すべての機械を可能ならば日曜・祝日も運転する方向へ経営者を誘導する力が作用した。

労働時間・営業時間が長時間化しただけでなく、近代産業社会に特有の時間規律が産業革命によって発生した。たとえば、蒸気機関は負荷(駆動する機械数)が大きく変動するよりも一定の方が効率的に運転できるから、すべての機械に労働者が配置されないと、遊んでいる機械は無駄になってしまう。こうして、労働者の勤怠(欠勤・遅刻・早退・離職)管理が重要になる。工場には時計が設置され、始業時間までには位置に付かなければならないし、監督者が見張っているから、トイレや茶の休憩も自由に取ることができなくなった。

産業革命より前の職人は、勤勉な者は夜が明けてから日が暮れるまで、日照を頼りに働き、さらに仕事が多い場合は、夜間も灯火の下で働いたことだろうが、毎日、何時から何時まで働くという外在的な規律はそこにはなかった。極端な場合、日曜日は一日中飲み続けて、月曜日の朝は二日酔いで起きることができず、仕事を休んで(そのついでに、また飲み始めて)しまう「聖月曜日(Saint Monday, lundi saint)」といった習慣もあった。それでも、職人たちは仕事の納期までには夜鍋をしてでも間に合わせるといった、自分で自由に労働と余暇を定めることのできる時間規律の中に生きていた。機械の導入と工場の普及はこうした習慣の撲滅を求めた。平日は毎日朝から夕方まで規則正しく働くというのは、今でこそそれほど珍しい生活習慣ではないものの、産業革命期までの人びとの時間はもう少し自由で、伸縮自在で、余裕のある生活を営み、時間の進行を主体的に決定できていたのだが、産業革命以降、人びとは時計が指示する時刻にしたがって生きることを余儀なくされるようになった。「勤勉(industry)」が外在的に強要されるようになったのである。

産業革命期に、自発的・内在的な時間規律が、外在的な時間規律に取って代わられるようになったのは、人類史上初めての経験であった。さらに、生活態度・衛生・健康・性など身体と生のさまざまな面に外的規律が及ぶようになったのが産業革命期の生み出した変化(M・フーコーの「生権力(biopouvoir)」・「生政治(biopolitique)」を通じた個人の規律化)である。

家庭の変質

こうした外在的時間規律に最初に囚われたのは、自前の「職業の世界」に属していなかった女性と子どもであった。「職業の世界」[5]に属する成人男性の、殊に熟練労働者たちは経営者が一方的に定める規律に対して抵抗することができたので、工場にとっては扱いがたい労働力であった。それゆえ、工場は女性と子どもの労働力に深く依存する仕方で操業され始めた。彼女/彼らの労働時間は長くなり、夜間や日曜・祝日にもおよぶようになると、家庭の中で、全員が朝食や夕食を共にし、夜は皆が寝るという、家庭内での共有時間が減少した。父・夫は家で朝から晩まで手織り機で布を織っているが、母・妻は工場の夜間労働に従事し、子どもたちもそれぞれ工場での補助的作業に就くようになると、生活を共にするという家庭の機能は実質的に崩壊し、単に寝るだけの——ただし、寝る時間は人によって異なるから、顔を合わせて言葉を交わしたり、食事を共にする機会も極小化した——場所になってしまった。こうして、長い前近代社会から近世まで続いた家庭のあり方は産業革命期にいったん危機に瀕するのだが、その後、男と女の分業、おとなと子どもの関係が再編されて、「近代家族」が生み出されることになる(小野塚 二〇一八:第一七章)。

人口の自然的制約の「突破」

かつての経済では、人口はその社会に与えられた自然の大きさ、殊に食料供給力に大きく制約されていた。この制約を突破しようとして森林を伐採して耕地・牧地を拡大しても、そうした経済は永続きせず、崩壊・衰退した。ところが産業革命によって、石炭(=過去の自然)が熱源だけでなく、土建資材や肥料や農薬の原料としてもさまざまな役割を果たし、また蒸気機関や汽船(さらに冷凍庫を備えた船による食肉の長距離輸送や、大型の網の巻き上げ機を備えたトロール漁船による大規模漁業)などが、食料供給に大きな革命を起こして、ある社会は、外部からの恒常的な食料輸入(＝他国の自然)によって、その社会に与えられた自然が許す以上の人口に増加することが可能になった。こうした自然的制約を突破して人口増加し、産業も発展した最初の例が、産業革命期の英国だった。

景観の変化と食の衰退

機械の導入、工場の普及は、人びとの身の回りの風景も大きく変えた。煙突からは煙が黒々と日夜昇り、工場では機械が力強く動き、騒音を発生させる。鉄道や運河の普及によって、都市中心部だけでなく近郊や郊外の風景も塗り替えられた。われわれにとって馴染み深い鉄道や工場という風景も産業革命の産物である。また、農村の土地制度の変化(たとえば囲い込み)や農業経営形態の変化(たとえば借地農業経営の増加)など、産業革命は農業面での変化をともなうから、農村でも、共有地(入会地)の私有地化や、一年間を通じて生活する場としての農村が衰退するなど、景観上の大きな変化が発生した。それは単に景観にとどまらず、食のあり方を根底的に変化させることもあった。食文化史の研究によるなら、イングランドでは一八世紀までは非常に豪華で、季節に応じた多彩な食が営まれていた。

しかし、一八世紀後半から一九世紀前半にかけて、産業革命と同時進行した農業革命と第二次囲い込みによって、中世以来のイングランド食文化の伝統は途絶え、また、食文化を育んできた人的基盤の再生産もできなくなった。それまでは小農が一年を通じて農村に居住し、農閑期には農事暦・教会暦にしたがって、一年に何回も祭事があり、貧しい村人たちも含めて村中全員が、日常的には食べない豪華な料理で、飲み、歌い、踊って、楽しんだ。こうした環境において、人びとは幼い頃から土地と季節の個性に彩られた料理を作り、それを宴席で楽しむ経験を積んで、食文化の基礎的な能力が涵養(かんよう)されていた。ところが産業革命期にイングランドの農業地帯では農業増産のために土地を囲い込み、大地主が借地農業経営者に土地を賃貸し、農業経営者は季節ごとに農業労働者を雇って農業を営むようになった。農業労働者は農閑期には一時解雇されたから、祭を楽しむこともなくなった。また、こうした祭の料理には、共有地で採れた茸、漿果、鱒や川カマスなどの大型淡水魚、鹿、猪、白鳥、鴨などの野生鳥獣も用いられたが、共有地が囲い込まれて私有地になると、村人にはそれらの食材を用いる機会が閉ざされた。利用可能なのは大量生産食材と輸入食材に限られ、イングランドは「廉い食(cheap food)」で特徴付けられるようになる。こうして、イングランドの豊かな農業地域では産業革命期に、季節的・個性的な食を楽しむ祭と、一年を通じて居住する生活空間・共同性としての農村とが消滅し、共有地の食材も利用できず、食を自発的に営む(おのれの食べたいものを、身近な食材を活用して、自ら作り、食べ、楽しむ)能力を育成する条件と環境とが失われたために、食文化は衰退した。英国の産業革命は確かにモノの豊かさをもたらしたが、逆に、民衆のこうした文化的能力を衰弱させる効果もあった(小野塚 二〇一〇、小野塚 二〇一九)。他国の産業革命では、これほど抜本的に農地制度と農業経営形態が変わらず、また農村と祭が産業革命後にも維持されたため、食の能力は維持された。

同時代人の認識

「産業革命」とは、後の歴史家の捏造物ではなく、同時代にすでに使われていた言葉である。同時代の人びと、殊に、英国を外側から観察した人びとにとって、機械の力強い動きをともなって、モノが次々と産み出され、売りさばかれ、消費されるさまは、まずは驚きをもって受け留められ、次に、自分たちも同じ力を獲得するなら、より豊かになれる(より効率的に際限のない欲望を満たすことができるようになる)という見通しが発生して、産業革命は、英国一国を越えて外国へ波及し、一九世紀末までにはアメリカ、ロシア、日本にまで伝播していった。こうした強い伝染性をもった社会現象としても、産業革命は認識されなければならない。この伝染力は、第二次世界大戦後の発展途上国や現在の新興経済国にまで及んでいる。「産業革命」とは、物的に豊かになることを端的に表現する言葉・目標として、世界各地で広く受け容れられるようになったのである。

「市場の離床」

産業革命以前の経済は、食料生産という点でも、熱源という点でも、また、土建資材という点でも、所与の自然の許す範囲内でしか可能ではなかったから、そうした自然的制約を超えないように、来期の富を増やすために今期の富を用いない規範が堅く前近代の経済を縛っていた。そこでは、経済活動の動因である際限のない欲望も、身分制や共同体といった社会の仕組みを通じ、また、さまざまな宗教規範や慣習によって、厳重に規制されていた(小野塚 二〇一八：第五章参照)。ところが、産業革命によって、食料生産と熱源と土建資材に課されていた自然的制約が突破されると、経済活動は社会・掟・規範・慣習の束から解放され、市場経済が社会や制度から自立して、独自に展開するようになった。こうした事態をK・ポラニーは「市場の離床」という言葉で表現した。市場は前近代社会にも存在していたのだが、それは局地的公開市場のように慣習的な生存の原理に縛られていたか、あるいは広域的遠隔地市場の場合、騙し欺される取引関係は、領主が収奪した富の範囲内で営まれていたから、やはり市場外の要因(たとえば封建地代の収取)に強く緊縛されていた。こうした前近代の市場は、近世になると、社会の制約から解放されて、徐々に、自律的な市場経済として動き始めるようになる。市場経済が近世社会にもなお残存していた前近代的な制約から最終的に解放されたのは、産業革命によって、前近代社会の諸種の制約の根拠であった自然的制約からとりあえず自由になったからである。ただし、この解放は、自然的制約の最終的な解放・解決ではなく、単に問題を先送りしたにすぎず、それがいま鋭く問われている。

むすびにかえて

産業革命の原料革命としての側面は、化石燃料を用いることによって人類を自然（森林資源と農地）の制約から一時的には解放した。その結果が現在の人口であり、「豊かな」産業社会である。土木・建築・造船資材を木材から鉄鋼とセメントに変え、肥料と農薬も化石燃料から合成できるようになり、さらに大量のプラスチックが生活のあらゆる局面に浸透している。しかし、この原料革命も、エネルギー革命とともに地球温暖化の大きな原因であり続けている。原料革命の方が始末が悪いのは、そこから卒業する見通しがないことである。巨大建造物、道路・橋梁・隧道、防波堤にダム――これらはいずれも膨大な鉄鋼とセメントの固まりである。こうしたものの新規造成を鉄鋼やセメントの再利用の範囲に収め、地球の総人口が化学肥料を用いないで養える二〇億―二五億人ほどになり、プラスチックがすべて再利用されるか生分解性となり、難分解性の微細片や洗浄・焼却が環境汚染の原因となる吸水性ポリマー（「紙おむつ」など）には依存しない社会に移行できるのはいつのことだろうか。産業革命論を再訪することは、未来に向けたこうした問いへと誘う。

原料革命から卒業できる時期はいつだと、残念ながら現時点では明確に答えられない。それゆえにこそエネルギー革命からの卒業は喫緊の課題なのだが、それすら遅々として進まない現状を納得のゆくように説明できる言葉をわれわれは持っているだろうか。ヴェネツィアや東京駅が水没してしまう将来を、世界の若者に、さらにその先の将来世代に説明する理屈なら捻り出せるかもしれない。しかし、そこに欠けているのは将来世代への責任感である。驚くべき危機的な状況なのに、世界は意外なほどに危機感に満ちていない。ルイ一五世の愛人ポンパドゥール夫人が「吾が亡き後に洪水は来たれ」と曰ったように、己の栄華の後のことなど知りたくもないという気分は確かにありうるだろう。それは、世界を認識する哲学が根源的に衰弱したあとの、想像力を欠いた言説である。フランス絶対王政は民衆によって倒された。では、原料革命の後の社会は誰が構想し、実現するのだろうか。

注

(1) 英国の機械禁輸については吉岡(一九六八)を参照されたい。なお、このことは産業革命以来つねに、新しい技術や科学研究の成果が戦略的に国家機密とされてきたことを意味するわけではない。むしろ、英国が機械輸出を解禁した一八四〇年代以降一九四五年までのおよそ一世紀は、科学・技術は国際公共財の性格を強く帯び、科学文献・技術誌・学協会・特許制度を通じて基本的に誰にでも接触・利用可能な状態が維持され、この時期に世界各地の産業発展の基盤が形成された。第二次世界大戦後は核(兵器・原子力)やロケットの技術が、軍産官学複合体の形成とも結び付いて国家機密となり、それはCOCOM(多国間輸出統制調整委員会)として制度化され、さらに冷戦後は安全保障貿易管理の諸制度(ワッセナー・アレンジメント等)に継承され、経済安全保障法にまでいたっている。これらは科学・技術の国際公共財的性格を強く制約してきた。

(2) industrialization には、「工業化」という訳語もあり、いまやその方が多用されている感もあるが、そこには以下の問題がある。industry は工業(製造業)を意味しないし、industrial revolution を産業革命と訳してきたのと整合性を欠く。また、産業化(industrialization)とは、農業・商業・運輸業が発展し、食料供給の生産性が向上しなければ、増加する工業人口すら支えることができないから、工業のみが発展することは論理的にありえない。この訳語の背後には近代日本が何よりも工業発展を求めてきたという特殊に日本的な事情が作用してきたのだが、もはや工業発展のみを優先的に追求すべき時代でないことは明らかだから、「工業化」という語は現在のわれわれの認識を誤らせる訳語ですらあるともいいうる。

(3) 一九六〇年代末以降の社会主義という理想の後退については、小野塚(二〇二〇b)を参照されたい。

(4) 経済学における自然の有限性認識の歴史と「定常状態」概念の意味については、中村(一九九五)を参照されたい。

(5) 「職業の世界」とは、同じ業種ないし職種の者たち(労働者だけでなく経営者、技師、職長など下級監督者も含む)で構成され、彼らは共通の技とモノ(道具・機械、対象物)を用いており、その職業・営業について独自の価値観・判断基準・行動様式を共有する社会を意味する。榎・小野塚(二〇一四)「序章」を参照されたい。

参考文献

＊産業革命論の文献はきわめて膨大なので、以下の文献以外は、馬場哲・小野塚共二編（二〇〇一）第四章各節と長谷川貴彦（二〇一二）それぞれの文献リストを参照されたい。

石井寛治（一九九一）『日本経済史〔第2版〕』東京大学出版会。

榎一江・小野塚知二編著（二〇一四）『労務管理の生成と終焉』日本経済評論社。

大野誠（二〇一七）『ワットとスティーヴンソン――産業革命の技術者』〈世界史リブレット人〉、山川出版社。

小野塚知二（二〇一〇）「イギリス料理はなぜまずいか？」井野瀬久美恵編『イギリス文化史』昭和堂。

小野塚知二（二〇一八）『経済史――いまを知り、未来を生きるために』有斐閣。

小野塚知二（二〇一九）「産業革命がイギリス料理をまずくした」文藝春秋編『世界史の新常識』文春新書。

小野塚知二（二〇二〇ａ）「人類は原料革命から卒業できるのか？――温暖化問題あるいは産業革命観への一視角」『世界』通巻九三四号、岩波書店。

小野塚知二（二〇二〇ｂ）「読者に届かない歴史――実証主義史学の陥穽と歴史の哲学的基礎」恒木健太郎・左近幸村編『歴史学の縁取り方――フレームワークの史学史』東京大学出版会。

小野塚知二（二〇二二）「ゼロ成長経済と資本主義――縮小という理想」『世界』通巻九四七号（特集「サピエンス減少」）、岩波書店。

ダイアモンド、ジャレド（二〇一二）『文明崩壊――滅亡と存続の命運を分けるもの』上・下、楡井浩一訳、草思社文庫。

竹田泉（二〇一三）『麻と綿が紡ぐイギリス産業革命――アイルランド・リネン業と大西洋市場』ミネルヴァ書房。

中村修（一九九五）『なぜ経済学は自然を無限ととらえたか』日本経済評論社。

長谷川貴彦（二〇一二）『産業革命』〈世界史リブレット〉、山川出版社。

馬場哲・小野塚知二編（二〇〇一）『西洋経済史学』東京大学出版会。

吉岡昭彦（一九六八）『イギリス資本主義の確立』御茶の水書房。

Ashworth, William J. (2017), *The Industrial Revolution: The State, Knowledge and Global Trade*, Bloomsbury Academic.

Bruland, Kristine, et al.（eds.）（2020）, *Reinventing the economic history of industrialisation*, Kingston.

Griffin, Emma（2013）, *Liberty's dawn: a people's history of the Industrial Revolution*, Yale University Press.

Hahn, Barbara（2020）, *Technology in the Industrial Revolution*, Cambridge University Press.

Hendrickson III, Kenneth E., et al.（eds.）（2015）, *The encyclopedia of the industrial revolution in world history*, 3 vols., Rowman & Littlefield.

Malm, Andreas（2016）, *Fossil capital: the rise of steam power and the roots of global warming*, Verso.

Nef, John U.（1957）, *Industry and government in France and England, 1540-1640*, Great Seal Books.

Safley, Thomas Max（2019）, *Labor before the industrial revolution: work, technology and their ecologies in an age of early capitalism*, Routledge.

Satia, Priya（2018）, *Empire of guns: the violent making of the industrial revolution*, Duckworth.

Stearns, Peter N.（2017）, *The industrial turn in world history*, Routledge.

Steinberg, Marc W.（2016）, *England's great transformation: law, labor, and the Industrial Revolution*, University of Chicago Press.

Trinder, Barrie（2013）, *Britain's industrial revolution: the making of a manufacturing people, 1700-1870*, Carnegie Publisher.

Žmolek, Michael Andrew（2013）, *Rethinking the Industrial Revolution : five centuries of transition from agrarian to industrial capitalism in England*, Brill Academic Publishers.

問題群｜*Inquiry*

大西洋世界のなかのフランス革命

松浦義弘

はじめに

フランス革命は孤立した現象ではない。年代的には、アメリカ独立革命とハイチ革命という二つの植民地の革命のあいだに位置している。また、一七八〇年代には、オランダやスイスなど、ヨーロッパのいくつかの国を革命的動乱が襲った。しかも、これらの諸革命とフランス革命とのあいだには無視しえない相互関係もあった。

しかしながら、最近まで、ごく少数の例外を除けば、フランス革命はフランス独自の現象と考えられ、もっぱら国内的要因によって説明されてきた。とりわけ、二〇世紀初頭から一九六〇年代まで革命史学を支配したマルクス主義史家たちは、フランス革命を、フランスにおける封建制から資本主義への移行を画した古典的なブルジョワ革命と捉えた。すなわち、アンシャン・レジームにおける資本主義の発展によって興隆したブルジョワジーと既存の支配階級である貴族との階級闘争を原因としてフランス革命が起こり、その結果、ブルジョワジーの勝利と資本主義の発展がもたらされた、というのである。マルクス主義史家によるこの「ブルジョワ革命論」に対して、一九五〇年代半ばから、アンシャン・レジームの実証研究の進展を背景に「ブルジョワ革命否定論」が展開された。そこでは、裕福なブルジョワが貴族の生活様式や文化を模倣していたことや貴族と同じく土地や官職を購入していたことなどが実証され、フランス革命の原因としての貴族とブルジョワジーの階級闘争が否定された。また、フランス革命は結果として、土地所有に基礎をおくエリートの支配を強化したのであり、資本主義の発展にもつながらなかった、と主張された（Lucus 1973, 89-92; 松浦　一九八八：三一—三三頁）。

以上のように、ブルジョワ革命論がフランス革命の社会的・経済的な原因と結果に関心を集中したのに対して、ブルジョワ革命否定論も、革命の原因と結果に関するブルジョワ革命論の主張を実証的に批判するというかたちをとった。このため、両者の論争が激化した一九五〇年代後半から約三〇年間、フランス革命は、フランス国内の社会的・経済的要因によって説明されたのである。一九七〇年代末から一九八〇年代にかけてはフランソワ・フュレやリン・ハントなどの政治文化論が登場し、フランス革命は社会的・経済的現象というよりも政治的・文化的現象であるという見方が革命史家の新たなコンセンサスとなった。しかしこの政治文化論においても、フランス革命がもっぱら国内的要因によって説明された点は変わりがなかった。

そのような革命史研究の動向を考えれば、一九五〇年代半ばにアメリカ人史家ロバート・パーマーとフランス人史家ジャック・ゴドゥショの共同報告によって提起され、その後それぞれが展開した「大西洋革命論」は注目に値しよう。

大西洋革命論とは、一八世紀後半のアメリカ独立革命から一九世紀前半のラテンアメリカ諸国の独立にいたるまで、大西洋の両岸で起こった一連の政治的動乱を、共通したパターンを有する革命として解釈するものであった。すなわち、イギリス、フランス、オーストリアなどにおいて、七年戦争で生じた財政難を解決するために王権が課税を強化すると、特権層は王権の「専制」に対して「自由」を標榜して抵抗する。さらに、この抵抗が引き金となって「大西洋経済」の発展とともに興隆したブルジョワジーと特権層との対立が惹起され、ブルジョワジーは特権層に対して

「平等」を主張したため、一連の革命は「民主的革命」の性格を帯びたというのである（Godechot et Palmer 1955; Godechot 1970; Palmer 1959-1964; 柴田 二〇一二：二〇―二八頁）。

この大西洋革命論に対して、当時のフランスの革命史家の多くは激しい拒絶反応を示した。フランス革命を大西洋世界の一連の革命に埋没させ、その独自性を否定する試みと考えられたからである。また、これらの一連の革命を本質的に貴族政と民主政との闘争と捉えた点も問題視された。さらに、冷戦という時代にあって、大西洋革命論は、大西洋の両岸の資本主義諸国の同盟である北大西洋条約機構（NATO）をイデオロギー的に支えるための歴史の利用だという批判もあった。

しかしながら、グローバル化が進展する近年、大西洋革命論はふたたび脚光を浴びている。もちろん、その場合の大西洋革命論には、パーマーやゴドゥショの大西洋革命論には欠けていた植民地の奴隷制反対の革命も不可欠な要素として含まれている。フランス革命以外の諸革命に関する研究の進展によって、ヨーロッパとその植民地を駆けめぐった革命の波の多極性が明らかになっている。とくに、大西洋を囲むヨーロッパ、アメリカ、アフリカとそこで生活する人人の相互連関を対象とする「大西洋史」の進展によって、大西洋の両岸の地域全体にわたって、商業と社交団体のネットワーク、印刷物とそれにともなう思想の流通の重要性が示された。こうして、少なくともエリートのレヴェルでは「大西洋文化」とでもいうべき、広く共有された文化の存在が確認されている。と同時に、大西洋両岸の諸革命が広く検討された結果として、フランス革命が、その急進性や暴力、民衆運動の規模の大きさにおいて他の革命とは大きく異なっていたことも改めて浮き彫りになっている（Marzagalli 2001; Dorigny 2004: 14-21, 119-121）。

本稿は、「大西洋世界」という地理的空間を観察の尺度としながら、「フランス革命を可能なものにした、考えうるが故に可能なものとした条件のいくつか」（シャルチエ）を捉えようとする試みである。一八世紀後半の大西洋世界こそは、人・モノ・情報の活発な流通によって支えられ、大西洋文化を語り得る空間であった。そしてこの共有された文化と文化的実践から、フランス革命をはじめとする一連の革命が生まれたのである。以下では、本稿の性格上、フランスの現象に焦点を当てた叙述とならざるを得ないが、この現象は大西洋世界の他の地域でもある程度共通するものであった。

一、大西洋世界とフランス

大西洋経済の発展

一八世紀のあいだに、大西洋を囲むヨーロッパ・アフリカ・アメリカの三地域をむすぶ大西洋三角貿易が未曽有の発展をとげた。ヨーロッパから武器や綿製品、工業製品がアフリカに輸出されて黒人奴隷と交換され、この奴隷をアメリカやアンティル諸島(西インド諸島)に運んで砂糖・コーヒー・タバコなどを購入し、これらの植民地物産をヨーロッパに運んで販売したのである。また、アメリカやアンティル諸島の入植者には、植民地での生産が禁止されていた工業製品や食料品などが本国の商人によって供給された。植民地帝国内では、北アメリカの穀物・家畜・木材が植民地物産とその二次製品と交換され、ニューファンドランド島の沖合で操業する漁師がタラをアンティル諸島の奴隷とヨーロッパに供給した。活発な密貿易をも含むこの交易ネットワークは、何千もの船舶と何万人もの船員によって支えられていた(Beaurepaire et Marzagalli 2010: 9; Marzagalli 2011: 249)。

大西洋両岸の三地域をむすぶこの貿易は、それにかかわった三地域に大きな社会的影響を及ぼした。

一七世紀にイギリスとフランスによってアンティル諸島と北アメリカに設けられた植民地では、一八世紀に人口と生産が急増した。ヨーロッパからの何万人もの移民に加えて、アフリカから六〇〇万人以上の奴隷がプランテーションの労働力として移送されたからである(そのためにアフリカでは人口が停滞し、社会が荒廃した)。フランス領アンティル諸島のアフリカ人奴隷は、一七二〇年に四万人、一七八〇年に五〇万人、さらに一七八九年には七〇万人を数えた。とくにフランス最大の植民地サン゠ドマング(現ハイチ)では、一七八九年に約五〇万人の奴隷が砂糖やコーヒーなどの生産に従事した。他方、ヨーロッパではアンティル諸島の砂糖とコーヒー、北アメリカのタバコが引っ張りだこで、植民地におけるその生産を後押しした(Lovejoy 1982: 482-483; Popkin 2011: 221; Beaurepaire et Marzagalli 2010: 8; Régent 2013: 397)。

大西洋三角貿易によって、イギリスやフランスには巨大な富がもたらされた。フランス革命前夜には、アンティル諸島はヨーロッパで消費される砂糖の半分、コーヒーの大部分を生産していた。こうして一七八九年までに、アンティル諸島からの植民地物産の輸入はフランスの輸入全体の三分の一を占めるにいたっていた。そしてフランスの輸出の増加は、ワインなどの国内物産によるとともに、大部分加工されずに北ヨーロッパやオランダ、イタリア、レヴァントなどに再輸出される植民地物産によるものであった。したがって、フランスの貿易は自国の工業化にあまり寄与せず、一七二〇年代から一七八〇年代にかけての工業部門の成長率は年率二%足らずにすぎなかった(Marzagalli 2011: 246-247; Félix 2001: 7-41)。つまり、フランス経済全体の成長の中核となったのは対外貿易であり、商業資本主義の発展であった。実際、一七二〇年代と一七八〇年代のあいだで対外貿易額は五倍に、植民地貿易額に限定すれば一〇倍に増加したのである(Jessene 2013: 31-32; Covo 2015: 291-292)。フランスが七年戦争後のパリ条約によって広大なカナダとルイジアナを放棄してアンティル諸島を維持したのも、フランスの繁栄にとってアンティル諸島で生産される砂糖やコーヒーとその貿易がきわめて重要だったからであった。

一八世紀におけるこの植民地貿易の発展は、植民地の都市も含めて大西洋の両岸の都市に莫大な富をもたらした。フランスでは、ナント、ボルドー、マルセイユ、ル・アーヴル、サン゠マロなどの海港都市が急激に成長した。首都パリも、一七〇〇年頃の四〇万―五〇万人から革命直前の推定七〇万人へと、一八世紀のあいだに住民数が三分の一以上増加した。とりわけ一八世紀後半には急速な景観の変化と空間的な膨張を経験した。そのことは、パリの地図がこの時期に頻繁に発行されたことからも窺える。パリの地図の発行点数は、一七五〇年代ぐらいまでは一〇年単位でほぼ一〇点未満であり、一七六〇年代もまだ一四点にとどまっていた。しかし、一七七〇年代には二三点、一七八〇年代には二八点と急増するのである。一七七〇年代以後のパリの地図の発行点数のこの急激な増加は、その時期、パリに新しい道路や建物ができて都市景観が変化したり、パリの領域が拡大したりした結果にほかならなかった(Roche 1981: 20-22; Roche 1997: 45-48)。また、商業の成長によって中間層としての商人や職人などのブルジョワジーの顕著な増加がみられた。ブルジョワジーの規模は、一七〇〇年の七〇万―八〇万人から一七八九年の約二三〇万人へと一八世紀をとおして約三倍に増加し、一七八九年には全人口の一〇%近い比率を占めるまでになった(Jones 1991: 93-94)。

「消費社会」の発展

一八世紀のフランス経済全体の成長の核となったのは対外貿易、とくに植民地貿易による商業資本主義の発展であった。フランス領アンティル諸島からは砂糖、コーヒー、タバコなどが、アジアからは茶、綿織物、香辛料、陶磁器などが輸入された。この植民地貿易の発展は、パリや地方都市の人々の消費生活にも大きな影響をあたえた。

一七八〇年代のパリでは、賃労働者や召使いなどの民衆層の住居においても、室内空間や家具がより機能的に分化し、流行をより意識したものになっている。パリの民衆は、より大きくより多様な樹種の衣装ダンス、特製の家具や装飾品のためにより多くの金を消費するようになっている。彼らの住居は暖炉に加えてストーブで暖められ、カーテンや壁掛けや鏡によって飾られ、整理ダンスや書き物テーブルや本棚が設置されている。傘や扇、陶磁器の皿、かぎタバコ入れ、時計、鏡、縁のある帽子など、以前は富裕な人々の贅沢品とされていた道具や装飾品が、民衆層にも広まっているのである。また一七八〇年代までに、賃労働者の家庭のほぼ半分がコーヒーポットかティーポットを所持するようになっていた。

とくに興味深いのは、身分制社会において個人の地位を表現するものであった衣服の変化である。一八世紀をとおしてパリの民衆は二倍、ときには三倍の衣服を所持するようになった。と同時に、衣服自体もより軽い生地が使われたり、色彩や模様が豊かになったり、あるいは画一的ではなくスタイリッシュになった。さらに注目されるのは、社会的エリートと民衆が着る衣服のスタイルや生地に関してかつて存在した大きな違いが消滅しはじめている点である。チョッキや絹のガウンのような、貴族や金持ちが着る洗練された衣装が、主人から召使いへの売却や贈与、古着屋からの購入などによって、民衆にも手の届くものになっている。こうして、貴族とその召使いが晴れ着を着ていると見分けがつかないという事態さえ生じることになる(Roche 1981: 176-267; Roche 1997: 183-248; Clay 2013: 6)。

一八世紀後半における民衆層へのこのような贅沢品の普及は、彼らの日常の飲食物や娯楽における消費主義とも照応するものであった。一八世紀後半には、砂糖、紅茶、コーヒー、チョコレートの消費が劇的に増加したが、これは、社会的エリートによる消費が増加したことだけによるものではなかった。たとえばカフェ・オ・レは、都市の賃労働者階級の朝食の一部になりつつあった。また、商業化された新しい社交や娯楽の場も人気を博した。一八世紀には、カフェ、劇場、遊園地、遊歩道、ビリヤードルームなどが急増したのである。パリでは、一八世紀後半に開店した一五〇〇店以上のカフェに顧客が群がった。そして何万人もの観客が、フランスの少なくとも七二都市と植民地の一一の都市に開館した劇場で上演された演劇を見に行ったのである(Jones 1991: 90-92; Clay 2015: 28)。

さらに以上のような消費主義の進展にともなって、一七八九年までにはフランスの四四都市で広告新聞affichesが刊行され、二〇万人の読者を獲得していた。この広告新聞には、新しい商品や書物の広告、地元で開催される演劇やコンサート、見世物などの情報が豊富に掲載されていただけでなく、王令や高等法院布告などの法律情報、穀物価格や安売り・競売などの経済情報も含まれていた。さらにこの広告新聞の編集者は、そのページを使って啓蒙運動の理念や市民的価値を読者に広めようとした。こうしてフランスの都市の住民のあいだには、新しい商品、印刷物、ファッション、そして社交や娯楽の場における文化的実践の急速な流通によって新しい社会的つながりが創り出されていった。この社会的つながりを、コリン・ジョーンズは、「購買(そして販売)の大いなる連鎖 Great Chain of Buying (and Selling)」と呼ぶ。この連鎖は、市場が主導する関係において相対的に平等な購買者と販売者を結びつける「水平的」つながりによって特徴づけられ、階層序列的な世界観を掘り崩すものであった(Jones 1996: 13-40)。

「世論」の誕生

一八世紀フランスにおける商業資本主義の発展は、都市化や消費主義の進展といった現象とともに、中間層としてのブルジョワジーの増加をもたらすものでもあった。彼らブルジョワは、まず土地と官職に投資したが、植民地物産や装飾品などの奢侈品取引にも出資した。さらに教育や文化への投資にも熱心であった。劇場などの建設や学校やコレージュの設立にかかわり、書物市場の急成長をささえ、新聞の発刊、図書館や読書室の創設などに資金を提供し、みずからも積極的にその活動に参加した。このようなブルジョワジーの活動が、「公衆」の意見である「世論」を誕生させ、絶対王政の権力行使のあり方を変化させることになるのである。

「世論」の誕生にとって主要な要因のひとつが、一八世紀における印刷物の増大という現象であった。とくに一七八八年八月に全国三部会の召集が決定されて以後、印刷物の出版点数は急増した。国立図書館の「フランス史カタログ」に記載されているパンフレットのタイトル数は、ルイ一六世治世の最初の一二年間全体で三一二点だったが、一七八七年には二一七点、一七八八年には八一九点、そして一七八九年には三三〇五点と爆発的に増加している。この傾向は一般的な書物についても同様で、一七八六年の一九五〇冊に対して一七八九年には一万一三三八冊が刊行されている。他方、新聞については、一七八一年にフランス全体でわずか四万五〇〇〇人が新聞(その大部分は週刊ないしは週二回の発行)の予約購読者であったが、一七九〇年にはパリだけで一日推定三〇万部の新聞が販売されるにいたっている(Popkin 1990: 78-95; Burrows 2015: 74-86)。

このような印刷物の増大は、フランス人の識字率が上昇したことと相関していた。一七八六—九〇年の調査によれば、フランス北西部のサン＝マロとスイスのジュネーヴをむすぶ線の北側の北フランスや北東フランスでは、全成人男性の三分の二以上が読むことができた。とくにパリの識字率は高く、革命直前には男性の九〇%以上、女性の八〇%が署名できた(Furet et Ozouf 1977, vol. I: 35-44, 60; Roche 1981: 274)。当然ながら、民衆層においても書物所持率の上昇がみられた。パリの遺産目録の調査によると、一七五〇年代には賃労働者の一三%、召使いの二〇%が書物を所持していたが、この数値は、一七八〇年までにそれぞれ三五%、四〇%に上昇したのである(Roche 1981: 288-290)。

こうして、一八世紀には「最初のメディア革命」(リルティ)と呼びうる時代を迎える。安い印刷物、肖像画、カリカチュアなどが多様な情報を伝えたが、とくに人気があった新聞には、三面記事的事件、広告、噂話、著名人のスキャンダル、さまざまな意見などが数多く取り上げられ、その読者である「公衆」の意識形成に寄与した。知識人の営為であった読書の地位が一八世紀には大きく変化するのである。だがもちろん、当時の情報の伝達は印刷物の読書によるものだけではなかった。ロバート・ダーントンが一八世紀のパリについて描き出したように、ニュースや噂は、口づてに伝えられ、書かれ、印刷され、描かれ、歌われるなどしたのである。つまり情報は、さまざまなメディアからなる濃密な通信回路網を通して伝達されたのである。この伝達プロセスは、つねに議論と社交をともなっており、メッセージの単なる受動的な伝達というよりもむしろ集団で情報を吸収し再加工するプロセス、つまり集団意識ないしは「世論」の形成のプロセスであった。ダーントンによれば、このプロセスにかかわった「公衆」は国事に好奇心をもち、政治における新しい力である「世論」として自分自身を意識していた。したがって「公衆」とは、合理的議論によって文学的・芸術的・政治的判断の決定機関となるばかりではなく、著名人の私生活にも強い好奇心をもち、情動にも支配される不特定かつ無名の読者や消費者などの全体であった(Darnton 2000: 1-35; リルティ 二〇一九:一一一一三頁)。

「世論」の誕生にとってもうひとつの主要な要因は、新しい文化的・社交的制度の誕生であった。つまり一八世紀には、新しい知的・文化的社交機関が、さらには商業化された新しい社交や娯楽の場が誕生し、それぞれ「世論」の形成に寄与したのである。(1)

まず、一八世紀がすすむにつれて、サロン、アカデミー、フリーメイソンの会所、文芸協会、読書室などの知的・文化的社交の新たな形態が発展し、そこでは書物や新聞などをもとに議論がなされた。この活動を主として担ったのが、自由主義的貴族とともに、司法・行政官僚や弁護士や文筆家などの自由業のブルジョワだった。なかでもフリーメイソンは、その規模と開放性において際立っていた。一七二〇年代にパリではじめて創設されて以来急速に拡大し、フランス革命前夜には少なくとも九〇〇会所、その会員総数はおそらく五万人、つまり都市住民のほぼ二〇人に一人が会員であった。そしてパリの会員の七四%、アカデミーがある三二の地方都市の会員の八〇%は、役人や弁護士や裕福な商人などの第三身分の会員だった。しかもフリーメイソンの会所が増えるにつれて、商人、小商店主、職人などの中小ブルジョワの会員も増加していった(ただし、フリーメイソンの活動に必要な教育・財産・余暇のない民衆は排除された)。さらに、カリブ海や北アメリカなどの植民地に創設された会所も含めれば数千の会所が、通信と旅行によって大西洋世界に比類のないネットワークを形成した(シャルチエ 一九九四:二四七―二五五頁、ボルペール 二〇〇九)。

他方、一八世紀にはカフェ、劇場、展覧会、遊園地、遊歩道などの商業化された社交や娯楽の場が急増したが、これらの場も、民衆の政治的・社会的メッセージを流布させるコミュニケーション回路の一環として「世論」の形成に寄与した。

一八世紀後半にパリに一五〇〇店以上開店したカフェは、メルシエによれば、「閑人」や「文無しども」、「上流の社交界とはまったくつきあいがない」人々が集まる社交と娯楽の場であった。そこでは日頃から「財政や改革の闘士たちの甲論乙駁の議論」がなされ、「政治や文学」が論じられたが、「大部分のカフェでのおしゃべり」は「新聞をめぐって絶え間なく続いた」。レチフが通ったカフェ・マヌリでも「国政」について率直な意見が交わされ、「アメリカ革命」が論争の的になっていた。要するにカフェは、民衆の政治的・社会的情報が流布するコミュニケーション回路の中継点であった。このため王権は、密偵をつかってカフェでの「世論」の動向を探り監視したのである(レチフ 一九八八：七一―八一頁、メルシエ 一九八九：(下)四五―五三頁、Darnton 2010)。

フランスと植民地の八〇以上の都市に建設された劇場も、一八世紀の都市を特徴づける新しい社交と娯楽の場であった。劇場によっては何百人、あるいは何千人、すべての劇場をあわせれば推定七万人の人々が観劇した。観客は、大貴族から新興のブルジョワ、さらに植民地の黒人の男女にいたるまで、じつに多様であった。観劇するために必要なのはチケットの購入だけであり、読み書き能力や社会的地位は求められなかったからである。しかも多くの観客は、チケットの購入によって演劇や俳優を評価する権利を買ったのだと信じた。実際、劇場の観客は拍手喝采や口笛、大きなヤジで演劇や俳優に対する評価を表明し、さらに「公衆」の名において市当局や王権に対する異議申し立てをおこなった。このため地方当局や王権も、多くの観客が集まる劇場の治安維持のために警備し、劇場の「公衆」が表明する「世論」に神経をとがらせたのだった(Clay 2013: 1-13, 163-194, 229-234)。

こうして、読者、消費者、野次馬などからなり、政治的論争にも著名人の私生活にも強い好奇心をもつ「公衆」は、新しい文化的・社交的制度や印刷物などの多様なメディアに立脚しながら、あらゆる問題について独自の判断や意見を表明した。王権もしだいにこの「公衆」の判断や意見である「世論」ないしは「世論の法廷」を無視できなくなってゆく。一八世紀の半ば以後、イエズス会の追放、穀物取引の自由化、国家財政といった、それまで秘密裡に決定されていた国家や宗教の問題が「世論の法廷」における公的論議の対象となったとき、そのことは明白になった。王権はこの論議を禁じる力がなく、逆に、王権が文筆家をやとい、印刷物を動員して「公衆」にアピールし、自己の政策への「世論」の支持を獲得しようとした(シャルチエ 一九九四:四四―五一頁)。こうして権力のありかが、秘密のうちに決定をくだす国王ひとりの意志から、政治にも著名人の私生活にも好奇心をもつ「公衆」の意見や判断である「世論」や「世論の法廷」へと移行し、権力行使の条件が変化することになるのである。

けれども、「世論の法廷」における論議の対象となったのは、フランスの国家や宗教の問題だけではなかった。カフェ・マヌリで「アメリカ革命」が論争の的になっていたように、アメリカ独立革命や植民地制度なども「世論の法廷」の重要なテーマだったのである。この背景には、大西洋世界における人の往来や印刷物・書簡の流通、それにともなう思想の流通という事象があった。

太平洋世界における人の往来と思想の流通

一八世紀後半の大西洋世界には、商業と社交団体のネットワークが存在した。このネットワークを前提に、行政官や知識人などの往来や交流、印刷物や書簡そして思想の流通も可能となったのである。

アメリカの政治家・科学者であり、アメリカ独立宣言の起草委員もつとめたフランクリンは、その点で象徴的だった。一七二四年、一八歳のときに初めて渡英し約一年半ロンドンに滞在して以後何度か訪問し、一七七四年にはロンドンでトマス・ペインに出会い、紹介状を書いてペインの渡米をお膳立てした。一七七六年からは外交使節の一員として渡仏し、パリの政界と社交界の常連となってフランスとの同盟を一七七八年に実現するとともに、チュルゴ、ラファイエット、デュポン・ドゥ・ヌムール、コンドルセらと書簡で当時の思想や諸事件について議論した。フランクリンは有名人だったので、世界中の人々から手紙を受け取った。ロベスピエールも、一七八三年五月に「避雷針事件」を弁護して勝訴した際に、その弁護論をフランクリンに送っている。

だがフランクリンは、孤立した事例ではなかった。たとえば、ジャーナリストでジロンド派の指導者としても知られるジャック・ピエール・ブリソは、文学的野心を抱いて何度かロンドンに滞在した後、ジュネーヴ革命の報を受けて一七八二年にジュネーヴを訪れ、この革命に参加してヌシャテルに逃亡していた銀行家エチエンヌ・クラヴィエールに出会った。クラヴィエールがイギリスとアイルランドを経て一七八四年に最終的にパリに亡命した後、二人はさらに協力関係を深めた。一七八七年には共著『フランスと合州国について』を刊行するとともに「ガリア＝アメリカ協会 Société gallo-américaine」を設立し、翌一七八八年二月には「黒人の友の会」を創設した。さらにブリソは、一七八八年に一年間の予定でアメリカへの調査旅行に出かけたが、全国三部会召集の報に接して同年末に急遽帰国し、政治の世界に身を投じることになる。

また、一七七四年にロンドンでフランクリンと出会ったトマス・ペインは、その後アメリカに渡り、一七七六年には『コモン・センス』を刊行して植民地アメリカにイギリスからの独立をうながし、自らもアメリカ独立革命に参加した。その後ペインは一七八七年にロンドンに戻ったが、その頃にはラファイエットやコンドルセやブリソなどと交流をもっていた。一七八九年秋からはパリに滞在し、エドマンド・バークのフランス革命非難の書『フランス革命の省察』(一七九〇年)に対して『人間の権利』(一七九一－九二年)を執筆してフランス革命を擁護した。この著作の評判もあって、ペインは一七九二年に国民公会の議員に選出されている。

以上のように、一八世紀後半の大西洋世界では印刷物や書簡が流通し、行政官や知識人などがかなり頻繁に往来していた。そしてこの大西洋をまたぐ彼らの往来と直接・間接の交流や印刷物などの流通をとおして、時の思想や事件の情報が大西洋世界全体に流布したのである。しかし、大西洋世界における人の往来や思想の流通をより大規模に引き起こしたのは、アメリカ独立戦争であった。

まず、大西洋を渡った人々がいた。フランスのラファイエットやポーランドのコシチューシコのように、アメリカの「反逆者」を支援するためにヨーロッパから駆けつけた義勇兵やイギリスによって派遣された兵士や船員がそうであった。また、一七七七年のサラトガの戦いにおけるイギリス軍の敗北によってアメリカの勝利が想定されるようになると、フランスやスペインがアメリカ側に立って参戦し、両国の兵士や船員などが大西洋を渡った。そしてアメリカの「反逆者」やイギリス軍によって自由を約束されて徴募された何千人もの奴隷のように、イギリス帝国内での移動があった。フランス帝国内でも、アンティル諸島防衛のために奴隷が動員された。さらにアメリカ独立戦争は、本国イギリスへの植民地アメリカの従属を維持することに好意的な入植者とそれ以外の入植者とのあいだの内戦でもあったため、戦争が終結した時にアメリカ人の一〇人に一人がアメリカを離れた(Beaurepaire et Marzagalli 2010: 11)。

アメリカ独立戦争によって大規模な人の往来が生じたこと、それにともなって革命・軍隊経験が広まったこと、さらにアメリカ独立革命をめぐって大量の印刷物が生み出され、「祖国」「愛国派」「自由」「憲法」「権利の宣言」などの用語が流通したことは、大西洋世界の人々の政治化にとって強力な要因となった。アメリカ独立革命は、大西洋世界を根本的に変容させる未曽有の政治的激変の時代を開始する革命となったのである。アメリカ独立革命以後、ヨーロッパを革命の波が襲ったが、とくにフランス革命にとって大きな意味をもったのは、ジュネーヴ革命、オランダ革命、ベルギー革命など、フランスの周辺諸国で起こった革命であった。

まず、一七八一年にジュネーヴ革命の最後を飾る反乱が発生した。寡頭的な都市貴族に対して平等を求めるブルジョワ市民と市民権を持たない一般民衆とが提携し、合州国で同時期に形成された組織と類似する「保安委員会Commission de sûreté」を創設して市庁舎を占拠したのである。これに対して都市貴族は、フランスなどに軍事介入を要請して革命を一七八二年に鎮圧した。クラヴィエールとその友人、より急進的な小ブルジョワの大部分は、フランスに亡命した。オランダでは、英蘭戦争(一七八〇–八四年)での敗北と総督ウィレム五世に対する不満の増大を背景に「愛国派」が蜂起し、一七八七年はじめにはアムステルダム・ロッテルダムの市政を掌握し、共和政への志向を強めた。ウィレム五世はイギリスとプロイセンに軍事援助を要請し、プロイセン王フリードリヒ・ヴィルヘルム二世の軍事介入によって「愛国派」の運動は鎮圧された。その結果、四万人が国を離れ、そのうち約二万人がフランスに亡命したとされる[2](Beaurepaire et Marzagalli 2010: 13)。そしてベルギー(ブラバン)では、オーストリア皇帝ヨーゼフ二世の改革に対して保守派(statistes)と「愛国派」が団結して反対し、一七九〇年一月には「ベルギー合州国 États belgiques unis」を宣言した。しかし両派はほどなく分裂し、ヨーゼフ二世の後を継いだ皇帝レオポルト二世は、一七九〇年一二月、三万人の軍隊を動員してベルギー革命を鎮圧した。その結果、「愛国派」の一部はフランスに亡命した(Godechot 1970: 115-121; 柴田 一九七四:七九—八〇頁)。

以上のように、アメリカ独立革命による人の往来や思想の流通のもとでジュネーヴ、オランダ、ベルギーなどの革命が起こった。これらの革命は外国の軍隊の介入によって失敗したが、弾圧を逃れた多くの革命家がフランスに亡命した。こうして革命前のパリでは、ヨーロッパ諸国からの亡命者、ミラボやブリソなどのフランス人、ジェファソンなどのアメリカの革命家などが交流するサークルが存在し、大胆な変革が構想された(Jourdan 2015: 97-104)。

印刷物や書簡の流通にくわえて、行政官や知識人などの往来と直接・間接の交流、アメリカ独立革命による大規模な人の往来と思想の流通、そしてその影響のもとで起こったヨーロッパの諸革命の失敗と革命家の亡命。一八世紀後半の大西洋世界には、これらの要因によって広く共有された情報と思想と実践、いわば「大西洋文化」が存在していた。フランスの「世論の法廷」における論議がアメリカ独立革命や植民地制度などをもテーマとしていたのは、フランスが大西洋文化を共有していたからであった。以下では、「世論の法廷」におけるアメリカ独立革命に焦点を当てて、一七八〇年代にフランス語で書かれたアメリカ革命論をたどってみよう[3]。

二、「世論の法廷」におけるアメリカ独立革命

地方アカデミーの懸賞論文

一七七六年の独立宣言以後、とくに一七七八年二月のアメリカとの同盟・通商条約以後、フランスの知識人層にはアメリカに対する関心が広がった。二つの地方アカデミーが「アメリカ」をテーマに論文を募集したことは、それを象徴するものだった。

まず、一七八一年にレナル(Guillaume-Thomas Raynal)の提案にもとづき、リヨン・アカデミーが懸賞論文コンクールを開催した。その論題は、「アメリカの発見は、人類にとって有害であったのか、それとも有益であったのか？もし有益なことが生じたのであれば、それを維持し増大させる手段は何か？もし害悪がもたらされたとすれば、それを改善する手段は何か？」(史料① ix-xi)であった。このコンクールの受賞者はいなかったが、その論題をめぐる議論をとおしてアメリカ革命というテーマが広く流布することになった。

一七八四年には、トゥルーズ・アカデミーがアメリカ革命をテーマに論文を募集し、トゥルーズ高等法院の弁護士で革命期に国民公会議員となるマイユ(Jean-Baptiste Mailhe)の論文「アメリカで起こったばかりの革命の偉大さと重要性について」(史料②)が受賞した。

マイユの論文は二部構成で、基本的に、アメリカの一入植者の語りによって議論が展開するという形式をとっている。第一部は、「自由の旗」を掲げたアメリカ革命のプロセスがフランスの関与を中心にたどられている。一七七八年二月にアメリカの独立を承認して参戦し、イギリスによって支配されていた海を解放したルイ一六世を「偉大な目的に自分の権力を捧げた君主」(② 15)と激賞している点が印象的である。だがより注目されるのは、「広大な地域に

平和と幸福をもたらした」アメリカ革命の影響について論じた第二部である。そこでは、「新大陸」発見後のヨーロッパは人間精神の進歩を遅らせたとされ、アメリカ先住民の虐殺やアフリカでの奴隷取引など、とくにイギリスの横暴が批判されている。これに対して「ブルボン王家は不正な支配によって踏みにじられた人道のために復讐した。彼らは、人民Peuplesの根源的かつ不可侵の権利を要求した」(② 26)とフランス王政が称賛されている。しかし同時に、フランスがアメリカと同盟を結んだことの意味をイギリス人の言葉でこう表現している。「フランスは、アメリカ合州国の立場に与することによって、あらゆる国民にその君主との絆を断ち切ることを認めた」「新世界のあらゆる人民は、合州国の成功によって大胆になり、ヨーロッパの支配を揺るがすことになろう」(② 38-39)。さらにアメリカの入植者の口を借りてこう述べられる。「抑圧」が極まれば「国民はその主人に対して武器を取ることは確か」であり、「わが祖国の革命」は、「人民を絶望に陥れることは危険である」(② 39)ことを教えた、と。

以上のように、マイユの論考は、ルイ一六世のアメリカとの同盟を称賛しているが、この同盟は、イギリス人からみれば、フランスが「あらゆる国民にその君主との絆を断ち切ることを認めた」ことを意味した。マイユ自身の叙述では、イギリスに支配されていた海を解放したルイ一六世が称賛されており、フランスの政治体制が論じられてもいない。しかしマイユの論考を読んだ読者には、フランス王政は、フランス人民も含めてあらゆる人民がどのようなくびきからも解放されうることを暗に認めたと解釈する余地が残されたといえよう。

マブリのアメリカ革命論

一七八四年には、マブリ(Gabriel de Mably)の著作『アメリカ合州国の政府と法律に関する考察』(史料③)も刊行された。この著作は、駐オランダ合州国全権公使アダムズ(John Adams)への四通の書簡という形式をとって、「健全な政府と法律」を手に入れるためには「mœurs の力」(4)と「その頽廃を防ぐこと」(③ 103)が必要であること、だがその点でアメリカの共和政は懸念されることを表明したものであった。

マブリは、アメリカ合州国の憲法を、人民主権を確かな原理として確立したものとし、アメリカの十三植民地が同じ法律を持つ唯一の共和国を形成しなかったことは賢明であったと評価する(③ 7-8)。しかし同時にマブリが危惧するのは、アメリカ合州国が「人間と国民の権利」や「民主政」を認めすぎている点である。たしかに「民主政は市民たちを最大限活用しようとするあらゆる統治の基礎となるべき」だが、同時に「民主政は最大限慎重に扱われ」なければならないというのである。というのも、「イギリス支配下の情況から現在の情況へのあなた方の移行」はあまりに急激だったため、「人間の生得の自由と政体の性格」についてのロックの原則を採用した合州国の憲法は、アメリカの mœurs とは矛盾しているからである。こうしてマブリは、「金と商業に基づくヨーロッパの政治」は祖国や自由への愛といった古典古代の徳を消滅させたが、そのことがアメリカでも再現しないかと危惧するのである(③ 18-26)。

マブリのこのような観点からすれば、ペンシルヴェニアでは民主政が優遇されすぎているが、マサチューセッツ憲法は、「大衆に自由を保障しながらも、彼らにあまり大胆な希望を与えない民主政の基礎の上に〔中略〕より安定した性格の貴族政を確立」しており、現在の「アメリカの mœurs」が必要とするものだった(③ 57-58)。とはいえ、「国家の mœurs、精神、性格、そして原則が絶えず維持され、永続するような評議会を欠いた貴族政は、政治における真の怪物である」(③ 64)とされているように、マブリは「貴族政」を全面的に肯定しているわけではない。要するに、「状況が必要とすることに最も対応する政治」(③ 59)が重要なのである。したがって自由に「集会を開く権利」を人民に認めることは、現状では無政府状態につながろう(③ 38)。また、「言論出版の自由 la liberté de la presse がなければ、考える自由はありえず、したがってわれわれの mœurs や知識はなんら発達しない」が、法律によって「言論出版の絶対的自由を確立すること」は、きわめて危険だということになる(③ 97-98)。さらに、アメリカでは「信教の無制限の自由」が「世論」となっているが、「極端な〔宗教的〕寛容を少し制限し、そこから生じうる悪弊を防止しなければならない」ということになる(③83)。最後にマブリは、アメリカ合州国がさらされている分裂や騒乱を遠ざける最良の手段として大陸会議の権限を強化することを提案して書簡を終えている(③156-157)。

以上のように、マブリは、古典古代以来のヨーロッパの歴史的経験を踏まえて新生アメリカの共和政と法律についてやや悲観的な見解を示している。重視されているのは、アメリカ合州国の「現在の情況」「現在のmœurs」に最もふさわしい政府と法律とは何かという観点であり、その共和政の存続条件の考察であった。合州国の「現在の情況」を考慮すれば、法律によって自由な集会権や「言論出版の自由」、そして極端な宗教的寛容などを認めることは危険なことであった。マブリにとって、政府と法律の悪弊は一挙に除去すべきものではなく、時間をかけて慎重に解消すべきものだったのである。

これまで、フランス王政を賛美してフランスの政治体制を正面から論じないアメリカ革命論(マイユ)や、アメリカの共和政に悲観的な見通しをもつアメリカ革命論(マブリ)をみてきた。以下では、アメリカの共和政を擁護・称賛し、フランスの政治や社会に批判的なアメリカ革命論をとりあげよう。これらは、革命期にジロンド派の中心人物となったブリソとクラヴィエール、そしてコンドルセによるアメリカ革命論であった。

「ガリア＝アメリカ協会」のアメリカ革命論

一七八七年一月二日、「ガリア＝アメリカ協会」の最初の会合がブリソ宅で開催されたとき、ブリソとクラヴィエールの共著『フランスと合州国について』の執筆は最終段階に入っており、この共著を「協会」の会合で読み、議論することが決定された(史料④106)。したがって二人の共著は、「ガリア＝アメリカ協会」のアメリカ革命論といってもよい性格をもっている。

一月九日の二回目の会合で採択された趣意書によると、「ガリア＝アメリカ協会」の目的は、(1)フランスと合州国の通商関係を促進し、両国の結びつきを強化すること、(2)フランスに合州国の政治原則を普及させ、「有用な制度」を採用させること、の二点であった(④ 114-116)。ただし、フランスと合州国の関係の強化が謳われているとはいえ、「協会」のコスモポリタン的性格は強調されるべきであろう。とくにクラヴィエールは、一月九日の会合の際に、「ガリア=アメリカ協会」という名称は会員になるにはあまりに排他的だとして、こう述べたという。「出生の権利によって特定の義務が課される祖国をもはや持っていないので、すべての人に共通の社会以外の社会に所属することは自分にはふさわしくない」(④ 108)と。こうして「協会」は、「人間と社会の幸福について普遍的な考えをもたらすことができる、あるいはその意思をもつ人をすべて会員として受け入れることができる」(④ 109)と規約に定めるのである。

『フランスと合州国について』(史料⑤)は、まず序論で、レナルやマブリなどのこれまでのアメリカ革命論がアメリカに対する無知によって多くの誤りを犯してきたこと、対照的にイギリスでは、「言論出版の自由」のもと真実を尊重する議論によって人々が啓蒙されていることを指摘し、フランス政府に言論出版の自由を要求する。さらにアメリカ革命から得られる利益として、(1)アメリカ革命が「公共の幸福」や「市民的自由」などについて重要な議論を惹起したことで、ヨーロッパの諸政府は「人間の権利をいっそう尊重し」、「悪弊を改め、〔臣民への〕負担を軽減せざるをえなくなる」という利益、(2)アメリカ革命が人類、とくにフランスにもたらす巨大な商業の利益、という二つの利益が指摘される(⑤ i-xxxiv)。

全六章からなる本論では「商業の科学」が展開される。対外貿易と国内の商業・工業との関係の考察、合州国の貿易相手国としてフランスが最適な国家だとして両国が輸出入すべき品目の詳細な検討などがなされているが、興味深いのは、商業や富は共和政にとって重要な mœurs を腐敗させるというマブリの考え方を前提に議論が展開されている点である。合州国はその情況によって対外貿易に頼らざるを得ないが、共和政の mœurs を維持するためには、アメリカ人は農業だけに専念し、その生産物のヨーロッパへの輸送は放棄すべきだというのである。

結論では、アメリカの共和政をめぐる「偏見」についてこう述べる。「これらの嘘に反論することが重要である。〔中略〕多くのフランス人がこの〔共和政という〕政治形態を、生命と財産がつねに最大の危険にさらされる、永続的な動乱状態とみなしているから、そうすることはいっそう重要である」。こうして二人の著者は、人間が存在するかぎり意見の多様性が存在するのは当然であり、「あらゆる問題について、誰もが自由に自分の考えを表明できるようにすることが共和政の本質である」として、こう問いかける。「合州国ではさまざまな法律が提案され、論議され、採択されるさいに議論がある」「これらの議論はすべて公になり、会話を活気づける」が、これは「無政府状態なのか」と(⑤ 303-306)。もちろん、二人の回答は否であった。

以上のように、ブリソとクラヴィエールの共著は、彼らの最初の共和政論でもあった。商業は共和政に必要なmoeurs を腐敗させるというマブリの考え方を前提に議論を展開しながらも、「共和政の本質」は自由な意見の表明と議論であり、そのために「言論出版の自由」をフランス政府に要求している点はマブリとは決定的に違う。さらに、アメリカの共和政は生命や財産が脅かされる無政府状態ではなく、「人間の権利」を基礎に「政府と法律と安全」が保障された称賛すべき政体であるとフランス人に伝えようとした点も、マブリとは対極的であった。

コンドルセのアメリカ革命論

コンドルセの最初のアメリカ革命論は、一七八六年に刊行された『アメリカ革命のヨーロッパへの影響について』(史料⑥)である。この著作でコンドルセは、アメリカ革命を「幸福な革命」と形容し、幸福の手段を二タイプに分ける。第一は「自然権の自由な享受を保障し、拡大するものすべて」、第二は「人間が自然によって被らざるをえない災いの数を減らす手段、われわれの基本的欲求をより確実に、より少ない労力で満たす手段、われわれの能力を用い、われわれの技量を正当に用いることでより多くの満足を獲得する手段」である。そして第一タイプの幸福の手段である「人間の権利」として、(1)人身の保護、(2)財産の保護、(3)偏見のない公正な裁判、(4)法律を制定する過程に寄与する権利、の四権利があげられ、「ある社会の幸福は、これら〔最初の三つ〕の権利が国家の構成員により広く享受されれば、いっそう大きなものとなる」とされている(⑥ 5-7)。他方、第二タイプの幸福の手段として、(1)自然権のより広く自由な行使、(2)外国列強との持続的な平和、(3)同じ労力でより多くの満足を獲得する手段の増加、が指摘され、(3)については、「社会の構成員間でのこの手段の分配をより平等にすること」が特に重視されている。さらにコンドルセは以上の原則を国家間にも適用し、「ある人民の幸福」は「他の人民の繁栄によって増大する」と主張する。繁栄した他の人民の経験や知識から学べるし、各人民が繁栄することによってその繁栄の総量をより平等に分配することも容易になるからというのである(⑥ 8-10)。コンドルセもまた、コスモポリタンであった。

以上の原則を踏まえて、コンドルセは、アメリカ独立宣言を「きわめて神聖できわめて長い間忘れられていたこれらの権利の簡潔で崇高な提示」と形容する。黒人奴隷制などがまだ存続している州もあるが、「人間の権利が尊重されている偉大な人民の光景は、〔中略〕この権利がどこでも同じであることを教えてくれる」と人権の普遍性が主張される(⑥ 13)。また、アメリカで確立されている「言論出版の自由」は「人間の最も神聖な権利のひとつ」とされ、「最も広汎な寛容」は「アメリカでは騒擾を引き起こすどころか、平和と友愛を花開かせた」と評価される(⑥ 15-17)。さらに、「合州国で行き渡り、その平和と繁栄を保障している平等の光景は、ヨーロッパでも有用であり得る」(⑥ 19)とし、ヨーロッパの身分制社会が批判される。コンドルセによれば、「以上は、全人類がアメリカの手本から期待すべき財産」であり、これを空想的とするのは、「社会における人間の幸福は、ほぼすべて良い法律にかかっている」ことを無視するものである(⑥ 20-21)。コンドルセはさらに、ヨーロッパでの平和の維持にアメリカ革命が果たす可能性(第二章)、アメリカ革命が人間の運命を改善するための手段は「知識の進歩の促進」にあることを示してくれたこと(第三章)、そしてあらゆる国民、とくにフランスの商業にとってのアメリカ革命の利点(第四章)に言及して筆をおいている。

最初のアメリカ革命論から二年後の一七八八年夏、全国三部会の召集が決定された時期にコンドルセは『合州国の一市民からの手紙』(史料⑦)を刊行した。この著作は、国璽尚書ラモワニョンの司法改革とそれに対する高等法院の反抗などについて合州国の一市民の観点からフランス人に提言するという形式をとっている。とくに「あらゆる種類の自由と両立不能な集まり」である高等法院への批判は厳しく、「高等法院の貴族政」からの解放が重要だとされる(⑦ 2)。さらに、アメリカ人にとってはイギリスによる「恣意的な課税」が問題だったが、「あなた方にとっては、金持ちをいたわるために貧乏人に重くのしかかる税制を破壊すること、無知で非力であった時代に強力な団体が不当に手に入れた不愉快な特権を、財政を再建する必要性のために犠牲にすることが必要なのです」と述べている(⑦ 3-4)。

しかしこのような時論的性格の現状批判以上に注目されるのは、人権の定義が二年前よりも洗練され明確になっている点である。人間が法律に従う目的は、「その法律によって自分たちの生得の権利の享受を確保するためです」と述べられ、そのような「人間の権利」として、「安全」「自由」「所有権」「平等」「法律の制定に協力する権利」が挙げられている(⑦ 5-8)。そのうえで、「あらゆる真の愛国者がフランスで望むべきことは、あなた方の古い法律が市民から奪った安全、自由、所有権、平等を市民に取り戻させる法律を作成することです」とし、「市民間の権利の平等」につながる「政体の変革」に取り組むべきだと主張される。なぜなら、「この権利の平等なくしては、どのような政体も真に自由ではなく、真に正当ではないからです」。そしてこれは、「人間の権利について知るあらゆる共和主義者」の意見であるとされている(⑦ 9)。最後に、「人間の権利」の享受にとって「知識」の重要性が指摘され、「言論出版の自由に対する多かれ少なかれ強い反対は、公人や政治団体の意図を判断するための真の目安です」として(⑦

14)、フランス政府に言論出版の自由を承認するよう迫っている。

コンドルセは、一七八八年にさらに二つの著作を公にした。『州議会の設置と役割に関する試論[5]』(史料⑧)と『州議会と全国三部会に関するある共和主義者の見解』(史料⑨)である。前者の『試論』では、アメリカ合州国の議会をモデルとして「国民議会 Assemblée Nationale」の構想が提示されている。国民議会は、市民の大部分が平等かつ自由な選挙で代表される議会であり、「国民を代表し、国民のために行動し、国民の名において定める」議会であった。したがって国民議会は、欠陥のある基本法を変え、悪弊を根絶する権限をもつ議会であった(⑧ 128-142, 171)。後者の『ある共和主義者の見解』では、アメリカを「特権も、世襲の特典も、市民間の区別も、どのような社団も存在していなかった国家」、フランスを「同じ利点を持たない国家」(⑨ 19)と対比的に捉えながら、再度「国民議会」に言及している。国民議会が「厳密に正当であるためには、その代表は平等でなければなりません」(⑨ 17)とし、身分の区別の消滅を提唱する。「身分の区別は、あなた方の国では第三身分の名称で呼ばれる国民が願えばすぐに消滅するはずです。なぜなら、この身分の構成員がその点で一致すればすむことですから」(⑨ 4-5)と。

以上、コンドルセのアメリカ革命論の展開を追った。一七八六年の最初のアメリカ革命論では幸福の手段としての「人間の権利」に言及している。「人間の権利」「自然権」「人類の権利」「市民の権利」が混在し、それぞれの権利の定義も曖昧だが、アメリカにおける「言論出版の自由」「最も広汎な寛容」「平等」が賛美され、「身分制社会」が批判されている点は明白であろう。二年後の『合州国の一市民からの手紙』では、「人間の権利」が「安全」「自由」「所有権」「平等」とより明確に定義され、人権の享受を確実にするための法律の制定と言論出版の自由が重視されている。権利の平等を実現するための政体の変革というラディカルな主張も目を引く。一七八八年の他の二つの著作の主題はアメリカ革命ではないが、アメリカの議会をモデルとしながら、国民を代表し、身分の区別を排した「国民議会」に基本法を変え、悪弊を根絶する権限を与える構想を示したことは注目されよう。シィエスに先んじて憲法制定権力をもつ「国民議会」という革命的構想を提示しているからである。

「世論の法廷」におけるアメリカ独立革命

これまで、一七八〇年代の「世論の法廷」におけるアメリカ革命論をたどってきた。それらの議論では、アメリカにおける共和政が争点であった。一方を代表するマブリは、「人間の権利」や「民主政」を認めすぎているアメリカの共和政を分裂と騒乱の体制と捉え、その立場から、アメリカが法律によって自由な集会権、言論出版の自由、極端な寛容などを認めている点に批判的であった。それに対してブリソやクラヴィエール、そしてコンドルセは、アメリカの共和政は動乱の体制ではなく、「人間の権利」を基礎として平和と繁栄が保障された体制だと主張し、アメリカで確立されている「言論出版の自由」の承認をフランス政府に迫った。とくにコンドルセは、「権利の平等」を実現するために「政体の変革」を唱え、国民を代表する「国民議会」にその権限を与える構想を示した点で革命的だった。デイヴィッド・アーミテイジは、アメリカ独立宣言はイギリス帝国の内乱を国家間の戦争に転換するための国家建設の文書であって、この宣言のなかの個人の権利に関する主張は、その宣言をめぐる議論ではほとんど登場しなかったとしているが(アーミテイジ 二〇一二:一五–四〇頁)、この主張はフランスでの議論には妥当しなかったといえよう。

以上のように、一七八〇年代のアメリカ革命論は共和政を争点として展開され、とくにブリソとクラヴィエール、コンドルセによるそれは、アメリカの共和政を擁護・称賛し、その対極にあるフランスの政治・社会体制を批判するものであった。これらのアメリカ革命論は検閲を受けて「黙許」というかたちで出版され流通したにしろ、王政という政体をとっていたフランスで、そのような体制批判が許容されたのは驚くべきことであろう。カリーヌ・ルニシは、フランスの制度への批判が反王政の理論になっていなければ批判は許容されたと解釈しているが(Lounissi 2019: 19-23)、フランス王政自体がアメリカ独立革命に与する外交政策をとったことも、そのような体制批判的な議論を可能にした面もあったのではなかろうか。いずれにしろ、アメリカ独立革命は「世論の法廷」における重要テーマであったのであり、その議論においては当時のフランスの政治・社会体制へのラディカルな批判が成立していたのである。

コンドルセの著作が示すように、アメリカ独立革命への表だった言及はフランス革命直前には影を潜め、時論的性格の現状批判に席を譲る。しかしその時期は、二様式の「世論」(注(1)参照)が統一され、ますます政治的な力を持つにいたった時期でもあった。一七八七年九月二八日付のシェルバーン伯爵宛ての手紙でモルレは「ここフランスでは、政府を支配しているのは世論の力であることは否定できない」(史料⑩ 260)と書き、一七八八年にはマルゼルブが「昨年公衆と呼ばれていたものは、こんにち国民と呼ばれている」(史料⑪ 370)と述べている。そして一七八七年一〇月一日の夜、パリのドフィーヌ広場で「裁判所の手先」が「四〇〇〇人の市民を前にして」おこなった儀礼では、「カロンヌ氏は国民の法廷 le tribunal de la nation によって火刑に処するよう断罪された」という判決が読み上げられた直後に、前財務総監カロンヌの人形(ひとがた)に火がつけられた(史料⑫ 78-80)。「国民」が主権者と定められるのは一七八九年八月の「人間と市民の権利の宣言」を待たねばならないが、「国民」の意見・判断としての「世論」は、革命前夜に実質的に誕生していたのである。

おわりに

本稿では、フランス一国から大西洋世界へと観察の尺度を変えることで見えてくるものに注目しながら、フランス革命を可能なものとした条件のいくつかを捉えようとしてきた。活発な交易に基づく大西洋経済と商業資本主義の発展、この発展に由来する消費主義の拡がりとこれを支えると同時に享受したブルジョワジーの興隆、そしてこのブルジョワジーをはじめとする読者や消費者などからなり、印刷物や新しい文化的・社会的制度などに立脚して形成される「公衆」と、この「公衆」の意見・判断としての「世論」や「世論の法廷」。一八世紀半ば以後、王権も「世論」を無視できなくなり、権力の正当性の根拠が、国王の意志から「世論」へと移行してゆく。一八世紀後半の大西洋世界では、さまざまな問題が「世論の法廷」における論議の対象となったが、アメリカ独立革命もそのような問題のひとつであった。そしてそこでも、フランス革命を可能なものとした条件が誕生していたのである。

以上のように、フランス革命は、大西洋世界に広く共有された文化と文化的実践から生じた「大西洋革命」のひとつであった。そしてフランス革命のプロセスも、亡命、ヴァレンヌ逃亡事件、対外戦争、植民地サン＝ドマングの反乱・独立などの現象が示すように、大西洋世界という枠組みで見たときにより良く理解できるものであった。しかし他方で、フランス革命は、その急進性や暴力、民衆運動の規模の大きさという点で大西洋世界の他の革命とは大きく異なっていた(ルフェーヴル 一九五六、リューデ 一九八三、松浦 二〇一五)。とくに注目されるのは、都市と農村の民衆の政治化と政治参加が急速に促進され、新たな予測しえない結果をもたらすことになったことであろう。フランス革命においては当初から、デモクラシーの問題が、直接民主政と代議制民主政とのあいだの緊張関係として先鋭に表現されたことも、そのような結果のひとつであった。

注

（1） ダーントンは、一七八〇年代の史料・文献の検討から二様式の「世論」が並行して発展したとしている。ひとつは、真理の流布にかかわる「哲学的世論」であり、もうひとつは、コミュニケーション回路をとおして流布するメッセージにかかわる「社会学的世論」である。しかし、この二様式の「世論」を厳密に区別することは不可能であろう。ダーントンも、この二様式の世論が共存していた事例としてメルシエの作品を挙げている。Cf. Darnton 2010: 129-145.

（2） フランスに亡命したオランダの「愛国派」の人数については、約四〇〇〇人であったという指摘もある。Cf. Jourdan 2015: 98.

(3) 本文以下では、紙幅の都合により、旅行記や自伝の形式をとったアメリカ革命論や、奴隷制や植民地に関する議論の比重が大きいアメリカ革命論はとりあげない。また、代表的なアメリカ革命論であり、後述するブリソとクラヴィエールの共著でも言及されているレナル『アメリカの革命』(史料①)の内容にも立ち入らない。というのも、『アメリカの革命』は、以下の二つの事情から、文献学的検討が不可欠と思われるからである。まず第一に、『アメリカの革命』は、レナル『両インド史』の第三版一〇巻(一七八〇年刊)のうち第一〇巻第一八編(Livre XVIII)の抜粋であるが、『両インド史』そのものが、一七七〇年の初版六巻、七四年の第二版七巻、八〇年の第三版一〇巻と増補改訂され続け、とくに同時代に生じたアメリカ独立革命を反映してアメリカについての増補は版を重ねるごとに顕著に増大していった。第二に、『両インド史』も『アメリカの革命』も同時代の多様で膨大な資料を混ぜ合わせた寄せ木細工であり、新たに執筆された部分もレナルだけでなくディドロをはじめとする複数の哲学者や専門家が執筆したものだった。したがって、そこで表明された思想は必ずしも首尾一貫しておらず、矛盾していることもしばしば見られたのである。Cf. Roger 1978; Brot 2015; 王寺 二〇二一。

(4) 筆者はこれまで、mœurs を〈習俗〉あるいは〈心の習慣〉と訳してきたが(松浦 一九八三、一九九七：四八—五二頁)、本稿では原語のままとしたい。なお、mœurs は、一八世紀に政治秩序の形成や法律を論じる際の鍵概念であったが、mœurs については訳語の問題も含めて別の機会に再論したい。

(5) この著作を中心に人間の可謬性を前提としたコンドルセの国制構想を論じたものとして、(永見 二〇一八)を参照。

参考文献

【史料】

① *Révolution de l'Amérique*, par M. l'abbé Raynal, Londres, 1781.

② *Discours qui a remporté le prix à l'Académie des Jeux Floraux en 1784 sur la grandeur et l'importance de la révolution qui vient de s'opérer dans l'Amérique septentrionale*, par Mailhe, Toulouse, 1784.

③ *Observations sur le gouvernement et les loix des États-Unis d'Amérique*, par M. l'abbé de Mably, Amsterdam, 1784.

④ *J.-P. Brissot: correspondance et papiers*, précédés d'un Avertissement et d'une Notice sur sa vie par CL. Perroud, Paris, 1912.

⑤ *De la France et des États-Unis*, par Étienne Clavière et J. P. Brissot de Warville, Londres, 1787.

⑥ *De l'influence de la Révolution d'Amérique sur l'Europe*, par un habitant obscur de l'Ancien Hémisphère, [par Condorcet], 1786.
⑦ *Lettre d'un citoyen des États-Unis, à un Français, sur les affaires présentes*, par M. le $\mathrm{M^{is}}$ de C***, Philadelphie, 1788.
⑧ *Essai sur la Constitution et les fonctions des Assemblées provinciales*, 1788. [Condorcet]
⑨ *Sentimens d'un républicain, sur les Assemblées provinciales et les États-généraux. Suite des Lettres d'un citoyen des États-Unis à un Français, sur les affaires présentes* [par Condorcet], Philadelphie, 1788.
⑩ Fitzmaurice, Edmond (ed.), *Lettres de l'abbé Morellet à Lord Shelburne*, Paris, 1898.
⑪ Malesherbes, *Mémoires sur la liberté de la presse*, Paris, 1809.
⑫ Bachaumont, L. P. de et al., *Mémoires secrets pour servir à l'histoire de la république des lettres en France depuis M. DCC. LXII jusqu'à nos jours, ou, journal d'un observateur*, 36 tomes, Londres, 1781-1789, t. 36.

アーミテイジ、デイヴィッド(二〇一二)『独立宣言の世界史』平田雅博ほか訳、ミネルヴァ書房。

王寺賢太(二〇二二)「まえがき」ジャンルイジ・ゴッジ『ドニ・ディドロ、哲学者と政治――自由な主体をいかに生み出すか』王寺賢太監訳、勁草書房。

柴田三千雄(一九七四)「フランス革命とヨーロッパ」『岩波講座 世界歴史』第一八巻、岩波書店。

柴田三千雄(二〇一二)『フランス革命はなぜおこったか――革命史再考』福井憲彦・近藤和彦編、山川出版社。

シャルチエ、ロジェ(一九九四)『フランス革命の文化的起源』松浦義弘訳、岩波書店。

永見瑞木(二〇一八)『コンドルセと〈光〉の世紀――科学から政治へ』白水社。

ハント、リン(二〇一一)『人権を創造する』松浦義弘訳、岩波書店。

ボルペール、ピエール＝イヴ(二〇〇九)『「啓蒙の世紀」のフリーメイソン』深沢克己編訳、山川出版社。

松浦義弘(一九八三)「フランス革命と〈習俗〉――ジャコバン独裁期における公教育論議の展開と国民祭典」『史学雑誌』九二巻四号。

松浦義弘(一九八八)「フランス革命史の復権にむけて――「アナール派」をめぐる新しい政治史」『思想』七六九号。

松浦義弘(一九九七)『フランス革命の社会史』〈世界史リブレット〉、山川出版社。

松浦義弘(二〇一五)『フランス革命とパリの民衆――「世論」から「革命政府」を問い直す』山川出版社。

メルシエ(一九八九)『十八世紀パリ生活誌――タブロー・ド・パリ』上・下、原宏編訳、岩波文庫。
リルティ、アントワーヌ(二〇一九)『セレブの誕生――「著名人」の出現と近代社会』松村博史・井上櫻子・齋藤山人訳、名古屋大学出版会。
リューデ(一九八三)『フランス革命と群衆』前川貞次郎・野口名隆・服部春彦訳、ミネルヴァ書房。
ルフェーヴル(一九五六)『フランス革命と農民』柴田三千雄訳、未來社。
レチフ・ド・ラ・ブルトンヌ(一九八八)『パリの夜――革命下の民衆』植田祐次編訳、岩波文庫。
Andress, D. (ed.) (2015), *The Oxford Handbook of the French Revolution*, Oxford, Oxford University Press.
Beaurepaire, P.-Y. et S. Marzagalli (2010), *Atlas de la Révolution française: Circulation des hommes et des idées, 1770-1804*, Paris, Édition Autrement.
Brot, M. (2015), "Écrire et éditer une histoire philosophique et politique: l'Histoire des deux Indes de l'abbé Raynal (1770-1780)", *Outre-Mers*, 103, nº 386-387.
Burrows, S. (2015), "Books, Philosophy, Enlightenment", D. Andress (ed.), *The Oxford Handbook of the French Revolution*.
Clay, Lauren R. (2013), *Stagestruck: The Business of Theater in Eighteenth-Century France and Its Colonies*, Ithaca, Cornell University Press.
Clay, Lauren R. (2015), "The Bourgeoisie, Capitalism, and the Origins of the French Revolution", D. Andress (ed.), *The Oxford Handbook of the French Revolution*.
Covo, M. (2015), "Race, Slavery, and Colonies in the French Revolution", D. Andress (ed.), *The Oxford Handbook of the French Revolution*.
Darnton, R. (2000), "An Early Information Society: News and the Media in Eighteenth-Century Paris", *American Historical Review*, 105.
Darnton, R. (2010), *Poetry and the Police: Communication Networks in Eighteenth-Century Paris*, Cambridge/London, Belknap Press of Harvard University Press.
Dorigny, M. (2004), *Révoltes et révolutions en Europe et aux Amériques (1773-1802)*, Paris, Belin.
Félix, J. (2001), "The Economy", W. Doyle (ed.), *Old Regime France: 1648-1788*, Oxford, Oxford University Press.
Furet, F. et J. Ozouf (1977), *Lire et écrire: l'alphabétisation des Français de Calvin à Jules Ferry*, 2 vols., Paris, Éditions de Minuit.
Godechot, J. et R. Palmer (1955), "Le problème de l'Atlantique du XVIIIe au XXe siècle", *Relazioni del X Congresso Internazionale di Scienze*

Storiche, vol. 5, Firenze.

Godechot, J. (1970), *Les Révolutions (1770–1799)*, Paris, PUF, 1963, 3e éd.

Jessenne, J.-P. (2013), "The Social and Economic Crisis in France at the End of the Ancien Régime", P. McPhee (ed.), *A Companion to the French Revolution*.

Jones, C. (1991), "Bourgeois Revolution Revivified", C. Lucus (ed.), *Rewriting the French Revolution*, Oxford, Oxford University Press.

Jones, C. (1996), "The Great Chain of Buying: Medical Advertisement, the Bourgeois Public Sphere, and the Origins of the French Revolution", *The American Historical Review*, 101.

Jourdan, A. (2015), "Tumultuous Contexts and Radical Ideas (1789–89)", D. Andress (ed.), *The Oxford Handbook of the French Revolution*.

Lounissi, Carine (2019), "Publier sur la Révolution américaine en France (1778–1788)", *Mémoires du livre*, 11–1.

Lovejoy, P. E. (1982), "The Volume of the Atlantic Slave Trade: A Synthesis", *Journal of African History*, 23–4.

Lucus, C. (1973), "Nobles, Bourgeois, and the Origins of the French Revolution", *Past and Present*, 60.

Marzagalli, S. (2001), "Sur les origines de l'‹Atlantic History›", *Dix-huitième Siècle*, 33.

Marzagalli, S. (2011), "The French Atlantic World in the Seventeenth and Eighteenth Centuries", N. Canny and Ph. Morgan (eds.), *The Oxford Handbook of the Atlantic World*, Oxford, Oxford University Press.

Marzagalli, S. (2015), "Economic and Demographic Developments", D. Andress (ed.), *The Oxford Handbook of the French Revolution*.

McPhee, P. (ed.) (2013), *A Companion to the French Revolution*, Chichester, Wiley-Blackwell.

Palmer, R. (1959–1964), *The Age of the Democratic Revolution*, 2 vols., Princeton.

Popkin, J. (1990), *Revolutionary News: The Press in France, 1789–1799*, London, Duke University Press.

Popkin, J. (2011), "Saint-Domingue, Slavery, and the Origins of the French Revolution", T. E. Kaiser and D. K. Kley (eds.), *From Deficit to Deluge: The Origins of the French Revolution*, Stanford, Stanford University Press.

Régent, F. (2013), "Slavery ant the Colonies", P. McPhee (ed.), *A Companion to the French Revolution*.

Roche, D. (1981), *Le peuple de Paris: Essai sur la culture populaire au XVIIIe siècle*, Paris, Fayard.

Roche, D. (1997), *Histoire des choses banales: Naissance de la consommation dans les sociétés traditionnelles (XVIIe–XIXe siècle)*, Paris, Fayard.

Roger, M. (1978), "L'Amérique et les Américains dans l'Histoire des deux Indes de l'abbé Raynal", *Revue française d'histoire d'outre-mer*, 65, nº 240.

焦　点　Focus

ルネサンス期の文化と国家
――フランスを中心に

小山啓子

一、ルネサンスと時代区分

一九世紀にジュール・ミシュレやヤーコプ・ブルクハルトらによって形成され、その後長く影響力を保った、近代性に結びつけられるルネサンス像――そしてこの思想と芸術の刷新はイタリアで始まり、後にヨーロッパに伝播したとする説――は、すでに複数の観点から否定されるようになった(Masse 2010: 7-28; バーク 二〇〇五、徳橋 二〇一四:二-五頁)。実際、文化の再生・刷新運動を意味するルネサンスは、一二世紀を例に挙げるまでもなく歴史上複数存在し、また地理的にも西欧に限られたものではなかった。この繰り返し生じていたはずの刷新運動の一つを「近代化」と重ね合わせることで、誇張され、歪曲されたルネサンス像が形づくられたのである。それならば、この一四―一六世紀に生じた変化は、中世や西洋以外の文化に対して偏った見方をすることなしに、それぞれの地域社会や文化的文脈の中でどのようなものであったのかを新たに捉え直すべきであろう。

この刷新運動の発祥の地はしばしばフィレンツェ、ローマ、フェッラーラ、パドヴァ、ナポリなどが挙げられ、時期としては人文主義の父と言われるフランチェスコ・ペトラルカの時代、すなわちイタリアでは一三三〇―四〇年代に始まったとされる。後の芸術家に与えた影響の大きさから、その一世代前の画家ジョットが先鞭をつけたとされることもある。ペトラルカがラテン語叙事詩『アフリカ』の中で、「暗闇が消え去れば、後世の人びとは古代の澄んだ輝きを取り戻すことができるであろう」(Burke 2002: 36)と謳ったように、当時の知識人が中世との断絶を意識し、来たるべき次の時代を光り輝く新たな時代と認識していたのは確かであり、歴史家はこうした同時代人の希望をそのまま受け入れて語ってきたとも言える。イタリア・ルネサンスはその後、ダ・ヴィンチ、ラファエッロ、ミケランジェロなどの芸術家が活躍し、頂点に達した。この一連の文化的刷新運動の終焉についてP・バークは、一七世紀の「科学革命」と呼ばれる新たな動向――ガリレイやデカルトの登場――がもたらした変化、つまりその知的活動の中心が、古典の研究から体系的な観測と実験に基づく分析へと推移したことに、その原因を求めている(バーク 二〇〇五：九一―九二頁)。

一五一六年に初版が刊行された詩人ルドヴィコ・アリオストの『狂えるオルランド』は、当時海賊版が横行するほど人気を博したというルネサンスを代表する文学作品の一つである。同書は『ロランの歌』の伝承に始まる中世騎士物語の到達点とされ、後にヴォルテールが高い評価を与えたことによっても知られるが、何より重要なのは、これが古典的な叙事詩の伝統と中世の宮廷文学の伝統を見事に融合させていた点である。つまり当時の技芸に特徴的とされた古代の模倣という流行は、キリスト教文化に代わるものとしてではなく、両者の調和の中で実現されていた。しかもこの傾向はすでにロマネスク芸術に看取されており、古典詩人は中世の修道院や大学でも学ばれていた。一六世紀の著名な書物、カスティリオーネの『宮廷論』やマキアヴェッリの『君主論』が、古代の論考を引き合いに出す一方で中世の作法にも依拠していたように、ルネサンス期の多くの作品は、中世から画然と切り離された創作ではなく、文化の混成物というべき様相を呈したのである(スキナー 一九九一)。

ではなぜそれがイタリアで、この時期に集中し、都市貴族がその後援に関心を抱いたのか。まず古典に着想を得た芸術は、古代の遺物が目前に残存するイタリアでは伝統でさえあった。それがより自覚的になった時を「ルネサンス」と呼んだわけであるが、古代を範とする思想や芸術のあり方が特に求められたのは、都市国家の勃興と緊密に結びついている。自治権を奪還したイタリア諸都市は産業や商業によっても活気づけられ、政治的党派争いが芸術家のパトロンとしての競争をも促したと同時に、自国の起源や理想を育む文化的土壌をより強く意識させることになったのである。(1)

二、イタリア・ルネサンスの伝播とその影響

こうしたルネサンスは商業活動や戦争等を介してヨーロッパ諸地域に広まり、影響を与えていった。それは各地でどのように受け入れられ、加工、改変されつつ定着したのか。その受容は様々であり、各地で普及した書物や芸術作品、建築物を検討すると、当時のイタリアの文化は決してそのまま「輸入」されたのではなく、その土地の風土や価値体系にあわせて修整・再構築されていたことがわかる。しかもビュデやザシウス、ラブレーやセルバンテスなど、ローマ法研究や散文作品の刊行に関しては、むしろイタリアの外で隆盛した。また、イタリアを訪れた人々も半ば偶然的に人文主義や新しい形式を学び、ルネサンスを「発見」していったのであった。そしてマニエリスムや後期ルネサンスはしばしば「衰退」として捉えられることがあるが、そのように脚色されるべきではなく、文化に内在・外在する理由によって、意味のある変化を遂げたものと言えよう。このように近年では、ルネサンスには偶然性の要素も否めないこと、諸地域で独自の様相を見せたことが指摘されている。

フランスにおけるルネサンスは、百年戦争の荒廃から立ち直りつつあった一五世紀末以降に花開いた。イタリア戦争を一つの契機とするものの、それ以前から隣接するイタリアとの人的・物的交流は非常に盛んであり、フランスは

図1 《フランス語に翻訳されたシチリアのディオドロス(Diodore de Sicile)の3冊の本を，アントワーヌ・マコ(Antoine Macault)が国王フランソワ1世に読み聞かせる》，ジャン・クルエ(Jean Clouet)作，1534年，コンデ美術館(シャンティイ城)所蔵．アントワーヌ・マコはフランソワ1世の公証人兼秘書であり，ギリシア語，ラテン語からフランス語への翻訳も行った．

ゴシックの長い伝統をもちながら、イタリア・ルネサンスの芸術に魅了されていくことになる。そしてそれは当初イタリアの文化を受容し、模倣して満足するものであったが、次第にフランス各地の風土の中に取り込まれ、固有の発展を遂げていく。フランスにおけるルネサンス文化の代表的なものといえば、アンボワーズ、シャンボール、ブロワ、シュノンソーなど現在は世界遺産に登録されているロワール渓谷の城や、フォンテーヌブロー宮殿といった壮麗な建築物がある。シャンボール城はイタリア人建築家ドメニコ・ダ・コルトーナが設計し、フランスの石工によって建てられた(Cloulas 1996: 119-123)。このようにして、中世的な円塔に加えて、地元で切り出された石材を用いてイタリア建築様式が施されるというような、混合スタイルが生まれたのである。

　イタリア都市国家では君主がその教養や品格を保ち、あるいは政治的名声を知らしめるため、高名な芸術家や文人を身の回りに置いていた。こうしたパトロンとしての君主のあり方自体を模倣したと言うべきか、ルネサンス盛期における最大のパトロンが、レオナルド・ダ・ヴィンチを招聘したことで知られる国王フランソワ一世(François Ier、在位一五一五–四七年)であったことは言を俟たない[**図1**]。パヴィアでの敗戦により捕虜となってスペインに幽閉されていたフランソワ一世が、帰還して真っ先に着手したのがルーヴル宮の改装計画であった。加えて、フォンテーヌブロー宮も現在の建物のほとんどがこの頃建築され、当時新進気鋭のイタリア人画家ロッソ・フィオレンティーノが「フランソワ一世の回廊」において国王の生涯をフレスコ画に描き、「祝祭の広間」ではマニエリスム画家フランチェスコ・プリマティッチオとニコロ・デッラバーテが装飾を施した。このフォンテーヌブロー宮では、国王が定めた献本制度によって豊かな蔵書が蓄積され、また後のルーヴル美術館の中核コレクションとなる美術品の収集も始まっている。さらに「文芸の父」フランソワ一世はギリシア語やヘブライ語など古代の知識を有する学者たちを積極的に後援し、後にコレージュ・ド・フランスとなる王立教授団をパリに創設した(Knecht 1998: 470-474)。これは、古代思想とキリスト教の調和の中に人間本来のあり方を追究する人文主義運動がフランスに根づくにあたって、重要な知的拠点となった。

また、フランソワ一世の姉マルグリット・ド・ナヴァール(Marguerite de Navarre、一四九二―一五四九年)も文芸の庇護者であると同時に、自身も一流の人文主義作家であり、形式化した信仰を風刺しつつ、ジョヴァンニ・ボッカッチョの『デカメロン』を模倣した風俗説話集『エプタメロン』を書いて人気を博している。先見の明あるマルグリットは同時に、プラトン主義の代表的哲学者であるマルシリオ・フィチーノの最大の支持者であり、フランスの諸アカデミーはその起源においてフィレンツェのプラトン・アカデミーの影響を受けた。そしてこのマルグリットのサークルには、福音書の重要性を説いてフランスの教会改革を志向したルフェーヴル・デタープルや、詩人モーリス・セーヴなど、この時代を代表する幅の広い知識人が集っていたのである(Jouanna et al. 2001: 61, 937-940)。このような好奇心旺盛で、なおかつ懐の広い知識人がフランスにおけるルネサンスの発展を支えていた。加えて、王妃カトリーヌ・ド・メディシス(Catherine de Médicis、一五一九―八九年)の輿入れによりこの交流は促進され、宮廷バレエが導入されたり、礼儀作法や食文化にも新しい要素が吹き込まれることになった。アンリ三世(Henri III、在位一五七四―八九年)

は宗教戦争中にもかかわらず「宮廷アカデミー」を公式に設立し、プレイヤード派詩人ピエール・ド・ロンサール、ギリシア語教授を務めるジャン・ドラ、古典主義への橋渡しをした詩人フィリップ・デポルトらを宮廷に滞在させている（イェイツ 一九九六：三一―五九頁）。演劇作品についてもイタリアの悲劇や喜劇が与えた影響は大きく、一七世紀に本格化するフランス演劇の勃興に大きく寄与する。このようにして宮廷は、舞台装置として整えられた宮殿やその室内装飾のもとで、舞踏会やコンサート、パレード、カーニバルといった芸術の催しや最先端の知識が披露される場となったのである。

しかしだからといって、この時期の文芸は上流社会だけの閉ざされた世界というわけではなかった。後述する通り、宮廷には制御しきれないほどの人の出入りがあり、また宮廷自体が足繁く各地に出向く中で、むしろ雑然とした多様な交流が行われ、外国や地方、民衆にも影響を与え合っていた（ミュシャンブレッド 一九九二：八七―一〇三頁）。しばしば宮廷に出入りしていたフランソワ・ラブレーはギリシア語やラテン語の素養を有する学識ある医師で、エラスムスに傾倒する人物でもあるが、ソルボンヌの神学者たちに代表される保守的な学問文化に対抗して、『ガルガンチュア』と『パンタグリュエル』においては民衆文化を取り込むという技巧を用いた。思想領域ではミシェル・ド・モンテーニュの『エセー』など、古代の知識を原点としてそこに人間性を洞察していく試みが近世を通じて長くフランス文化の基層として定着することになった。

ルネサンスという一六世紀の文芸復興運動に、それまでの時代に起こった文化的な変革とは異なる要素があったとするなら、それはルネサンスが印刷術という強力な媒体を持っていたことであった。たとえばボッカッチョの『デカメロン』は、一四一四年にはすでにフランス語に翻訳されており、一四八五年に初めて印刷されて以来一五四一年までに八回も版を重ねたという。法学者クロード・ド・セセル（Claude de Seyssel、一四五〇頃―一五二〇年）はギリシア人学者ジャン・ラスカリスと協力の上、ヘロドトス、トゥキュディデス、クセノフォンといったギリシア人の歴史書を初めてフランス語に翻訳したことで知られる。一五三九年ヴィレル゠コトレ王令でフランソワ一世は公文書におけるフランス語の使用を義務付けたが、これは間接的に翻訳家たちの仕事を鼓舞することになった。つまりこれ以降、キケロやアリストテレス、プラトンの『国家』、プルタルコスの『英雄伝』などに加えて、ペトラルカの詩やマキアヴェッリの著作など、ギリシア・ローマ期の重要な古典からイタリアの書物までが、すさまじい勢いで翻訳出版されたのである(Jouanna et al. 2001: 20-30)。学者でありながら印刷業者でもあった者たちは、エラスムスのような著名な人文主義者と一般の人びととの間を媒介する知識人として活躍したのであった。

三、宮廷の興隆

このような文化の創造を支え、その発展・伝播に寄与したのが宮廷である。一七世紀フランスの文筆家A・フュルティエールによれば、宮廷とは「国王、もしくは主権を有する君主の住まい」であると同時に、「国王、そしてその国務会議や官吏、側近」を含む人的集合体でもあり、こうした宮殿、国務会議、従者に加えて、法廷や洗練された作法に関する意味も込められているという(Furrière 1690; 二宮 一九九九:一–二頁、ダインダム 二〇一七:四頁)。その存在は中世の王会(Curia regis)に遡るが、中世後期から近世にかけて、ヨーロッパの主たる宮廷で規模の拡大が生じ、宮廷の著しい興隆が見られた。中でもヴァロワ家の宮廷は、フィリップ二世(豪胆公)(Philippe II、一三四二–一四〇四年)のブルゴーニュ宮廷やイタリア諸宮廷の精神に触発され、ルネサンス期において最も豪華なものとなった。フランソワ二世(François II、在位一五五九–六〇年)の治世において、宮廷が抱える人数は王妃の宮廷も加えるとおよそ二五〇〇人に上ったといい、一六世紀後半にかけてさらに増加したとされる(ダインダム 二〇一七:五七–五九頁)。国王に仕える貴族や評定官は宮廷やその近辺に住まい、国王の統治を助け、時に資金調達に奔走した。地方の諸団体は代表を宮廷に派遣するか、宮廷を地方に招いてその関係性を確認する。各国大使は自国の君主の代理人として宮廷に赴き、本国の要請を伝えたり、本国に情報を送るために働いた。駐在大使と本国の間でやりとりされた膨大な書簡は、当時の宮廷を知る上で最も重要な史料群の一つとなっている。[2] こうして高貴な訪問者や外国使節団、請願者、出世や雇用を求める者、旅行者たちなど、多様な人びとが宮廷に押しかけ、人的交流の拠点となった(Kolk et al. 2014: 9-17)。宮廷は決して他と隔絶された世界ではなく、権力、交流、文芸・知識のネットワークが埋め込まれた場であり、そのネットワークは周辺地域と連結して展開した。つまり都市や農村といった周辺は、財産、市場、宗派集団、パトロン・クライアント関係、政治的党派のつながりなどによって、宮廷に緊密に結び付けられていたのである。その意味で、宮廷はヨーロッパという空間における政治権力の結節点であると同時に、複合的な社会を動態的に司る装置でもあった。

こうした宮廷に関する研究は、歴史学の中で長い間疎(おろそ)かにされてきた。それは宮廷が近代国家によって克服されるべき存在として認識されてきたためと言える。宮廷研究の先鞭をつけたのは、サン＝シモン公の回想録をもとに、貴族が絶対的権力をもつ国王に従属することを余儀なくされていく様を、宮廷を舞台として分析したN・エリアスであり、彼は「絶対主義」における宮廷の役割を概念化することでその後の研究に多大な影響を与えた。宮廷では貴族が名誉や威信をめぐって熾烈な競争を繰り広げ、国王はこうした競合関係に介入し、自らもその頂点に立つ者として壮麗さで人びとを圧倒することが求められたという。各国の宮廷研究はこのエリアスと、分権的な政治システムを統合する劇場空間として国家を捉えたC・ギアツに触発され、これらが肯定的に参照されつつ展開することになった。しかしながら二一世紀に入ると、絶対主義の再考を促す研究に触発されるかたちで、絶対王政の舞台と位置付けられてきた宮廷もその実態に眼差しを向ける新たな動向が生まれている。[3] その中で泰斗J・ダインダムは、長期的かつ比較の視座のもとフランス王家とハプスブルク家の宮廷の共通点と相違点を捉え、宮廷の収支や宮廷生活、宮廷人が果たした政治的役割などを精査することで、その実態から両地域における国家形成のあり方を照射するとともに「絶対主義」概念の再考を迫っている。

中世後期以降、各地で頭角を現していくヨーロッパの君主および諸侯は、互いに婚姻関係を結び、接触や交流を深めると同時に、覇権をめぐり激しく競い合うようになった。近世初頭のヨーロッパにおける主要な諸国家が直接的に対立するきっかけを作ったのは、一四九四年にナポリ王位を主張して軍隊を引き連れ、アルプスを越えたフランスのシャルル八世(Charles VIII、在位一四八三―九八年)である。この長く複雑な戦争の口火を切ったシャルル八世の壮大な計画は、バヤズィト二世(Bayezid II、在位一四八一―一五一二年)のオスマン帝国に対する新たな十字軍を遂行し、最終的にはイェルサレムを再征服するという野心的で非現実的なものであった。その手始めとして行われたイタリアへの侵攻は、その後もフランス国王がナポリ王国やミラノ公国に対する世襲権を主張して、半世紀以上、一一回にわたり繰り返された。これに対し、イタリア諸都市や教皇に加えて、ヨーロッパ内の勢力均衡を願う立場から神聖ローマ皇帝やイングランド、ドイツ諸侯も関与し、戦争はイタリア半島を越えて、ネーデルラントやピレネーにも飛び火した。この広域的で断続的に繰り返された戦争は、諸領域を統合して力をつけつつあった主権国家の台頭を象徴する諍いとなったと同時に、諸国家がしのぎを削る中で、その君主間の対抗心がそれぞれの国内的な統治体制にも影響を与えていくことになった。また一六世紀も半ばに近づくにつれ、この競合関係に宗教改革運動が折り重なっていくことで、国内の宗派対立が貴族間の紛争、そして国際的な勢力関係と緊密に絡み合ってヨーロッパはますます複雑な様相を呈することとなったのであった。

このイタリア戦争は、実戦に小銃と大砲という火砲が大量に使われるようになった最初の戦争である。それは中世以来の騎士を中心とした戦闘を終わらせ、歩兵が小銃を持って進撃し、大砲がそれを援護する方法へと戦争の形態を変化させた。防護する側は分厚い堡塁や星形要塞を築いて敵の大砲から身を守る一方、攻囲する側は傭兵も含む多数の兵士が地面に塹壕を掘りながら敵の要塞へ接近する攻城戦の手法が編み出されたのである。火薬の伝播とそれに伴う火砲の普及が戦術の変化をもたらし、その影響を受けることになった様々な社会の変革を総じて「軍事革命」という(ハワード 二〇一〇：四五―七二頁、バルベーロ 二〇一四：四〇―八三頁)。競合する君主たちは、戦争の大規模化に合わせて財政的基盤の必要性に迫られることになり、王領地収入で宮廷を維持する中世的な領地経営とは別次元の税収入が考案され、租税・財政制度の改革が目指されると同時に、その徴収の矛先はいずれ植民地へも向けられていく。

フランスでは一五二三年に王領地収入、租税収入、その他の臨時収入を統合して、王国の全収入を管理する「貯蓄国庫」が創設されて国務会議の監督下に置かれ、王国全体への課税は戦争などの際の臨時的措置とするこれまでの伝統を覆して、恒常的な収入を前提とし、国庫を一元化して管理することが目指された。他方で、王権が統治の対象とした領域は一般慣習法が約六〇、地域慣習法が約二〇〇と言われるほど法的に多様であり、王権との関係性もそれぞれ異なっていた。だからこそ国王は各地との対話と交渉に奔走したのであり、地方側は伝統を特権として維持し、自分たちの利益が侵されると判断すれば建白権に基づいて王令の適用を拒んだり、反税闘争といったかたちで粘り強く抵抗することになった。たとえば一五四八―四九年に繰り返されたギュイエンヌ地方における反塩税闘争では、最終的に地方側が王権から塩税徴税権を買い戻した後で課税を廃止するに至っている(Marion 1923, rééd. 1993: 247)。いったん「買い戻す」という行為は、地方が国王課税そのものには抗えなかったことを示しているが、地域内においては住民に直接的な形で塩税を負担させないことで、王税からの解放、すなわち地域の自律性を守り通したのである。

寄せ集めであった諸地域がより大きな領域へと統合されていく中で、複合国家を束ねる王家の重要性が高まるのはこうした背景においてであった。スペイン史家J・H・エリオットが複合君主政と称したのは、まさしく王権による主権国家のもとで、地域ごとに異なる法や特権が維持され、地域独自の議会が認められていた、近世に固有の統治形態のことである(古谷・近藤 二〇一六：五五―七八頁、仲松 二〇一七：一二一―一三八頁)。今日、ヨーロッパの近世国家においては普遍的な現象とさえみなされる複合君主政であるが、いまだ分散的であった諸地域の利害を調整する場となったのが宮廷であった。先のフュルティエールによれば宮廷とは宮殿のみならず、君主を中心にした人的集合体そのものをも意味した。それはこの時代、君主がこうした家臣団を引き連れて各地を訪れ、直接的に王国の状況を自らの目で確認し、当該地域との関係性を取り結び、外交交渉も行うという、移動しながらの行政を実践していたからに他ならない(Le Roux 2013: 50-52; Bove et al. 2021: 21-32)。ルネサンス期において最も頻繁かつ大規模に移動していた君主として知られるのは、神聖ローマ皇帝カール五世(Karl V、在位一五一九―五六年)とフランス国王フランソワ一世であろう。ヴェネツィア大使を務めていたマリノ・ジュスティニアーノは、「私は四五カ月間大使として〔フランス宮廷に〕駐在し、その期間はほぼ旅の道中にあった」と述べており、一五三三年にマルセイユで急遽フランソワ一世とローマ教皇の会見に立ち会わなければならなくなった時には、薄手の服しか持ち合わせていなかったため、現地で高価な毛皮を買わざるを得なくなったと憤慨しつつ告白している(*Relations* 1836: t. 1, 107-111)。こうした宮廷の移動に伴い、各都市では国王を迎え入れる入市式などの儀礼や祝祭が用意され、統治者側と統治される側とが互いの関係性を確認し、契約を締結したり、特権を更新するための実務的な交渉が行われた。国王は地方で生じた紛争に宗主として争いを調停することもあれば、各地の高等法院を訪れて業務を監査し、時に王令の登録に圧力をかけるなど介入といえる働きかけも行った。それに加えて、国王は民衆の面前に世俗君主としての荘厳な姿で登場すると同時に、瘰癧(るいれき)患者に触って病を治癒する儀礼を繰り返したり、聖木曜日には貧者の足を洗うといった慣習を怠ることはなかった。そこには、キリスト教的世界観の中で国王の存在が正統なものであることを示す必要性があったこと、そしてそれが世俗君主として実践する統治の前提になっていたことを見て取ることができるのである(小山 二〇一八：二二一―三九頁)。

四、文書を司る行政役人の台頭

宮廷とは、君主の家政と領域の行政機能とが合流する場である。そこでは君主の寵愛と信頼を起点とした保護・被保護関係が構築され、国家の重要な職務や名誉、年金といったものが君主の近くにいることで直接的に、またはその側近を通じて間接的に得られるという意味において、宮廷は権力の磁場であった。しばしば中・下位の貴族や司法官、財務家が国王の好意を引き寄せることに成功し、その関係性を利用して、身分上の弱点を克服することにもつながった。こうして宮廷は、出世を求める者にとって非常に魅力ある場となったのである。

その中で、公私にわたって国王の側近くに仕え、活躍の場を広げて急成長したのが書記という存在であった。すでに一三世紀末には国王に仕える公証人は多数存在しており、一四世紀にはその中から「秘密の書記」(clercs du secret)と呼ばれる国王により近しい少数の役人が現れ、それが秘書(secrétaire)の語源となった(Barbiche 1999a: 173)。彼らは通常の公証人とは一線を画し、より高い給与を受け取り、国王の周囲で一種のエリートを形成していた。一四世紀末にはすべての公証人が自分の称号に秘書の肩書きを加え(公証人兼秘書 notaire-secrétaire du roi)、それがやがて一般化する一方で、彼らの中から、支出を指示する王状に署名する財務担当秘書や、重要な政治的・外交的任務を任される者が出現する。

国王の家臣団「王冠の高官」(grands officiers de la couronne)のうち、行政に責任を負う唯一の役職者が大法官(chancelier)と呼ばれるいわゆる文書局長であった。大法官とは国王の印璽を管理する高位貴族であるが、単に最終的な押印に関わるのみならず、国王の助言者として令状の形式やその中身——つまりその適法性——にも必然的に関与した。王状の起草を秘書に命じ、それを作成して国王に署名させるのは大法官の役割であったが、仕事の効率化がはかられる中、秘書自身が直接国王のもとに命令を受けに行くようになると、次第に国王は大法官を介さずに、財務担当秘書という実務家集団を自らの手足として利用するようになる。シャルル八世、ルイ一二世(Louis XII、在位一四九八－一五一五年)、フランソワ一世の治世下においてこの財務担当秘書を務め、知識と忠誠によって能力を発揮し、この職の存在を際立たせることになったのが、フロリモン・ロベルテ(一世)(Florimond Robertet、一四六〇頃－一五二七年)であった。フォレ地方の主要な都市モンブリゾンのブルジョワを祖とするロベルテ家に生まれたフロリモンは、他の同輩たちと同様、まず当主ブルボン公に仕え、その後国王の財務担当秘書、そしてフランスの財務長官となった[4](Hamon 1999: 23-40)。彼はさらにジョルジュ・ダンボワーズ枢機卿の庇護も得て、ルイ一二世登位後は枢機卿会議にも同席し、国王の寵臣として国務会議の常連になったのである。イタリア戦争に際してはシャルル八世のナポリ遠征に付き従い、ナポリの降伏や教皇アレクサンデル六世(Alexander VI、在位一四九二－一五〇三年)との外交交渉に関わる重要な派遣状の作成を担当している[5]。財務長官であったフロリモンが外交実務へも関与した経緯については、外交交渉における書簡作成の重要性と大きく関係している。ルイ一二世はヴェネツィア大使にほぼ毎日手紙を認めていたというが、フロリモンのような寵臣たちの日常的な仕事は、大使に与える派遣状や指示、あるいは条約の起草といった外交文書の作成であった(Chevalier 2019: 99-116)。そして長く国王の信頼を獲得したフロリモン家は、アンリ二世(Henri II、在位一五四七－五九年)期に創設された最初の国務卿(secrétaire d'État)を輩出している。

商人から財務担当秘書を経て、ラングドックの財務長官に至ったギヨーム・ブリソネ(Guillaume Briçonnet、一四四五－一五一四年)も同様である。ブリソネもまた三人の国王の側近であったと同時にサン＝マロの司教であり、枢機卿となって、教皇ユリウス二世(Julius II、在位一五〇三－一三年)に対抗するルイ一二世を支援するという並外れた経歴を持つ。歴史家は彼を不謹慎な成り上がり者、または良心のない司教として描く傾向があるが、彼は一族の利益を守ること、そして王国財政の向上、王権の肯定、フランス国王の帝国的・メシア的使命、オスマン帝国に対する十字軍、人文主義の保護、芸術の後援、フランス教会の適切な管理といったもののために働き、そして最後には教皇の絶対的な優位性に対して闘った、まさにフランスのルネサンス人であった(6)。こうした寵臣たちが国王との親交や信頼関係に基づいて出世したことは、貴族位と奉仕の関係を再定義しようとするアンリ三世の試みへとつながっていく(Le Roux 2001: 459-504)。つまり、国王は身分の高さよりも誠実な奉仕を自身の統治に有効なものとして選び取っていくのである。ただしロベルテやブリソネのように、奉仕の結果が領地と身分の獲得、門閥の形成に結び付いていくところに身分制秩序の仕掛けがあるとも言えるのであるが。

ルネサンス期における古典の復興という事業には、フィレンツェ共和国の書記官であった人文主義者レオナルド・ブルーニがそうであったように、しばしば書記職にある人物が関わりをもっており、知の力は現実の政治とも結びついた。家政と行政はいまだ未分化であり、近世を通じてそれは多かれ少なかれ未分化であり続けるが、国王の側近として行政を担当する役人が政策決定に影響を及ぼすようになっていった。アンリ三世期の修史官ベルナール・ド・ジラール(Bernard de Girard、一五三五―一六一〇年)によれば、「国王は全き権力と権限を有す」が、「この偉大で至高の自由は良き諸法と王令によって定められ、制限され、束縛されており、国王に全てが認められているのではなく、ただ正しく道理にかなったことのみが認められており、王令と国王の会議による助言によって定められている」という(Girard 1572: 19)。つまり、国王は基本的には王国内諸法の範囲内で、しかも国王が開催する会議の審議を経た後にしか決定を下せない。この国王が開催する会議について、『フランスの偉大なる君主論』を執筆したクロード・ド・セセルは次のように述べている。「この国務会議は賢明で経験豊かな人びと、特に国王と王国の公益のためにすぐれた熱意ある人びとで構成されなければならない。そして、これらの人びとを選出する際には、血縁、職位、尊厳を考慮するのではなく、美徳、経験、思慮深さのみを考慮すべきである」(Seyssel 1519, publié 1961: 137)。つまりこうした助言者には、経験や能力によって選ばれる者たちこそ相応(ふさわ)しいものと想定されていたのである。

国務会議はのちに司法部門や財務部門といった専門的な組織に分岐していく傾向が見られるものの、国王の周辺にいる助言者集団という非制度的な性格は変わらなかった(Barbiche 1999b: 20–26)。フロリモンやブリソネのような財務担当秘書を母体として一五四七年に制度化された四名の国務卿が、この諮問機関である国務会議を主導していく。国務卿は当初、それぞれ王国の四分の一の領土にかかわる行政一般を担当すると同時に、隣接する地域との外交業務も担っていた。一五七〇年以降は、外務、陸軍、海軍、宮廷といった部局ごとに業務を分担する方法に改変されると同時に、アンリ三世は各部局を統率する国務卿が、その本来の上司としての大法官にではなく、国王自身に忠誠誓約を行うことを認めている。つまりこの国務卿は大臣に等しい存在であり、自分たちの部局を形成して国王自身と直接任務を行った。これは国務卿の誕生が後に内閣の成立として理解されてきた所以でもある。軍事や公共の安寧のための王令や証書に関しては、国王の印璽に代わって国王の自署と国務卿の連署のみでその正当性が保証されることになり、国務卿の出現は行政手続き上の改革、すなわち文書に対する有効性の与え方とも関連していた。そして、国王の秘書に由来する宮内府の名誉的職務から財務担当秘書を経て国務卿が出現していったことは、家政と行政が分かち難く結びついていたことと、その職務が次第に分化していくプロセスを確認することができるのである。

注

(1) この運動の担い手は全体から見れば少数派のエリートであり、諸集団にとっての意味づけも多様で、時期によっても異なる特徴があったことには留意しなければならない。

(2) 大使の書簡は、一九―二〇世紀の史料編纂事業の中で刊行されるに至ったものも多い。たとえばヴェネツィア大使：*Relations des ambassadeurs vénitiens sur les affaires de France*, recueillies et traduites par Niccolò Tommaseo, 2 vols., Paris, 1838; フィレンツェ大使：*Négociations diplomatiques de la France avec la Toscane*, documents recueillis et publiés par Giuseppe Canestrini et publiés par Abel Desjardins, t. 3, Paris, Impr. nationale, 1865; イングランド大使：*Calendar of State Papers, foreign series of the reign of Elizabeth, 1564–1565*, edited by

Joseph Stevenson, London, 1870 (Kraus Reprint, 1966-1969) など。

(3) ヨーロッパにおける宮廷研究は多方面で非常に盛んになってきており、学際的・国際的なアプローチが展開されている。イギリスでは「宮廷研究会」(https://www.courtstudies.org/)、ドイツではゲッティンゲンの科学アカデミー(Residenzenkommission)が諸研究を統括しており、フランスでも二〇一二年以降、「フランス宮廷研究協会」(https://cour-de-france.fr/)が一九世紀までのフランス宮廷に関する史資料のデジタル化やデータベース化を行い、また研究会や文献情報を取りまとめて公開している。パリ研究所IEA研究員C・コルクが主宰するこの協会は、ヨーロッパ諸国はもちろん北・南米などの研究機関の協力のもと、宮廷に関する多彩なテーマの研究集会(宮廷の移動性、建築と内装、人脈、ジェンダー、医療・学術等)を開催している。

(4) ブルボン公の書記をはじめとして数々の地方行政官を務めたフロリモンの父ジャンは、公の華麗な宮廷で文化の薫陶を受け、ペトラルカの作品やクアトロチェントの画家たちの優れた目利きでもあった。実際、詩人としても高く評価されており、オルレアン公やブルゴーニュ公の宮廷に出入りしていた修辞学者とも文通していた。その後ルイ一一世の公証人兼秘書となったジャンは、サン=ミシェル騎士団の筆頭書記官になり、一四九二年には国王の寝室付き侍従となった。長男フランソワが父方の家系の伝統を守り城主としてブルボン公の士官となる一方で、その弟フロリモンは国王に直接仕えることを選んだ。フロリモンもブロワ近郊にルネサンス様式の館を建築し、ダ・ヴィンチの「リールの聖母」やミケランジェロのダビデの銅像を手に入れるなど、芸術の庇護者としてもその名を遺している。

(5) 一四九八年までに彼が署名した書簡は少なくとも一八六通に及び、一四九二年のエタープル休戦条約や翌九三年のサンリス条約を含む二四の王令にも署名していたという(Chevalier 2019: 99-116)。オルレアン家とルイ一一世の双方に仕える名門ガイヤール家の娘と結婚することにより、彼はトゥールやブロワ近辺出身の財務家との関係を得る。こうした一六世紀の資産家ネットワークを背後にフロリモンは財務長官に至るまで、貨幣長官、会計院の評定官・主席書記、ラングドックの塩税監査官といった職務を歴任した。

(6) 彼には同名の息子がおり、モーの司教となって初期の教会改革を牽引した息子の方が、フランス史上はよく知られているかもしれない。この時期の政治社会をより深く理解するにあたっては、B・シュヴァリエの研究が政治・金融・行政の構造とその技術的な側面を取り扱うと同時に、王権の伸長、イタリア戦争の始まり、さらには教会との関係についても言及する総合的分析を行っている(Chevalier 2005)。

参考文献

アリオスト、ルドヴィコ(二〇〇一)『狂えるオルランド』脇功訳、名古屋大学出版会。

イェイツ、フランセス・A(一九九六)『十六世紀フランスのアカデミー』高田勇訳、平凡社。

石黒盛久(二〇〇九)『マキアヴェッリとルネサンス国家――言説・祝祭・権力』風行社。

エリアス、ノルベルト(一九八一)『宮廷社会』波田節夫・中埜芳之・吉田正勝訳、法政大学出版局。

ガレン、エウジェニオ(二〇一一)『ルネサンス文化史――ある史的肖像』澤井繁男訳、平凡社ライブラリー。

ギアツ、クリフォード(一九九〇)『ヌガラ――一九世紀バリの劇場国家』小泉潤二訳、みすず書房。

小山啓子(二〇〇六)『フランス・ルネサンス王政と都市社会――リヨンを中心として』九州大学出版会。

小山啓子(二〇一八)「人が人を支配するときなにが求められたのか――権力の舞台としてのフランス国王儀礼」、佐藤昇編/神戸大学史学講座著『歴史の見方・考え方――大学で学ぶ「考える歴史」』山川出版社。

スキナー、クェンティン(一九九一)『マキアヴェッリ――自由の哲学者』塚田富次訳、未來社。

ストロング、ロイ(一九八七)『ルネサンスの祝祭――王権と芸術』上・下、星和彦訳、平凡社。

ダインダム、イェルン(二〇一七)『ウィーンとヴェルサイユ――ヨーロッパにおけるライバル宮廷 一五五〇～一七八〇』大津留厚・小山啓子・石井大輔訳、刀水書房。

髙山博・池上俊一編(二〇〇二)『宮廷と広場』刀水書房。

立石博高編著(二〇一八)『スペイン帝国と複合君主政』昭和堂。

徳橋曜(二〇一四)「中世とルネサンス――継続/断絶」『西洋中世研究』第六号。

ドリュモー、ジャン(二〇一二)『ルネサンス文明』桐村泰次訳、論創社。

仲松優子(二〇一七)「複合君主政と近世フランス――ヨーロッパ近世史研究とフランス近世史研究の接続の可能性」『北海学園大学人文論集』第六二号。

二宮素子(一九九九)『宮廷文化と民衆文化』〈世界史リブレット〉、山川出版社。

バーク、ピーター(一九九二)『イタリア・ルネサンスの文化と社会』森田義之・柴野均訳、岩波書店。

バーク、ピーター（二〇〇五）『ルネサンス』亀長洋子訳、岩波書店。

バルベーロ、アレッサンドロ（二〇一四）『近世ヨーロッパ軍事史――ルネサンスからナポレオンまで』西澤龍生監訳、論創社。

ハワード、マイケル（二〇一〇）『ヨーロッパ史における戦争』奥村房夫・奥村大作訳、中公文庫。

フェーヴル、リュシアン（一九九六）『フランス・ルネサンスの文明――人間と社会の四つのイメージ』二宮敬訳、ちくま学芸文庫。

古谷人輔・近藤和彦編（二〇一六）『礫岩のようなヨーロッパ』山川出版社。

ミュシャンブレッド、ロベール（一九九二）『近代人の誕生――フランス民衆社会と習俗の文明化』石井洋二郎訳、筑摩書房。

Auzépy, Marie-France et Joël Cornette (dir.) (2003), *Palais et pouvoir: de Constantinople à Versailles*, Saint-Denis, Presses universitaires de Vincennes.

Barbiche, Bernard (1999a), *Les institutions de la monarchie française à l'époque moderne*, Paris, PUF.

Barbiche, Bernard (1999b), «Le Conseil du roi dans tous ses états: question de vocabulaire», *La Revue administrative*, n. 3.

Bély, Lucien (2010), *Dictionnaire de l'Ancien Régime*, Paris, PUF.

Bove, Boris, Alain Salamagne et Caroline zum Kolk (éd.) (2021), *L'itinérance de la cour en France et en Europe: Moyen Âge-XIXe siècle*, Villeneuve d'Ascq, Presses universitaires du Septentrion.

Burke, Peter (2002), *La Renaissance européenne*, Paris, Seuil.

Chevalier, Bernard (2005), *Guillaume Briçonnet (v. 1445-1514), un cardinal-ministre de la Renaissance: Marchand, financier, homme d'État et prince de l'Église*, Rennes, Presses universitaires de Rennes.

Chevalier, Bernard (2019), «Florimond Robertet (v. 1465-1527)», Cédric Michon (dir.), *Conseils et conseillers sous François Ier*, Rennes, Presses universitaires de Rennes.

Cloulas, Ivan (1996), *Les châteaux de la Loire au temps de la Renaissance*, Paris, Hachette.

Furetière, Antoine (1690), *Dictionnaire universel contenant généralement tous les mots françois...*, Paris, A. et R. Leers.

Girard, Bernard de (1572), *De l'estat et svccez des affaires de France*, Paris, l'Oliuier de Pierre l'Huillier.

Guinand, Julien (2020), *La guerre du roi aux portes de l'Italie, 1515-1559*, Rennes, Presses universitaires de Rennes.

Hamon, Philippe (1999), *«Messieurs des finances»: Les grands officiers de finance dans la France de la Renaissance*, Paris, Institut de la gestion

publique et du développement économique.
Hamon, Philippe (2009), *Les Renaissances, 1453-1559*, Paris, Belin.
Jouanna, Arlette, Philippe Hamon et al. (dir.) (2001), *La France de la Renaissance: Histoire et dictionnaire*, Paris, Robert Laffont.
Knecht, Robert (1998), *Un prince de la Renaissance: François Ier et son royaume*, Paris, Fayard.
Kolk, Caroline zum, Jean Boutier, Bernd Klesmann et François Moureau (dir.) (2014), *Voyageurs étrangers à la cour de France, 1589-1789*, Rennes/Versailles, Presses universitaires de Rennes/Centre de recherche du château de Versailles.
Le Gall, Marie (2017), *Les guerres d'Italie (1494-1559): Une lecture religieuse*, Genève, Droz.
Le Roux, Nicolas (2001), *La faveur du roi: Mignons et courtisans au temps des derniers Valois*, Paris, Champ Vallon.
Le Roux, Nicolas (2013), *Le roi, la cour, l'État: de la Renaissance à l'absolutisme*, Lonrai, Champ Vallon.
Marion, Marcel (1923, rééd. 1993), *Dictionnaire des institutions de la France aux XVIIe-XVIIIe siècles*, Paris, Picard.
Masse, Marie-Sophie et Michel Paoli (éd.) (2010), *La Renaissance? Des Renaissances? (VIIIe-XVIe siècles)*, Clamecy, Klincksieck.
Mayer, Claude Albert et Dana Bentley-Cranch (1994), *Florimond Robertet (?-1527), homme d'état français*, Paris, Honoré Champion Éditeur.
Michon, Cédric (dir.) (2019), *Conseils et conseillers sous François Ier*, Rennes, Presses universitaires de Rennes.
Poussou, Jean-Pierre (dir.) (2002), *La Renaissance: des années 1470 aux années 1560: enjeux historiographiques, méthodologie, bibliographie commentée*, Paris, Armand Colin.
Relations des ambassadeurs vénitiens sur les affaires de France au XVIe siècle, récueillies et traduites par Niccolò Tommaseo, t. 1, 1838, Paris, Imprimerie royale.
Seyssel, Claude de, *La Monarchie de France*, publié en 1519 sous le titre *Grand' Monarchie de France*, Jacques Poujol (éd.), Paris, Librairie d'Argences, 1961.
Solnon, Jean-François (1987), *La Cour de France*, Paris, Fayard.

焦点｜*Focus*

ブリテン諸島における革命

後藤はる美

はじめに――ピューリタン革命から三王国戦争へ

一六四九年は、「ピューリタン革命」の呼称とともに長らく世界史の画期としてとらえられてきた。しかし、二〇二二年に高等学校教育に導入された新科目「歴史総合」では、この事項の扱いはずっと小さくなった。本巻の主題の一つである「革命」の起点にかつて据えられた出来事は、現代的意義を失ったのだろうか？ 本稿では、一七世紀ブリテン諸島の激震をめぐる歴史解釈の現在地を確認しつつ、革命の意味を問い直したい。

一六四九年一月三〇日、チャールズ・ステュアートは「イングランド共和国に対する完全無欠の公敵、暴君、反逆者、殺人者」として大逆罪の咎で斬首され、イングランドは共和国を宣言した。この事件を革命のクライマックスとする解釈の背景には、アメリカ、フランス、ロシア、中国に先駆けた、世界で最初の市民革命として一連の事象を位置づけるマルクス主義史観があった。そこでは市民による王権と特権階級の打倒という大きな物語に沿って、革命とともに大規模な政治的、経済的資本の再分配が行われ、産業革命と帝国形成へと向かう経済成長の礎が築かれたと想定された。そして、この偉業を成し遂げたオリヴァ・クロムウェルは、議会制民主主義の祖とみなされる。設置当時から批判はあるものの、国会議事堂脇のクロムウェルの銅像(一八九九年)はこの伝統のなかに位置づけられる。

こうした歴史叙述は単線的、目的論的な進歩史観であるとして、実証研究の進展のなかで否定され、説得力を失って久しい。一九六〇年代以降、一次史料を駆使してイングランド各地の実態に迫る事例研究が積み重ねられた結果、一七世紀半ばの動乱は市民対特権身分層という階級対立としてはとらえがたく、また、結果的にも社会的、経済的な資本の再分配が起きたとは言いがたいことが次々に示されたからである。一連の出来事は輝かしい革命ではなく、「内戦 the Civil War」、あるいは地方の「大反乱 the Great Rebellion」とみなされた(リチャードソン 一九七九)。のちに修正主義と呼ばれるようになるこの潮流は、政治史の偏重を批判する社会史・文化史の台頭と連動しながら、さまざまな形で革命の再検討をうながしていった(岩井・指 二〇〇〇)。この動きのなかで、共和政への必然的な前進の物語に代わって、展開の偶然性や情況性、社会の連続性や多様性に光が当てられた。

しかし、実態の複雑さが明らかになり、政治史の枠をこえて研究テーマが多様化するにつれ、革命の原因や結果を何か一つに特定することは困難になった。市民革命論に代わる大きな物語が現れぬまま数十年が経過し、研究の行方を見通しにくい状態が続いた。とはいえ、一七世紀を扱う研究がこの間に量的にも質的にもめざましく拡大したことこそが、一九九〇年代末以降の新展開を準備する重要な基盤をなしてきたともいえる。この文脈において革命は、従来の政治史・経済史や、制度史の枠内では定義しきれないものになり始めていた。

革命の原因や起源、成否を問う研究が活気を失う一方で、多くの研究は革命の展開に着目し、その実態を解明する方向で深化した。それを受けて近年、新たな定説として実を結びつつあるのが、三王国戦争(the wars of the three kingdoms)としてのブリテン革命(British Revolution)という解釈である。この新解釈は、イングランドを中心とした叙述に代わって、ブリテン諸島の四つのネーション(イングランド、ウェールズ、スコットランド、アイルランド)の関係性のなかで諸問題を考えようとする「新しいブリテン史」のなかで生まれ、ブレア政権下で実現した権限委譲(devolution)の動きの追い風を受けて展開した。二〇〇〇年に刊行を開始した概説書『オックスフォード ブリテン諸島の歴史』は、イングランドの拡大の歴史としてではない歴史叙述をめざす現在の研究者の立ち位置をよく表している(ラングフォード 二〇〇九―二〇一五)。マイケル・ブラディックによる『オックスフォード イングランド革命史入門』も、書名に反して三王国的広がりを十分に加味したものである(Braddick 2015)。「三王国」という枠組みは、王国のかたちをとらない地域や集団をともするとと見えにくくするが、地理的・国制的な境界線のなかの多様性や境界を横断する連携と、その複雑な重なりの存在が前提とされていることを付言しておきたい。なかでもウェールズに関しては本稿では扱う準備がないが、近年研究が進展している領域として今後の展開が期待される(岩井・道重 二〇二二：一―三章)。

一、礫岩のようなヨーロッパとステュアート朝三王国

「三王国」とは、ステュアート朝ジェイムズ六世／一世が同時に王冠を戴くことになるスコットランド王国、イングランド王国、アイルランド王国を指す。これらの地域は現在の連合王国(the United Kingdom)を構成するが、ブリテン諸島の三地域が一つの国になることはテューダ朝ヘンリ八世の即位時には自明ではなかったし、その後のステュアート朝をつうじて実現することもなかった。三つの地域は異なる方法で一人の王に結び付けられたが、それぞれの独立性を完全には失わない同君連合の状態に置かれ続けたからである。こうした複合的な国家編成を一部の西洋史研究者は「複合王政 composite monarchy」あるいは「礫岩のような国家 conglomerate state」と呼ぶ。これは、ハプスブルク家を筆頭に当時のヨーロッパ国家の多くにみられ、近年ではヨーロッパ近世国家の常態として研究者に受け入れられつつある(古谷・近藤 二〇一六、立石 二〇一八、岩井・竹澤 二〇二一、von Friedeburg and Morrill 2017)。

礫岩のような国家の特徴は、一人の君主のもとに複数の地域が異なる方法で結び付けられる点にある。その統治戦

略は、内的差異を温存するパッチワーク的手法と、諸地域の均質化を志向する統合的手法とがせめぎあい、どちらか一方には決しない危ういバランスの上に成り立っていた。また、王の家政としての性格を留める近世国家の性質から、君主の生死や婚姻のタイミングに依存する予測不可能性をあわせもつ。この形態はうまくゆけば大変動を柔軟に乗り切るレジリエンスを発揮したが、均衡を保つには相当な政治的手腕を必要とした。一七世紀ブリテン諸島における唯一にして最大の「大反乱」――長い革命のプロセス――は、この危うい均衡が破れたことに大きな要因があり、その展開には礫岩を構成する礫同士の異なる結合のありかたが如実に反映されていたといえる(モリル 二〇〇四b)。崩壊の引き金を引いたのは、三王国の要となったチャールズ一世の「パイロット・エラー」であるとするコンラド・ラッセルの説は一定の説得力をもつ(Russell 1990: 213)。しかし、この時期の国家運営の破綻の根本的な問題は、王の個人的資質よりも、それを鍵に転化させる礫岩のような国家の構造にあったことを強調しておきたい。

ブリテン諸島における集塊プロセスの大部分はヘンリ八世の治世下ですすんだ。内乱をおさめて開かれたばかりのテューダ朝の王として、彼は百年戦争の結果、領土の大半を失ったドーヴァー海峡の向こう岸ではなく、ブリテン諸島へと目を向けざるを得なかった。さらには継嗣を期待できない王妃との離婚問題をきっかけに、折からの宗教改革の動きに乗じて自らイングランド国教会首長について聖俗をすべ、独自のプロテスタント教会を樹立するにいたった。ウェールズ合同法(一五三六年)によるウェールズの併合と、アイルランド王冠法(一五四一年)による「アイルランド宗主」から「アイルランド王」への名称変更は、同王による国力増強戦略の一環として位置づけられる。この時点でウェールズは名実ともにイングランド王国の一部となり、ロンドンの議会に議席を与えられた。他方で、イングランド王はすなわちアイルランド王であるとの宣言は「アイルランド王国」を名目的に創出したものの、ダブリンに置かれたアイルランド議会の立法権はポイニングズ法(一四九四年)のもとでイングランド王の支配下にあり、植民地的な側面を色濃く留めていた(山本 二〇〇二、山本 二〇〇七)。

ヘンリ八世の六回にわたる婚姻は一人の王子と二人の王女をもたらしたが、独身を貫いたエリザベス一世の死によってテューダ朝は断絶した(一六〇三年)。三つ目の王国がイングランド王冠に結び付くのは、彼女が後継者に指名したスコットランド王ジェイムズ六世がジェイムズ一世として即位したときである。ジェイムズは母方・父方の双方がヘンリ八世の姉マーガレットの血筋に連なる点で順当な選択にみえるが、じつはヘンリ八世の遺言と議会法によって明確に排除されていた候補者でもあった。スコットランドはステュアート家のもと、すでに三〇〇年近く続いた王国で、イングランドとは長らく敵対関係にあり、マーガレットとジェイムズ四世との婚姻は両国の安定化をめざした政略の一環であった(モリル 二〇〇四b)。ジェイムズ一世の即位当初には、両国の「合同」の是非をめぐる論争が起きたが(Levack 1987; 小林 二〇〇七)、このときイングランドのある政治家は、フランスの「旧来の懐刀」であったスコットランドが、イングランドと「結婚」することで起き得るスペイン、フランス、教皇庁とのパワーバランスの再編を議論していた(Anon., 'A discourse...', c. 1606)。

この人物が思いを馳せたように、イングランド王がアイルランド王を兼ね、スコットランド王がイングランド王を兼ねることになる経緯を理解するには、ブリテン諸島から視野を広げ、ヨーロッパ規模での礫岩王朝のせめぎあいをみる必要がある。一六―一七世紀において辺境の小国にすぎなかったブリテン諸島の王たちは、大陸の強者であるスペイン、フランス、教皇庁、さらにのちにはオランダの礫岩君主たちのあいだで間合いをはかり、いずれかの礫岩に吸収されることなく生き延びねばならなかった。宗教改革から三十年戦争(一六一八―四八年)へといたるこの時期に、王家の結婚戦略と宗教政策とが絡みあい、複数の礫岩国家が攻防を繰り返すなかで、中世的キリスト教世界が再編されてゆく。この意味で、一七世紀のブリテン諸島における動乱は、ジョン・モリルのいうように、ヨーロッパ最後の宗教戦争の側面をもつ(Morrill 1993; Prior 2011; 那須 二〇一二)。これは一六三六年にロンドンにやってきたプラハ出身の画家ヴェンセスラウス・ホラーが実際に感じたことでもあった。一六四〇年代のブリテン諸島の様子を描いた版

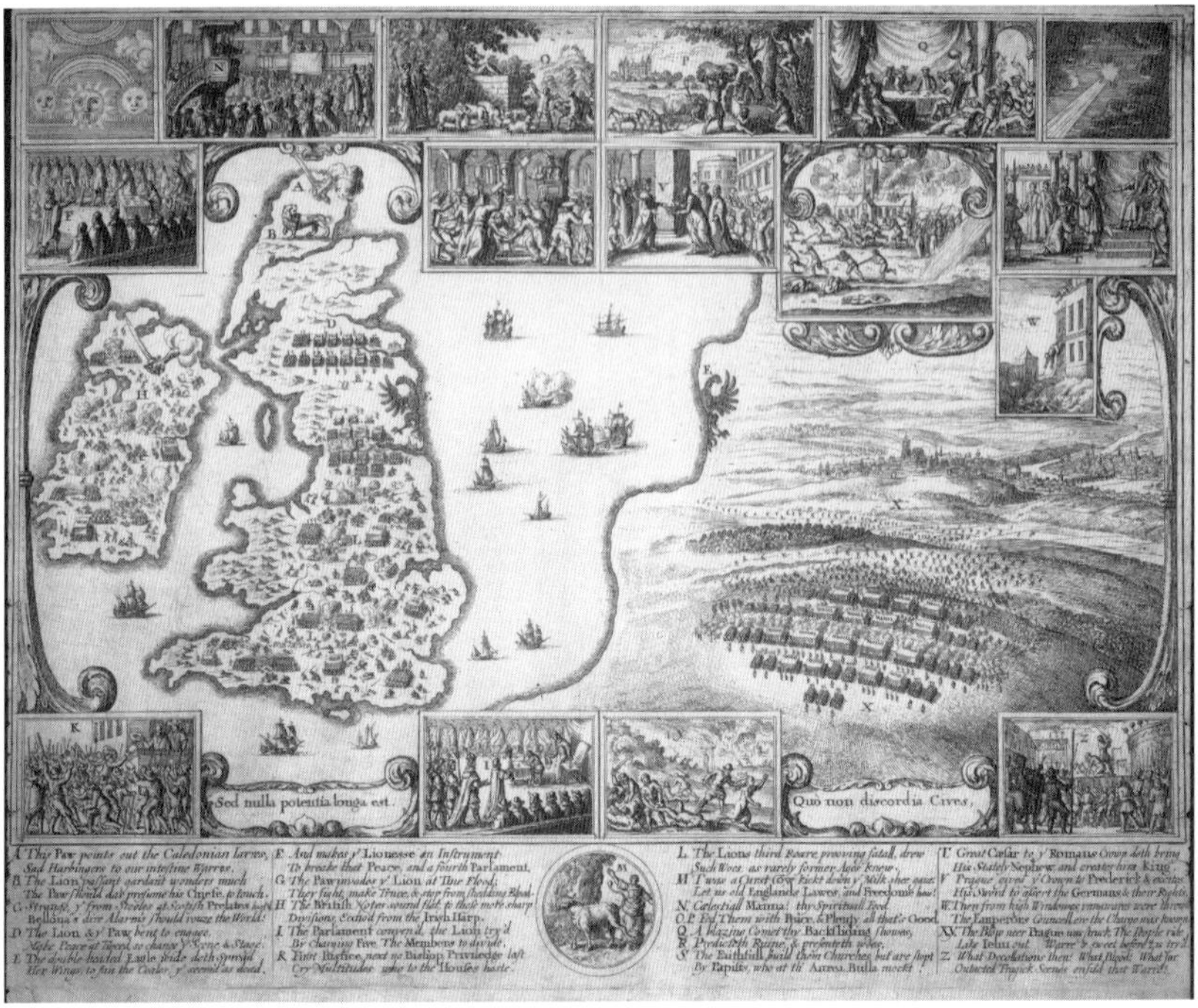

図1　1640年代のブリテン諸島図（トロント大学トマス・フィッシャー貴重書図書館蔵）

画［図1］では、ハプスブルク家を暗示する二つの鷲の頭が、戦火の上がるブリテン諸島と三十年戦争下のプラハ郊外の戦場をそれぞれ見下ろしている。下部のキャプションには「双頭の鷲が羽を広げ、消えたはずの燃えさしに風を送る」とある。さらに図右上には「堕落のショー」を照らす彗星が描かれる。近世ヨーロッパにおいて天変地異は神の介入を象徴した。急進的プロテスタントは現実世界の混沌は神の怒りを呼ぶと考え、改革に邁進したが（Braddick 2008）、なかでも千年王国論者は終末の日は近いとの切迫感のもとで行動し、一部は新大陸に神の国建設の希望を見出した（岩井 二〇一五）。しかし祖国で戦いが始まると、再び改革の最前線はブリテン諸島にありとみなして帰国した者もいた。

二、長い宗教改革とブリテン諸島

制度の成立ではなく受容に焦点をあてて宗教改革を再考する動きは、革命史の再検討と密接な関係を保ちつつすすんだ(岩井・指 二〇〇〇:第二章)。地域社会における宗教改革の様相が検証されるにつれ、これまで一枚岩的に理解されてきた「ピューリタン」や「国教徒」の内的多様性が浮きぼりにされた。ヘンリ八世を国教会首長とし、教区を行政の最末端に組み込み、議会制定法をエンジンに「上から」展開したイングランド宗教改革は、エドワード六世による急進化、メアリ一世の再カトリック化のあと、エリザベス一世治下で中道路線に向かった。カトリック教徒は一連の議会法のなかで「国教忌避者(レキュザント)」と法的に再定義され、信仰そのものよりも、一定期間、教区教会での礼拝に参加しないという具体的な行為を基準に地域の世俗法廷で訴追可能な「犯罪」となった。しかし、中庸の道は必ずしも宗教改革の安定や完成を意味しない。たとえ信徒が教区教会に定期的に現れたとしても、実態としては、真の教えを理解せず教会に行くだけの「教皇主義者」(カトリックの蔑称)や、定められた共通祈禱書を読むだけのプロテスタントが広範に存在し、宗教改革がいまだ不完全であると考えさらなる改革を求める者と、宗教改革が行き過ぎていると考え回帰をはかる者とが、さまざまなレベルで絶え間ない綱引きを続けたからである。

国教忌避者の取り締まりには、全国に九七〇〇近くある教区の教区牧師をはじめ、俗人の教区委員や治安官、四季法廷を司る治安判事の日常的な協力が不可欠であり、彼らが法廷における訴追の鍵を握っていた。一七世紀初頭にいたっても、ロンドンから遠隔な北部沿岸部は宗教的に後進的な地域として知られ、赴任から約二〇年をへても新参者とみなされた熱心なプロテスタント判事が、カトリックを庇護する近隣領主を相手に激しく対立した例もある。信仰の対立は文化慣習や感情規範の対立でもあり、古参の領主層にとって、中央から送り込まれた、北部の既存の秩序を無視するよそ者は、「われらが北部の歓待の流儀」を理解しない厄介者であった。革命期の「ピューリタン」が一枚岩でないことは、よそ者判事と対立しカトリック領主を支持した同僚にプロテスタントも含まれ、なかには一六四〇年代に議会派として活躍し国王処刑にも関与した「王殺し(レジサイド)」がいたことにも明らかである(後藤 二〇一二)。

「上から」の改革であったイングランド宗教改革に対して、スコットランドの宗教改革は同じカルヴァン派の流れを汲みつつも極めて対照的な軌跡をたどった。スコットランドでは数代にわたり幼年の王の即位が続き、フランス王家の傀儡と化した王権に対抗し、諸侯と聖職者が協力して宗教改革が進展した。同地の宗教改革の立役者ジョン・ノックスは、カルヴァンのもとで教えを学び、一五六〇年に帰国すると、諸侯とともに長老主義教会の樹立をめざした。彼らの敵はフランスの影響下でスコットランドを「自然の理に逆らって」統治する二人の「怪物女」――摂政として実権を握る王太后ギーズ公家のメアリと、生後六日で王位についたその娘メアリ・ステュアート――であった。軍事侵攻によって息子エドワードとの結婚を迫るヘンリ八世を退けて、女王はフランス王太子と婚約を結び、フランス宮廷に送られて同地で成人を迎えた。やがてフランソワ二世が即位するとフランス王妃に戴冠したが、二年で夫を病で喪い、帰国せざるを得なくなった。スコットランドで宗教改革が本格化したのは、この瞬間であった。

寡婦となった女王には国内の貴族が新たな夫としてあてがわれ、翌年には継嗣にも恵まれた。しかし直後に夫が事故死し、事件への女王自身の関与が疑われるにいたると、国内の不満が爆発する。モリルのいう「王朝のルーレット」(モリル 二〇〇四b:八四頁)の劇的な展開ともいえるこれらの動きのなかで、女王を廃位し、一歳のジェイムズを擁立するクーデタが起きた。女王の廃位を可能にした背景には、抵抗権の正当性を唱えたジョージ・ブキャナンがいた(小林 二〇一四)。一五六七年に始まるジェイムズ六世の治世は、スコットランドの宗教改革の展開とともにすすんだといえる。この宗教改革は主教制を維持したイングランドとは異なって、俗人信徒「長老」の合議による教会運営を理想としたカルヴァンの教えを忠実に反映し、教会総会を最高意思決定機関に、信仰の内面化を基盤として進行した。ノックスのあと改革を指揮したアンドリュー・メルヴィルは、キリストの王国であるスコットランド教会において王は会衆の一人にすぎないとまで述べた。ジェイムズ六世は、議会をつうじて主教の権力を強化してこの動きに対抗しようとした。ジェイムズ六世/一世が主張することになる王権神授説や、一六〇三年に彼のもとに転がり込んだ

「双子の王国」を統一しようとする「グレートブリテン構想」は、こうした背景のもとで理解すべきものである（小林 二〇〇七）。

アイルランドにおける宗教改革はさらに錯綜していた。王国とは名ばかりの植民地状態に置かれた同地では、ダブリン議会をつうじてイングランド国教会を模したアイルランド国教会が設立された（那須 二〇二二）。しかし、この教会は少数のイングランド系入植者のみが信奉するに留まり、人口の大半を占める先住のゲール系住民と中世以来の入植者（オールド・イングリッシュ）は根強くカトリック教会を信奉し続けた。状況は一七世紀初頭にスコットランドとの同君連合が成立すると一層複雑化した。アルスタ地方を中心にイングランド、スコットランド両王国から大規模な植民計画がすすめられ、ニュー・イングリッシュとも呼ばれる新勢力が出現したからである。同地のプロテスタントは逆境のなかで連帯を強め、本国では実現しない「グレートブリテン」的アイデンティティを育んでゆくことになる（Ohlmeyer 2018; 山本 二〇二二）。

三、三王国戦争

ブリテン諸島における三つの宗教改革は、三王国の王冠を一身に戴いたジェイムズ六世／一世の治世下で新段階を迎えた。王自身の大望に反して、三王国は同君連合の状態に置かれつつも、統合にいたることはなかった。しかし、同王のもとで三王国の国家機構は人的にも形式的にも限りなく近似性を高める方向へと舵が切られたのである。この計画は、父の意志と三王国を継いだチャールズ一世のもとで、さらに――限界をこえて――推進され始めた。多様性と統合性をあわせもつ礫岩王政の不確かな均衡は、一六三〇年代に臨界点をこえ、礫岩を構成する諸地域のあいだの「玉突き現象」（Russell 1987: 408）が、ついにはブリテン諸島全土を巻き込んだ戦争へと発展することになる（モリル 二〇〇四 a）。三王国戦争とも総称されるこの戦いは、各地域で発生した異なる動機にもとづく複数の動乱が、礫岩王政の構造下で相互に影響を与えあいつつすすんだ。三王国戦争は総体としては共通の一つの危機を成したが、同時に、それぞれ異なる起源と展開をもつ三王国諸戦争でもあった。

最初の発火点となったのは、スコットランドにおける祈禱書反乱（一六三七年）である。スコットランドで実施されたイングランド式共通祈禱書の導入に抵抗する反乱は、瞬く間に王国全土に広まった。長老主義を掲げ、ヨーロッパでもっとも「純粋な」宗教改革を推進してきたと自負するスコットランドのプロテスタントにとって、聖職者の位階制度とさまざまな儀礼を温存するイングランド国教会のやり方はカトリック的とみなされた。チャールズ一世が親政下のイングランドで登用したカンタベリ大主教ウィリアム・ロードによるアルミニウス主義の教会体制は、イングランド国教会をますますカトリックに傾斜させるものとしてイングランド国内でも批判が集中していたが、スコットランドへの共通祈禱書の強制は、このイングランドのロード体制の輸出を意味していた。さらに問題を深刻化させたのは、導入された共通祈禱書がイングランドで現行の共通祈禱書ではなく、改革が不徹底であるとみなされ改訂の対象となった一五四九年版の共通祈禱書をモデルとしていたことであった（富田 二〇一二b）。

抵抗運動は導入前夜から計画され、エディンバラの聖ジャイルズ教会で祈禱書が読み上げられた瞬間に始まった。反乱は各地へと伝播し、全国的な「国民契約 the National Covenant」の組織へとつながった。現存する複数の国民契約は、その文言に多少の違いはあるが、彼らが「真の宗教」とみなす長老主義教会へのいかなる侵害にも抗することを掲げた神との契約として起草され、各地で牧師、貴族、レルド（爵位のない直接受封者）や都市代表の賛同者がそれに署名して誓約した点に特徴がある。同盟は必ずしも武力抵抗を前提としていなかったものの、契約派は主教制廃止を求め、チャールズ一世に対して挙兵し、一連の国制改革を迫った（富田 二〇一三）。これを主教戦争（一六三九―四〇年）と呼ぶ。王は三王国の軍を動員して対峙しようとしたが、財政難に苦しみ、戦争は契約派の勝利に終わった。この間に戦費調達および賠償金の確保のためにイングランドで一一年ぶりに召集された議会が、短期議会(一六四〇年四―五月)・長期議会(同年一一月―一六五三年)として知られるものである。

じつはスコットランドで物議を醸したロードの改革は、アイルランドでは一六三三年に着手されていた。ここでの改革の対象はプロテスタント入植者に限られたため看過されがちだが、那須敬によれば、これはチャールズ一世下での宗教統一構想のもとで起きた三王国危機の「(途中や終わりではなく)はじめに位置づけられる」動きともいえる(那須二〇二二:二四二頁)。しかし、アイルランドのより危険な火種は、圧倒的多数を占めるカトリックとプロテスタント入植者とのあいだにあった。一六四一年一〇月下旬、スコットランドの歴史的勝利に刺激されたアルスタ地方のカトリックが蜂起すると、まもなく全土を巻き込む反乱へと拡大した。この反乱は、ゲール系アイルランド人と中世以来の入植者であるオールド・イングリッシュが手を結ぶ契機となり、彼らはやがてキルケニーでカトリック同盟を結成して総督府に対抗し、王や諸外国――とりわけスペインや教皇――と独自に交渉する疑似政府となった。ここで留意したいのは、彼らが求めたのは王のもとでのアイルランドにおけるカトリックの復権であり、王政の廃止やイングランドの再カトリック化ではなかったことである。カトリック同盟のモットーは「神と王と祖国のために団結するアイルランド」で、彼らはこの一見成立しがたい三者の調和を礫岩王政の枠組みにおいて実現する可能性にかけていたのであった(オショクル 二〇一二、オハンリコン 二〇一二、モリル 二〇一二)。

アイルランドで起きているとされた「プロテスタント大虐殺」のニュースは、長期議会開催中のロンドンに続々と到達した。プロテスタント同胞を川で集団溺死させ、赤子の頭を生きたまま石で打ち砕く反徒たちの非道行為が、目撃証言にもとづき、ときに挿絵入りでセンセーショナルに報じられた。これらの報道は「野蛮なアイルランド」の「教皇主義者」のステレオタイプ化に寄与し、政府の行動を左右するものとなってゆく(後藤 二〇二二)。議会は即座に鎮圧軍の派遣を採択したが、軍隊指揮権をめぐり、すでに悪化していた王と議会の関係は破綻し、エッジヒルでの開戦(一六四二年)にいたることとなる。アイルランド反乱はこのようにイングランド内戦の直接的な導火線となったが、戦いはもう一つの次元――紙上――でも展開していた。一六四一年は議会によって国王大権のいくつかが停止され、その影響下で検閲制度が事実上崩壊した年でもある。活版印刷術の導入以来、年間五〇〇件以下で推移していた出版タイトル数は、同年に八倍の四〇〇〇件以上に膨れあがり、同時に、時事問題を扱う数ページから成る刊行物――新聞やパンフレット――という新ジャンルが出現した(Raymond 1996; Raymond 2003; Peacey 2013)。三王国戦争の展開はこうした大衆出版物を介した人と資源の動員に大きく依存したが、一六四一年反乱はその意味でも画期といえる。この瞬間に起きたアイルランド反乱は大衆的パンフレットの格好の素材となり、その爆発的な増加に寄与したからである。当時の出版物は基本的に党派的なメッセージ性をもつものであったが、宗教改革と革命の時代に社会秩序を支える重要な価値観が揺らぐなかで、人びとは持ちうるあらゆるリソースを動員して真偽を判定し、情報を批判的に読む姿勢を身につけ始めていた。

緒戦で劣勢に置かれた議会派は、長老派議員の支持のもとでスコットランド契約派と軍事同盟を結び(一六四三年)、翌年のマーストンムアの戦いで攻勢に転じた。「厳粛な同盟と契約 the Solemn League and Covenant」は、「宗教の改革と防御、王の名誉と幸福、イングランド、スコットランド、アイルランドの三王国の平和と安全」を約した、国民契約に次ぐ神との新たな契約であった(富田 二〇一二a、那須 二〇一二)。「宗教の改革」は長老主義教会の三王国における樹立を意味したが、独立派のクロムウェルらがニューモデル軍を組織し、ネーズビーでの大勝(一六四五年)をへて軍部の主導権を握り始めると、長老主義はもはや同盟の紐帯として機能しえなくなっていった。敵対者から「ピューリタン」と一括された者たちがめざすものは、実際には大きく異なっていたからである。

一六四六年、戦闘の継続を断念したチャールズ一世はスコットランド軍に投降したが、その後も各地の王党派残党と密かに連携し、諸派の対立を利用して画策を続けた。たび重なる王の裏切り行為に交渉不能と断じたイングランド軍部は、反対する長老派議員約二三〇名を議場から追放し(一六四八年)、王政を廃止して共和国を宣言するにいたった(一六四九年一月)。この急展開はイングランド軍部の独断専行によって推し進められた、イングランドの国制的解決であった。しかし、次節で論じるように、イングランドで処刑された王のからだには、政治的身体としてのスコットランド、アイルランドが分かちがたく結び付けられていた。

議会派はイングランドとアイルランドにおける共和政を宣したが、同盟国であるスコットランドには言及がなかった。対するスコットランドは王の処刑後ただちに亡命中の遺児チャールズの即位を宣言した。スコットランドはこのとき三王国戦争を終結させ、別の王国としての道をゆく可能性もあったが、現実にはそうならなかった。契約派は「厳粛な同盟と契約」のもと、チャールズ二世を三王国の王として指名し、王党派に転じて戦いを続行したからである。こうしてイングランド的解決は、武力征服として、アイルランド(一六四九年)、スコットランド(一六五〇年)に輸出されることになる。クロムウェルの征服は、アイルランドにおいてはカトリックの所有地の大規模な収奪に帰結し、その後のプロテスタント優位体制の重要な基盤となった(Ohlmeyer 2018; 山本 二〇〇二、山本 二〇二二)。

四、主権の定義をめぐる争い

イングランドの国制的解決——国王処刑と共和政への移行——は、一六四九年にいたっても必然の結果ではなかった。新政府はさまざまな方法で戦争を支援してきた地域の人民を、今度は秩序回復に向けて動員する必要があった。たとえば、一六四九年三月にヨークシャに派遣された巡回法廷(アサイズ)主席判事フランシス・ソープは、一堂に会した同州の地域住民に向かい次のように口火を切った(Thorpe 1649)。「このたび我らに委任された令状〔発令者〕の称号と肩書が「イングランド王チャールズ」から「議会の権威にもとづくイングランドの自由の管理者」へと変更されたことは、人民の気分と精神にさまざまな影響を与えることに疑いはない」。開廷時に行われる「大陪審への説示」は、陪審として法廷業務に関与する一般住民に中央の重要な政策を伝え、業務に不可欠な実践的な法知識を与える目的をもった恒例行事である。ソープ判事の演説の趣旨は「いかなる根拠と理由によって、わが国において王の役職が無用かつ危険だと議会が判断するのか、また、なぜもはや一人物の頭上に王冠を委託せず、乱用するやもしれぬ者にイングランドとイングランド人の自由の管理権を渡さぬのか」を説くことにあった。

発令者の変更は単なる肩書の変更ではなく、あらゆる法の権原の変更を意味したため、法の執行に携わる地域住民の納得が不可欠であった。従来、国王身体への侵害を意味した「大逆罪」に関連してソープがあえて詳説したのは「個人として彼〔チャールズ一世〕が議会を捨てたとき、彼は王と王権を置き去りにした。彼は王の役職とその権力から去っていたのだ」という、議会派の挙兵当時から練り上げられてきた論理である(Hart 2003; Little and Smith 2007)。王の自然的身体と政治的身体の分離を宣言するこの言説は、ブリテン諸島史上おそらくはじめて、王の特別な身体に紐づかない「国家」を想像し、創造することが可能になったことを示すものであった(Orr 2002; cf. カントローヴィチ 一九九二)。一七世紀において「主権 sovereignty」は、すでに確立され広く共有されていた概念とは言い難いが、一連の経緯は君主のみがもつとされた権威を浮きぼりにしたうえで、その権威のかたちを定めていくプロセスを推し進めたともいえる(後藤 二〇一八)。

説示はさらに、「人民の安全は自然法およびネーションズの法において至高」であり、そのもとで地上の支配者が任命されると説くが、その統治形態について制限はなく、人民はいつでも「以前とは異なる形態を選ぶことによって以前の選択において被った悪弊を避ける」ことができる、とも説く。なぜなら「その根源的かつあらゆる正しい権力は(神のもとで)人民に存し、支配者や為政者は人民に対してその統治の過ちの責任を負う」からである。ここでいう人民とは私的個人ではなく「合法的に招集された人民の代表からなる政治機構」すなわち議会であった。イングランドは古来世襲王政ではなく契約王政である、王は統治を委託されたにすぎず、内戦開始時点でチャールズは王の政治的身体から去っていた、という議論は、国制の論理を根本的に入れ替えるまさに革命的なものといえる。

ソープ判事が地域住民の動揺を予期したように、共和政への移行はここにいたっても自明の（あるいは必然の）結果ではなかった。イングランド革命が本来、共和主義を志向していなかったことは、国王裁判のさなかにさえも軍部が一枚岩ではなく、さまざまな選択肢が模索されたことを示す近年の研究によっても裏づけられる（Kelsey 2019）。とはいえ、「イングランドの自由の管理者」の名のもと設置された臨時特別法廷による国王裁判は、軍部に主導された議会が主権を掌握するための重要な一過程を担うことになった（Kelsey 2002; Orr 2002）。王国における既存の裁判権の源は王にあり、すべての法廷は王の名のもとに召喚されていた。チャールズを特別臨時法廷で裁くことは、新たな権威をチャールズ自身に承認させることを意味したからである。これを察知したチャールズは法廷の合法性自体を問い、答弁を拒否するという戦略を取った。一般に、裁判では罪状に対して被告が「無罪」あるいは「有罪」を主張することで審問が開始するが、裁判官側の再三の説得を無視してチャールズはテクニカルに「無罪」の主張を回避し、大前提となる法廷の合法性を問題にしたのである。この結果、裁判は実質的に審問が開始されないまま膠着状態に陥り、わずか一週間の形式的な審理のすえ有罪判決で結審した。

裁判は当初ウィンザー城でより閉鎖的な手続きとして行われる選択肢もあったが、最終的にはウェストミンスタにて公開で実施された。さらに用意された証人は元兵士であるものの、肩書きには平民としての職業をあえて記載することで、「人民による」裁きを強調する舞台演出がなされたという（Vallance 2021）。裁判の様子は即座に活字化された。ただし、公衆に対するプロパガンダ戦を目論んだのは議会派だけでなく、王党派もこの公開性を逆手に取って応戦した。チャールズの法廷での（しごく説得的な）弁論は、議会派の思惑をこえて、むしろイングランドの古来の国制と自由のために死んだ「殉教王チャールズ」という王党派のイメージ戦略に寄与することになった。

おわりに――長い革命

一九七〇年までの歴史叙述なら、革命の記述は一六四九年で終わる。だが、革命は王の処刑と共和政への移行によって完成したといえるのか？　現在の研究状況では、少なくとも一六三七年の祈禱書反乱に始まる一連のプロセスの終着点は、ずっと後に置かれる傾向にある。短くは王政復古の一六六〇年が、より長くは名誉革命体制確立期の一七二〇年代が、革命の終わりとされている。この「長い革命 the Long Revolution」ともいうべき視角は、革命の意味の再定義をうながすものである。ここでは十分に扱う紙幅はないが、展望の一端を示して本稿を閉じたい。

ブリテン諸島における革命の終点を一六六〇年とする研究は、かつて「反動体制」と片づけられたクロムウェルによる統治を、一六四九年に王の二身体の分離が実現したときに始まった国制上の実験の続きととらえるものである。統治章典(一六五三年)が規定する「一人物と議会」による統治や、三地域の代表を一院に集める未曽有の試み、さらには中澤達哉のいう「王のいる共和政」にも類するクロムウェルによる第二次護国卿政権は、三王国戦争の延長上にこそ位置づけられるからである(Sherwood 1997; Hart 2003; Little and Smith 2007; 後藤 二〇一八、中澤 二〇二二)。

さらに視野を広げて、王政復古から名誉革命(一六八八年)までをひと続きとする見方は、これまで非連続的に考えられてきた初期・後期ステュアート朝三王国の構造的な連続性を重視する立場である。古くは今井宏が提唱した「イギリス革命」が時期としては同じ枠組みをとるが(今井 一九八四)、近年の英語圏の研究は、三王国的展開のなかでの反専制・反教皇主義の追求という点で二つの時期が同じ構造をもつことに新たに注目している。この観点では、カトリック化した王弟の王位継承からの排除をめぐる対立(一六七九―八三年)は、復古危機(restoration crisis)として再定位される(Knights 1994; De Krey 2007)。その後の名誉革命が示したプロテスタントによる王位継承の原則は、一六八九年に始まりジャコバイトの反乱(一七一五年/四五年)まで続く、ブリテンの二つの王朝のあいだの王位継承戦争を導いたともいえる。一七〇七年のスコットランド議会合同は、このなかでプロテスタント王位継承を確実にするための手段でもあった。対してアイルランドでは、王政復古はそもそも一六四〇年代以前の状態への回帰をもたらすことはなかった。ウィリアム三世の多国籍軍がジェイムズ二世軍を撃退したボインの戦い(一六九〇年)をへて、プロテスタント・ブリテンの植民地的性質はますます強化されていった。このころまでに、宗教改革はいまや一つの真のキリストのからだへの復帰をめざすものではなくなっていた。新旧両派の対立と、三王国戦争のあいだに隆盛し、躍進したプロテスタント諸宗派の存在は、かつて誰もが唯一のものと想像したキリスト教世界の「宗教」そのものの性質をも変容させたのである(那須 二〇一九)。

他方で、ブリテン諸島の「長い革命」が主権の定義をめぐる争いであったとするならば、王政復古は復古ではなく革命のさらなる旋回でもあった。一六六〇年に回復されたのは一六三〇年代の議会ではなく、国王大権に複数の制約が課されたあとの一六四一年の議会だったからである(Harris 2005)。統治章典やクロムウェル戴冠論が模索した「一人物と議会」による支配の最適なバランスは、王政復古期の議会をつうじて大問題であり続けた。チャールズ二世を呼び戻す点で一致した諸派は、王と議会のどちらが優先するのかについては一致できなかった。名誉革命で確立する「議会のなかの王 king in parliament」はこの延長上で、むしろ両者の分かちがたい結合と法の支配の原則を確認したものであった。スコットランドは一七〇七年に議会合同を受け入れて、この結合に参加した。アイルランドはその後一世紀にわたり構造化された不整合を抱え続けたが、ときにそれを逆手に取ってグレートブリテン議会と交渉した(勝田 二〇〇二、勝田 二〇二一)。ブリテン諸島の特異な主権のかたちから弾き出されたアメリカ植民地のその後の動向は、この流れのなかで理解することもできるかもしれない(ケーニヒスバーガ 二〇一六、Pocock 1990)。

最後に、「長い革命」のプロセスがもたらしたのは、国制的解決だけではない。一六三〇年代から一七二〇年代にブリテン諸島の人びとが経験した三王国(諸)戦争は、各地域でそれぞれ独自の戦争/革命としても展開した。その結果、各地域における戦争の犠牲のありかたや比率は、アイルランド反乱や名誉革命のように著しく異なることもあった。しかし、最新の研究によれば、一六三八−六〇年の三王国の犠牲者総数は約六四五万、人口比にして八・六%と、一五−一八世紀にブリテン諸島が関与したどの戦争のそれよりも多いこともわかっている(Carlton 2011)。三王国で展開した諸戦争への人と資源の動員は、かつてない規模と頻度で人びとに選択を迫り、その意味で彼らを国政に参加させる契機となった。一六四一年に現れた新しいタイプの出版物の発行数は、その後一七世紀をつうじて以前の水準に戻ることはなく、一六九五年までに検閲は意味をなさぬものとなって廃止された。このことは一連の出来事のなかで人びとの政治的関心が覚醒し、同時に、彼らを政治的に意味ある集団——人民 the People、あるいは公衆 the Public——としてみる政治文化と、それを支える言説空間(初期公共圏)が生まれたことを反映するものといえるだろう(Knights 2005; Lake and Pincus 2007; 小野 二〇〇九、坂下 二〇一四)。レヴェラーズ(水平派)の『人民協約』が求めた直接参加とは異なる次元で、人民はたしかに政治に関与し始めていた。

他方でジョン・モリルは、この戦争は複数形の人民——the Peoples——の革命であるという(後藤 二〇一五)。イングランド、アイルランド、スコットランド人のそれぞれが、それぞれのアイデンティティの核にあるべきものを、この革命の三王国的展開をつうじてこそ見出したからである。イングランド人には議会と慣習法が、スコットランド人には長老主義が、アイルランド人にはカトリック信仰がそれぞれ譲れぬものと認識され、ブリテン諸島の三つ(ウェールズを入れれば四つ)のネーションがこれらを基盤に形づくられ始めた。これらの極めて長期的な影響力をもつ文化的、宗教的、社会的、政治的な価値観とそれに付随するリソースの大規模な再配置をもたらした点で、「長い革命」は革命と呼ぶにふさわしい出来事である。

参考文献

【史料】
Anon., 'A discourse upon marriage to be made between ye three kingdoms of France, Spain & Great Brittany', c. 1606, British Library, Harley MS 1305, fos. 24-27v.
Thorpe, F., *Sergeant Thorpe Judge of Assize for Northern Circuit, His Charge*, York, 1649.

今井宏(一九八四)『イギリス革命の政治過程』未來社。

岩井淳(二〇一五)『ピューリタン革命の世界史――国際関係のなかの千年王国論』ミネルヴァ書房。

岩井淳編(二〇一二)『複合国家イギリスの宗教と社会――ブリテン国家の創出』ミネルヴァ書房。

岩井淳・指昭博編(二〇〇〇)『イギリス史の新潮流』彩流社。

岩井淳・竹澤祐丈編(二〇二一)『ヨーロッパ複合国家論の可能性――歴史学と思想史の対話』ミネルヴァ書房。

岩井淳・道重一郎編(二〇二二)『複合国家イギリスの地域と紐帯』刀水書房。

岩井淳・山﨑耕一編(二〇二三)『比較革命史の新地平――イギリス革命・フランス革命・明治維新』山川出版社。

オショクル、ミホル(二〇一二)「一七世紀中期アイルランドにおける戦争と和平」大澤麦訳、『思想』一〇六三号。

小野功生(二〇〇九)『ミルトンとイギリスの言説圏』彩流社。

オハンリコン、タイグ(二〇一二)「ジョヴァンニ・バティスタ・リヌチーニとアイルランド・カトリック同盟」桃尾美佳訳、『思想』一〇六三号。

勝田俊輔(二〇〇二)「名誉革命体制とアイルランド」近藤和彦編『長い一八世紀のイギリス――その政治社会』山川出版社。

勝田俊輔(二〇二一)「アイルランド「王国」――複合性と従属性」岩井淳・竹澤祐丈編『ヨーロッパ複合国家論の可能性』ミネルヴァ書房。

カントローヴィチ、K・H(一九九二)『王の二つの身体』小林公訳、平凡社。

ケーニヒスバーガ、H・G(二〇一六)「複合国家・代表議会・アメリカ革命」後藤はる美訳、古谷大輔・近藤和彦編『礫岩のようなヨーロッパ』山川出版社。

後藤はる美(二〇一二)「一七世紀イングランド北部における法廷と地域秩序——国教忌避者訴追をめぐって」『史学雑誌』一二一編一〇号。

後藤はる美(二〇一五)「「考えられぬこと」が起きたとき——ステュアート朝三王国とイギリス革命」近藤和彦編『ヨーロッパ史講義』山川出版社。

後藤はる美(二〇一八)「一七世紀ブリテン諸島における礫岩国家・主権・法の支配」『歴史学研究』九七六号。

後藤はる美(二〇二〇)「「我らが北部の歓待の流儀」?——宗教改革期イギリスにおける感情と感情共同体」『エモーション・スタディーズ』五—一。

後藤はる美(二〇二二)「論争的史料と歴史学——「一六四一年反乱の証言録取集」をめぐって」『歴史学研究』一〇二一号。

小林麻衣子(二〇〇七)「ジェイムズ一世の「グレイト・ブリテン王国」構想」指昭博編『王はいかに受け入れられたか——政治文化のイギリス史』刀水書房。

小林麻衣子(二〇一四)『近世スコットランドの王権——ジェイムズ六世と「君主の鑑」』ミネルヴァ書房。

坂下史(二〇一四)「名誉革命史と「言説空間」の位置」冨樫剛編『名誉革命とイギリス文学——新しい言説空間の誕生』春風社。

立石博高編(二〇一八)『スペイン帝国と複合君主政』昭和堂。

富田理恵(二〇一二a)「ブリテンの国制構想とスコットランド・イングランド——一六四七年の転換」岩井淳編『複合国家イギリスの宗教と社会』ミネルヴァ書房。

富田理恵(二〇一二b)「祈禱書の反乱と国民契約の地方史」『東海学院大学紀要』第五号。

富田理恵(二〇一三)「グラスゴー教会総会と第一次主教戦争の地方史」『東海学院大学紀要』第六号。

中澤達哉編(二〇二二)『王のいる共和政——ジャコバン再考』岩波書店。

那須敬(二〇一二)「宗教統一を夢みた革命?——内戦期イングランドの宗教政策とスコットランド」岩井淳編『複合国家イギリスの宗教と社会』ミネルヴァ書房。

那須敬(二〇一九)『イギリス革命と変容する〈宗教〉』岩波書店。

那須敬(二〇二二)「アイルランド国教会とイングランド国教会——チャールズ一世期の宗教統一構想」岩井淳・道重一郎編『複合国家イギリスの地域と紐帯』刀水書房。

古谷大輔・近藤和彦編（二〇一六）『礫岩のようなヨーロッパ』山川出版社。
ポーコック、J・G・A（二〇一三）『島々の発見――「新しいブリテン史」と政治思想』犬塚元監訳、名古屋大学出版会。
モリル、ジョン（二〇〇四a）「一七世紀ブリテンの革命再考」富田理恵訳、『思想』九六四号。
モリル、ジョン（二〇〇四b）「ブリテンの複合君主制 一五〇〇―一七〇〇」後藤はる美訳、『思想』九六四号。
モリル、ジョン（二〇一二）「一七世紀――アイルランドの困難の時代」後藤はる美訳、『思想』一〇六三号。
山本正（二〇〇二）『「王国」と「植民地」』思文閣出版。
山本正（二〇〇七）「「アイルランド国王」であること」指昭博編『王はいかに受け入れられたか――政治文化のイギリス史』刀水書房。
山本正（二〇一八）「王国への昇格と植民地化の進展」上野格・森ありさ・勝田俊輔編『世界歴史大系 アイルランド史』山川出版社。
山本正（二〇二二）「三王国戦争期のアイルランド――プロテスタント複合国家イギリスとヨーロッパ・カトリック世界のはざま」岩井淳・道重一郎編『複合国家イギリスの地域と紐帯』刀水書房。
ラングフォード、ポール監修（二〇〇九―二〇一五）『オックスフォード ブリテン諸島の歴史』全一一巻、鶴島博和日本語版監修、慶應義塾大学出版会。
リチャードソン、R・C（一九七九）『イギリス革命論争史』今井宏訳、刀水書房。
Braddick, M. J.（2008）, *God's Fury: England's Fire: A New History of the English Civil Wars*, London, Penguin Books.
Braddick, M. J.（ed.）（2015）, *The Oxford Handbook of the English Revolution*, Oxford, Oxford University Press.
Carlton, C.（2011）, *This Seat of Mars: War and the British Isles 1485–1746*, New Haven and London, Yale University Press.
De Krey, G. S.（2007）, *Restoration and the Revolution in Britain*, Basingstoke, Palgrave Macmillan.
von Friedeburg, R. and J. Morrill（eds.）（2017）, *Monarchy Transformed*, Cambridge, Cambridge University Press.
Harris, T.（2005）, *Restoration: Charles II and His Kingdoms 1660–1685*, London, Allen Lane.
Harris, T.（2006）, *Revolution: The Great Crisis of the British Monarchy, 1685–1720*, London, Allen Lane.
Hart, J. S. Jr.（2003）, *The Rule of Law, 1603–1660*, Harlow, Longman.
Kelsey, S.（2003）, "The Trial of Charles I", *English Historical Review*, 118-477.

Kelsey, S. (2019), "Instrumenting the trial of Charles I", *Historical Research*, 92-255.

Knights, M. (1994), *Politics and Opinion in Crisis, 1678-81*, Cambridge, Cambridge University Press.

Knights, M. (2005), *Representation and Misrepresentation in Later Stuart Britain: Partisanship and Political Culture*, Oxford, Oxford University Press.

Lake, P., and S. Pincus (2007), "Rethinking the Public Sphere in Early Modern England", P. Lake and S. Pincus (eds.), *The Politics of the Public Sphere in Early Modern England*, Manchester, Manchester University Press.

Levack, B. P. (1987), *The Formation of the British State: England, Scotland and the Union, 1603-1707*, Oxford, Oxford University Press.

Little, P., and D. L. Smith (eds.) (2007), *Parliament and Politics during the Cromwellian Protectorate*, Cambridge, Cambridge University Press.

Macinnes, A. I. (2005), *The British Revolution, 1629-1660*, Basingstoke, Palgrave Macmillan.

Morrill, J. S. (1993), *The Nature of the English Revolution*, London, Longman.

Ohlmeyer, J. H. (ed.) (2018), *The Cambridge History of Ireland, vol. 2: 1550-1730*, Cambridge, Cambridge University Press.

Orr, D. A. (2002), *Treason and the State: Law, Politics and Ideology in the English Civil War*, Cambridge, Cambridge University Press.

Pocock, J. G. A. (ed.) (1990), *Three British Revolutions, 1641, 1688, 1776*, Princeton, Princeton University Press.

Peacey, J. (2013), *Print and Public Politics in the English Revolution*, Cambridge, Cambridge University Press.

Prior, C. W. A., and G. Burgess (eds.) (2011), *England's Wars of Religion, Revisited*, Farnham, Ashgate.

Raymond, J. (1996), *The Invention of the Newspaper: English Newsbooks 1641-1649*, Oxford, Oxford University Press.

Raymond, J. (2003), *Pamphlets and Pamphleteering in Early Modern Britain*, Cambridge, Cambridge University Press.

Russell, C. (1987), "The British Problem and the English Civil War", *History*, 72-236.

Russell, C. (1990), *The Causes of the English Civil War*, Oxford, Oxford University Press.

Sherwood, R. (1997), *Oliver Cromwell: King in All but Name 1653-1658*, Stroud, Sutton Publishing.

Tyacke, N. (ed.) (2007), *The English Revolution c. 1590-1720: Politics, Religion and Communities*, Manchester, Manchester University Press.

Vallance, E. (2021), "Testimony, Tyranny and Treason: The Witnesses at Charles I's Trial", *English Historical Review*, 581.

コラム｜*Column*

オランダ独立戦争

桜田美津夫

一五七二年四月一日、今日のベネルクス三国にほぼ等しい低地諸州（ネーデルランデン）の、ロッテルダム西方の港町デン・ブリル（現ブリレ）は、大貴族オランイェ公ウィレムを指導者と仰ぐ海乞食党（ワーテルヘーゼン）の船団によって襲撃、占拠された。上陸した彼らの一隊は「枝切れ、ピッチ、藁などを使って門に火をつけ、ついで一本のマストを用いて門を突き破った」（ボル、P. Bor）。突破されたのは町の北門で、今もその土台が史跡として保存されている。

低地諸州出身の雑多な亡命者からなる海乞食党によるデン・ブリルの占拠は、スペイン王権に対する反乱の烽火となり、北海に面したホラント、ゼーラント両州を中心に多くの都市がオランイェ支持に転じた。後から見ればこれがオランダ建国の重要な起点だったことから、この小港市占拠をフランス革命におけるバスティーユ襲撃に準える向きもあるほどだ。また、両州の反乱をスペイン国王軍の攻撃から守り切ったことで、オランイェ公ウィレム（一世）は「国父」として歴史に名を残している。

いわゆるオランダ独立戦争は、前半の「低地諸州の反乱」と後半のオランダ対スペインの二国間戦争からなり、間に「十二年休戦」（一六〇九―二一年）が挟まっている。武装闘争が始まった一五六八年から、オランダとスペインが講和を結んだ一六四八年までをさす「八十年戦争」という呼称も、オランダの史書では広く用いられている。

「低地諸州の反乱」は一五六〇年代に、低地諸州をも領有するスペイン王フェリーペ二世の中央集権政策と厳格な異端（新教徒）取締りに対する貴族たちの抗議として始まった。これが導火線となり、一五六六年にカルヴァン派信徒らが聖画像破壊の暴動を起こすと、フェリーペは武断派のアルバ公を懲罰軍とともに低地諸州に送り込む。だが、アルバの前例なき厳罰主義や商業活動への干渉が商人や市民層の反発を誘発し、六八年以降、オランイェに指揮された本格的な武装闘争が始まる。七二年四月には上述のデン・ブリル占拠があり、同年七月には初めて自発的に集会したホラント「州議会」（身分制議会）が、独断でオランイェを「州総督」（王に次ぐ地位）と認め、反アルバの姿勢を明確にする。こうして低地諸州は、反乱に転じた北部のホラント、ゼーラント両州と、王権に従順な諸州とに二分され内乱となった。

一五七六年の「ヘントの和平」は、給料不払いで暴徒化し南部諸州で略奪を働くスペイン国王軍を追い払うため、各州議会の代表を集めた「全国議会」が自らの意志で、反乱二州と他の従順諸州との和解を宣言したものである。しかしこの

ブリレの北門跡．手前が北海側(1985 年撮影)

急拵えの和平体制は長続きせず、七九年には最南部の若干の州が離脱して王権に帰順し、逆に北部諸州中心に結成されたユトレヒト同盟は闘争継続と共同防衛を約し合った。

闘い続けるには外国からの支援が不可欠と信じるオランイェは、支援要請に唯一人応じたフランス王弟を新国王に迎える計画を立て、全国議会は一五八一年、フェリーペに対する「国王廃位布告」を決議した。だが新君主招聘の実験は失敗し、八四年にはオランイェも暗殺されてしまう。

結局新しい君主を探し出せなかった反乱側の各州議会は、一五八八年、ついに自ら主権を担うことを決意する。父ウィレムの後を継いで州総督になったマウリッツは軍制改革を行い(軍事革命)、敵軍への反撃を開始した。ホラント州法律顧問ファン・オルデンバルネフェルトは、一五九六年には英仏両国と同盟を、一六〇九年にはスペインと十二年休戦条約を結ぶことに成功した。こうして反乱は「議会主権国家」オランダ共和国の誕生という意外な終点に辿り着いた。休戦期間終了後、八十年戦争は共和国南部国境地帯の争奪戦として続いていく。

二〇世紀には、このオランダ独立戦争が早熟的ブルジョワ革命であるか否かが議論されたことがあった。だが、その後の様々な革命理論の援用なども含めて、ほとんどは「プロクルステスの寝台」、つまり理論に合わせた史実の操作であって、独立戦争の実態解明には寄与しなかった。独立戦争のメインテーマは本来、史実それ自体の入念な調査の中から導き出されるべきものだろう。現時点では、「低地諸州の反乱」を、身分制議会と君主権との主導権争いで議会側が勝利する過程とみなす川口博の説明(一九九五年)が最も妥当と思われ、これは、「八十年戦争」を、守旧的な動きではなく議会が成熟した政府へと構造変化していく進歩的過程と捉えるグルンフェルト(S. Groenveld)の見方(二〇一八年)とも相通じる。

とはいえ、長期にわたるオランダ独立戦争の基本的性格は何かという大問に答えるには、やはり時期を区分し、地域、都市ごとの事例研究を積み重ね、かつまた幾つかの小問に分け、各々につき今後もさらに調査研究を深めていくことが求められる。「カルヴィニズムの意義は?」「貴族が果たした役割は?」「フェリーペ二世の戦略は?」「経済は原因か結果か?」「反乱はいかなる政治理論によって正当化されたか?」、その他様々な問いが答えの更新を待っている。

焦点｜Focus

ロシアの「大航海時代」と日本

豊川浩一

はじめに

かつて筆者は、一八世紀ロシアの国家と社会の構造的転換、および探検による空間認識の変化の関係について考察した(豊川 二〇一六b)。そこで紹介したアメリカの歴史家リチャード・ウォートマンは、ロシアの「大航海時代」における探検を通して、地方の「発見」という一大事業により、国家と社会が自らの帝国性や存立基盤について改めて認識し、さらには諸政策を行うための鍵となる要素を発見した点が重要であるという(Wortman 2003: 90-117)。しかし、すでにロシアは探検へと向かう機会を経験していた。

第一のそれはモスクワ国家がインドとその間に広がる中央アジアに着目したことである。きっかけは英国モスクワ会社代表で、エリザベス一世(在位一五五八―一六〇三年)のイヴァン四世(在位一五三三―八四年)への使節としてたびたびロシアを訪れるアンソニー・ジェンキンソン(一五三〇?―一六一〇／一一年)の中央アジア通商路開拓の事業を推進しようとする方針であった。ジェンキンソンの後には、ウズベクの王侯たちがロシアの辺境都市やモスクワへ使節を遣わし、またロシア側も使節をブハラやヒヴァへと派遣した(豊川 二〇一六b：一〇七頁)。

第二の機会を長崎にある「日本二十六聖人記念館」所蔵の「モスクワ地図 一七世紀」と日本人の殉教を伝えるキャプションによって知ることができる。アウグスチノ会の日本人修道士ニコラスは、ローマへ赴く途中モスクワで捕らえられて牢獄生活を送り、一六一一年ニージニー・ノヴゴロドで殉教した。彼は幼い時に両親と一緒に日本からマニラに渡航して同地でカトリックの洗礼を受け、一五九四年にアウグスチノ会に入会して修道誓願を立てた。二年後、マニラの同会の決議によってローマの総会へ派遣が試みられた。一度目は太平洋経由の航海のため土佐漂着という失敗で終わった。九七年の二度目の派遣では、会の神父とその愛弟子である日本人修道士が代表としてマニラを出発した。マカオ、マラッカ、ゴアを経由し、一六〇〇年初夏にサファヴィー帝国の首都イスファハーンを経てロシアに入る陸路をとった。同年、ヴォルガ川を上ってニージニー・ノヴゴロドを通過してモスクワに到着した。「動乱時代」(スムータ)のロシアはポーランドやスウェーデンの侵入や干渉に苦しんでいた。翌年三月末頃、カトリックに厳しかったツァーリ、ボリス・ゴドゥノフ(在位一五九八―一六〇五年)により捕まり、白海に面するソロヴェツキー(ソロフキ)修道院に流された。ヴァシーリー・シュイスキー(在位一六〇六―一〇年)治下の〇六年五月、両名はモスクワに戻されて当局の尋問を受け、一〇年にはニージニー・ノヴゴロドに移送される。翌年、外国勢力に対する敵意もあってロシアに渡った最初の日本人は処刑された(中村 一九八〇:一―三〇頁)。

第三のそれはニコラス・ヴィッツェン(一六四一―一七一七年、アムステルダム市長一六八二―一七〇六年)の著作である。一六六四―六五年、オランダ政府から派遣された使節がアレクセイ・ミハイロヴィチ(在位一六四五―七六年)時代のロシアを訪問した。モスクワに滞在したのが六五年一月からの四カ月間である。その首席随員ヴィッツェンの日記にはそのあたりの事情が詳しく書かれている(Витсен 1996; 中村 二〇〇六)。しかしこの日記はシベリアの情報を収集した著作『北方および東方のタルタリア』のプロローグに過ぎなかった。ヴィッツェンがモスクワを訪問してから死去するまで、その学問的興味はロシアと深く結びついていた。自伝の中で、このオランダ人は次のように書いている。

「モスコヴィア(＝モスクワ国家)で、彼(自らを三人称で書いている)は、サモエード、タタール人、ペルシア人などと交わった。そのことがタルタリア(＝シベリア)の地図とその後の北方と東方のタルタリアの歴史を編むための基礎となった」(Витсен 1996: 8)。第一版(一六九二年)の準備に二五年を費やし、第二版(一七〇五年)の改作のために一〇年をかけ、そして第三版は死後七〇年ほど経た一七八五年に刊行されている。[1] 労作の完成にあたっては、オランダ領インド総督たちの書簡の利用やオランダ人イエズス会士の協力があった(Витсен 2010: X-XIII)。「コロンブスによる新大陸の発見」に比肩されるこの作品は、同時代の学者たちによって大いに称賛され、ロシアが探検を推し進める重要な起点となった。イヴァン五世(在位一六八二―九六年)と異母弟ピョートル一世(大帝、在位一六八二―一七二五年)が共に署名した一六九一年の証書の中でロシア政府による感謝を受けたのである(Витсен 1996: 8; Витсен 2010: XIII, XXIV-XXV)。

近代化を推進するピョートル一世は、それ以前とは異なって積極的に海外に進出した。ピョートルにとって西方では北方戦争によってバルト海沿岸に強固な足場を築くことを主要課題とするならば、東方におけるそれは、中国、インド、イランそしてカザフの諸オルダ(民族ないし種族、あるいはその連合)や中央アジア諸地域と経済的に幅広く緊密な関係を樹立することであった(ПСЗ: T. IX. №№ 6571, 6576, 6584)。そのため大帝はアム・ダリア下流右岸のウルゲンチ・カラの金鉱を占領すること、および中央アジアやインドとの貿易を安全かつ迅速に行うためアム・ダリアに通ずる要塞線の建設を計画した。これは一七一六年のアレクサンドル・ベコーヴィチ＝チェルカッスキー公(生年不詳―一七一七年)によるアム・ダリア遠征によって実行されたが、翌年、この遠征隊はヒヴァで殲滅(せんめつ)される(РГАДА. Ф. 248. Оп.3. Кн. 90: 99-148; Андреев А.А. 2020: 152-186)。それにもかかわらずピョートルはさらにヒヴァやブハラの諸ハン国に対してロシアへの服属を促したのである(*Очерки истории СССР* 1954: 601-602)。なおその前年、政府は陸軍中尉H・H・コージンに命じてカスピ海を視察させ、中央アジアよりインドに達する水路があるかどうかを調査させている(ПСЗ. T. V. № 2994)。

また一七三四年五月一日、[2] イヴァン・キリーロフ（一六九五—一七三七年）が政府に提出した「草案」も重商主義に基づく海外進出を主張している。彼はイヴァン五世の娘アンナ女帝（在位一七三〇—四〇年）のもとで行政の最高執行機関である元老院の秘書官長を務め、また科学アカデミーでも地理学者として活躍した。彼は、日本についても触れている「草案」の冒頭で次のように述べる。「偉大で不朽の二つの事業は、それが栄光であるのみならず、帝国の拡大および計り知れない富への扉を開くものでありましょう。すなわち、第一の事業はシベリアとカムチャツカへの遠征であります。第二のものはいまだ扉を開けていないのですが、キルギス・カイサク（＝カザフ）とカラカルパク（＝カラカルパキア）に関する事業であります。神のご加護を懇願し、それらが成就するなら、ロシアの版図は一層拡大し、そこからの収入が臣民の負担の軽減をもたらすものでありましょう」（НИОР РГБ. Ф. 222. Карт. XI: 141; *Материалы по истории России* 1900: 1; 豊川 二〇〇六：一八八頁）。ピョートル時代と同様に積極的領土拡大の方針が明確に示されている提案は、即座に承認されてオレンブルク遠征隊が組織された。「大航海時代」に匹敵する一八世紀ロシアの探検とはいかなるものであったのだろうか。

一、探検するロシア

一七二一年、スウェーデンとの北方戦争を終結させたニスタットの和約を祝う席上、ピョートルは皇帝（император）の称号を受けた。宰相ガヴリール・ゴローフキン（一六六〇—一七三四年、宰相一七〇九年以降）が元老院へ向けた演説で君主の名称の変化について、そのシンボリックな意味を次のように述べている。曰く、ピョートルはロシア人を「無知の闇から世界の劇場へと、すなわち無から存在へ、言い換えれば世界の政治的国民」へと導いた（Соловьев 1993: 311）。この表現は、無知や迷信から科学奨励への転換を示しながら、そうした動きは危険を冒して知られざる国土の調査に乗り出して領土を拡大してきた「世界の政治的国民」によって奨励されたこと、そしてピョートル以前のロシアが保持していた教会の権威や権力を排し、古代ローマ帝国が示した強大な世俗権力への志向を内包していたと考えることができる。

すでに一七世紀以来、シベリアはヨーロッパの学者や探検家にとって興味の的となっていた。オランダやドイツの学者たちはその地域についての記述を刊行し始めた。オランダ商人E・Y・イデスによる『モスクワから中国への三年に及ぶ陸路での旅』(一七〇三年)および先述のヴィッツェンの著作がその好例である。ピョートル治下のロシアも努力を怠ることはなかった。ヤクーツク・カザークの五十人長にしてシベリア官署役人ウラジーミル・アトラーソフ(一六六一?—一七一一年)は、日本人漂流民デンベイ(伝兵衛)の発見者として有名であるが、彼に率いられたカザークの遠征隊はカムチャツカの調査を行った(Оглоблин 1981a: 1-18; Оглоблин 1981b: 11-24; 村山 一九六五:三—一七頁、高野 一九七一:四九—五五頁、平川 二〇〇八:一七—二三、二四—二九頁)。またダニーロ・アンツィーフェロフ(生年不詳—一七一二年)とイヴァン・コズィレーフスキー(一六八〇頃—一七三四年)はクリール諸島(千島列島)を調査した(Donnert 1986: 95-96)。

ロシアのシベリア進出は一一世紀以来のノヴゴロドによる植民運動に始まるが、本格的な領土拡張は一六世紀のイヴァン四世による軍事植民である。製塩業者ストローガノフ家配下のイェルマークは、ツァーリからシベリアの征服と開発を任せられた。その狙いは毛皮をはじめとする豊富な天然資源の獲得である(菊池 一九九八、田辺 二〇一一)。ニコライ・カラムジーン(一七六六—一八二六年)は、イェルマークを儲けへの粗野な貪欲と名誉への高潔な嗜好によって動かされた、浮浪人の一団を指揮する「ロシアのピサロ」と特徴付けた(Карамзин 1989: 224-242; Дальман 2016: 93)。一七世紀には毛皮がロシア最大の輸出品となり、そのためボリス・ゴドゥノフによってシベリア進出が本格的に行われ、一連の砦が大河沿いに建設された。シベリア先住民にはヤサークと呼ばれるクロテンやリスなどの毛皮で納める現物税が課された。重要な点は、強制的な改宗と労働力確保を行いつつ、ヤサーク徴収がカザークによる先住民の奴隷化と一体となって遂行されたことである。毛皮獣を求めて猟師や商人がシベリアを移動し、カザークが軍事拠点を作るとほぼ同時に農業植民が始まっている。これには領主による農奴の入植以外に、多くの農民を抱えていた修道院も大きな役割を果たした。また逃亡農民による非合法な移住もあった。シベリアへ派遣された行政官たちは地方住民からヤサークを可能な限り徴収し、そのため一八世紀に入ると毛皮獣の枯渇を招いて毛皮貿易が衰えた。その後は鉱山開発が盛んになった。まず鉄や銅の鉱石、次いで金やダイヤモンド、さらには石油、石炭、天然ガスなどの豊富な地下資源が発掘された。この労働力には農民以外に流刑囚も使用されたのである(吉田 一九八九：四五—五一頁、豊川 一九九五：二七—五九頁)。

ピョートルとライプニッツ(一六四六—一七一六年)の往復書簡のなかで、この初期啓蒙主義の哲学者は、果たしてアジアが北アメリカと陸続きであるか否かと疑問を呈し、皇帝はその答えを見出そうと決心した(Герье 2008: 763-765)。これが一八世紀ロシアの探検のきっかけである。一七二〇年、ピョートルは二人の若き測量技師に、トボリスク、そこからカムチャツカ、さらに両人が目にするその先へ行くように、またアメリカがアジアと陸続きであるかどうか判別すべく、それらの土地を叙述するように、と命じた(Соловьев 1993: 516-517)。しかし彼らがピョートルに提出したのはクリール諸島の地図一枚だけであった。

死の床にあったピョートルは、デンマーク人ヴィトゥス・ベーリング(一六八一—一七四一年)に訓令を発して先の仕事を託すことになる(ПСЗ. Т. VII. № 4649: 413; 豊川 二〇〇七：八三—八四頁)。ベーリングはその調査で陸伝いに太平洋まで達するのに三年を要した。最初の探検(一七二五—三〇年の第一次カムチャツカ探検)は満足のいくものではなく、アメリカ大陸に達することはできなかった。しかしこうした探検の使命は、単に学術的な面のみならず、ロシア帝国がさらに突き進んで植民地獲得を行い得るかどうかという方向性を見極めることでもあった。それは将来の露米会社の活動を見るとより明らかとなる。

なお一七一九年、ツァーリは日本および東インドへの道を探求しようとした。また執務室の書類のなかにはカリブ海に浮かぶトバゴ島購入計画についての文書がある。この二一年の計画はサンクト・ペテルブルクとラテン・アメリカの間に直接の交易を発展させることを考えたものであるが、「そのうちにこの島からロシアは大きな利益を得ることができるかもしれない」という思惑があった(Ден 1999: 186, 382)。二三年には東アフリカのマダガスカル島への探検を計画した(Андреев А.И. 1943: 4-5; Петрухинцев 2014: 399-400)。

ニコライ・ペトルヒンツェフは、アンナ女帝時代の内政に関する大著の中で、ベーリングの第二次カムチャツカ探検計画とキリーロフのオホーツクを経由して極東開発を図る考えは、両人の意見交換の産物であったとしている。おそらくキリーロフは当該探検の所轄官庁であるシベリア官署を統括していた元老院総裁П・И・ヤグジンスキー(一六八三―一七三六年、総裁一七二二―二六年および三〇―三一年)の協力を得ることに期待をかけていたのであろう(Петрухинцев 2014: 400)。一七三二年末、ベーリングによる第二次カムチャツカ探検計画の手直しと諸機関との調整が終了した。同年一二月三一日、元老院の承認する上申書が女帝に提出され、探検隊には調査すべき四つの課題が与えられた。第一は北海航路の調査(北方隊)、第二はシベリアの天体観測、地図作製、経済地理および歴史民族誌の記述(学術隊)、第三は日本と中国への航路調査、そして諸島ならびに沿岸の記述(後述するマルティン・シパーンベルク指揮下の「日本」隊)、第四はアメリカへの航路調査、およびロシアにアメリカの海岸の一部が結合している可能性があるアメリカ海岸の調査(ベーリング指揮下の「アメリカ」隊)である(Петрухинцев 2014: 404)。ライプニッツに示唆されてピョートルの発案によりその死後に創設される科学アカデミーは(Герье 2008: 766-767)、ベーリングの第二次探検を後援することになる。海の探検は壮絶かつ困難を極めた。トボリスクから船が建造されるオホーツクまで装備と供給品の移送には何百台もの橇(そり)が必要となり、結果的に探検には八年を要した。ベーリングはついに北アメリカ大陸の海岸を見つけたが、本人は帰途病没する。

陸地の探検によるシベリア調査は、物質的な蒐集だけでなく、遠征の地図や地誌の資料が地域の将来にわたる人類学的、歴史学的、植物学的そして動物学的な諸研究の基礎を提供した(Токарев 1966: 82-85, 87-93; Donnert 1986: 99-100; Robel 1997: 276-278)。このベーリングによる第二次探検についての学術的テキストは、しばしば言われるように、ロシア帝国の性格を示す力強いシンボルであった。精巧な図解や地図が添えられ、あるいはすぐさまヨーロッパの各国語に翻訳されたそれらのテキストは、ロシアに関してロシア人が後援するヨーロッパの探検であることを示している。しかし、この逆説的な関係性は、探検隊指導者たちあるいはテキストの作者たちがいかなる民族であるかにかかわらず(すなわちヨーロッパのどの国の人であろうとも)、その探検を「ロシアの探検」と規定することによって覆い隠されることとなった。ドイツ人G・F・ミューラー(一七〇五―八三年)が「北東の進路を探すために北氷洋へのロシア人による航海に関する概要」の作者として、またデンマーク人ベーリングが「最初のロシア人船乗り」として有名になったのはその好い例である(豊川 二〇一六b：四九頁)。

同様の関係性はロシアのシベリアに対する場合にも当てはまる。一七三〇年代、ヴァシーリー・タチーシチェフ(一六八六―一七五〇年)はヨーロッパとアジアの境をウラル山脈に引き、この境界はまもなく多くの人々の受け入れるところとなった。現代の地理学者マーク・バッシンは、「一挙に、シベリアは新たに規定された「ヨーロッパ・ロシア」とは明確に区別されるアジアの領域へと変貌した」という(Bassin 1991: 767-770)。すなわちロシア帝国はウラル以東をヨーロッパではないアジアとして征服し植民することになったのである。

二、ロシアの日本接近

一八世紀の日露関係は、アダム・ラクスマン（一七六六—一八〇六年）の根室寄港（一七九二年）によって頂点に達する。この第一回遣日使節は、大黒屋光太夫たち日本人漂流民を乗せて日本との通商関係樹立を目的にしていたが、その背景にはイルクーツク商人団の強い意向があった（Архив СПбИИ РАН. Ф. 36. Оп. 1. Д. 609; 豊川 二〇一八：一〇五—一一三頁）。この目的の他に、ロシアは極東経由で北太平洋への積極的な進出を窺っていた。

一七一四年、ピョートル一世宛造船技師Ф・С・サルティコーフの書簡は、白海に臨むアルハンゲリスクから北太平洋まで、またそこから中国や日本までの航路探索の必要性を説いている。翌年のピョートル一世の官房宛ヤクーツクの地方長官Я・А・エーリツィン報告は、毎年松前からクリール諸島に日本人が訪れて交易のため日本の商品を持ってくると語っている（РГАДА. Ф. 9. Отд. II. Кн. 13: 958–962; Ф. 9. Отд. II. Д. 43: 375–376; *Русские экспедиции* 1984: 21–24, 28; 平川 二〇〇八：三一—三四、四〇—四一頁）。

一七二六年六月の前述のコズィレフスキーが作製した「カムチャツカ岬と海洋の島々の地図」には、クリール諸島、松前、日本国、またその様々な都市、および国家統治、生活条件、住民の日常生活と生業、航海、国の地理的な位置などに関する詳細な説明が記されている（РГАДА. Ф. 199. Д. 533. № 8: 1–12об.; *Русские экспедиции* 1984: 50–52; 平川 二〇〇八：五三—六三頁）。三二年一〇月一六日付ロシア艦隊司令官たちの意見書は、バルト海に臨むクロンシュタットから太平洋へ第二次カムチャツカ探検隊を派遣し、毎年そのような航海を繰り返すことによって対日通商関係の樹立を促進してさまざまな利益を得ることは合理的であると述べている（РГАДА. Ф. 248. Кн. 1089: 548–552; *Русская тихоокеанская эпопея* 1979: 534–538; 平川 二〇〇八：七五—七九頁）。翌年三月一六日以降とされるキリーロフの覚書は、ロシア人航海士によるクリール諸島への航海の様子を語り、また同地をロシア直轄として対日通商関係樹立を目指すという内容である（РГАДА. Ф. 199. Д. 512. № 1: 4; *Русские экспедиции* 1984: 154）。

一七三六年五月一〇日付元老院布告は、二名の薩摩の漂流民ソウザとゴンザの処遇に関するものである（ПСЗ. Т. IX.

№ 6956: 812)。筆者の発見した史料とともに、これらの史料はロシア政府が日本人への対応と将来の交易に向けて十分検討していたことを示している(РГАДА. Ф. 240. Оп. 4. Д. 164: 1108-1112об.; 豊川 二〇一六a：六一—七三頁)。政府は漂流民にロシア人への日本語教育を任せ、彼らに通商交渉で果たす役割を期待したのである。同年、科学アカデミーに日本語学校が設立された(五〇年代にイルクーツクに移設)。

一七三九年(元文四年)、ロシア船が初めて日本の沿岸に現れ、ロシアの船乗りたちは、真水、食料、薪の蓄えの補充に一度ならず上陸した。ベーリングの第二次探検隊のうち、デンマーク人マルティン・シパーンベルク(一六九六—一七六一年)大尉に率いられた船が、同年六月一日にカムチャツカ半島のボリシェレツクを出帆して日本への航路発見の航海に出た。そのうち三隻は仙台藩領の牡鹿(おしか)郡田代島沖に達した。乗組員は日本人漁師から米、野菜、魚などの食料、そしてたばこなどを受け取った。それに対して、ロシア人は更紗やロシアの銀貨などを与えている。また同年、ウォルトン(あるいはヴァリトンかヴェリトン)指揮の聖ガヴリール号は、安房(あわ)国長狭(ながさ)郡天津(あまつ)村(現在の千葉県鴨川市)の沖合に停泊した。八人の船員がボートで上陸してその村の漁師から真水の提供を受けたうえに、飯と酒までも馳走になった。このロシア船はさらに南下して伊豆の下田沖にまで至り、ここに上陸した乗組員はみかんの木や真珠貝を持ち帰った(РГАДА. Ф. 248. Кн. 1327: 634-640; *Русская тихоокеанская эпопея* 1979: 510-515; 平川 二〇〇八：一八四—一九〇頁)。ロシア人が与えた銀貨は土地の領主から江戸幕府の老中に届けられ、彼はこれを長崎奉行に送り、オランダ商館による鑑定を依頼した。これを受けて、オランダ商館長は、銀貨が「ム(モ)スコヴィア」、すなわちロシアのものであると結論付けた。以上が日本にとっての「元文の黒船」である(高野 一九七一：八四—八九頁、加藤 一九七四：八一—八四頁、豊川 二〇一六b：四八—四九頁)。

一七五八年二月二四日付シベリア県知事Ф・И・ソイモーノフの元老院宛上申書は、イルクーツク商人И・С・ベチェヴィンによる準備中の太平洋と北氷洋への遠征について論じている。同年一〇月三〇日の史料は、彼とウスチューグ商人たちによる遠征のその後について述べている。七四年の史料はロシア人商人によるアレウト列島・クリール諸島での毛皮採取用ラッコ猟に関するものである(РГАДА. Ф. 248. Оп. 113. Д. 485а: 436-441об.; Ф. 248. Оп. 113. Д. 485а: 442-442об.; Ф. 199. Д. 528. Ч. 1. Тетр. 19: 74об.-76; *Русская тихоокеанская эпопея* 1979: 306-312, 320-321; 平川 二〇〇七：四六－四七頁、平川 二〇〇八：二一一－二一八頁)。

一七七五年六月八日付カムチャツカ司令官М・К・フォン・ベム少佐の南クリール諸島探検隊長И・М・アンチーピン宛訓令がある。これは通商関係樹立のため日本人と接触すること、そのためには「日本帝国」の大きさ、住民の宗教・生活・習慣・風俗・衣服・手工業・農業・畜産業などについて調査を目的とする航海が必要であると述べている(РГАДА. Ф. 7. Оп. 2. Д. 2539: 96-112; *Русские экспедиции* 1989: 145-154; 平川 二〇〇七：五一－六三頁)。七七年九月一〇日－一〇月一一日のМ・ペトゥシコーフ航海士によるクリール諸島への航海日誌は、日本人と会ったことを伝えている。翌年五月三一日－九月四日のイルクーツク商人Д・Я・シャバーリンのクリール諸島と蝦夷への航海日誌には、松前の北東にあるアッケシ(厚岸)という村落で日本人と交渉が行われたと記されている。七九年八月二七日－八〇年九月一七日のアンチーピンによるクリール諸島への航海日誌によると、ウルップ島で越冬して日本人と面会し、松前から日本船が到着したこと、およびその船長との会談で通商によるお互いの利益について話し合った(РГАДА. Ф. 7. Оп. 2. Д.2539: 133-137об., 154-168, 240-284, 532; *Русские экспедиции* 1989: 189-199)。それより以前の七八年八月二八日付オホーツク港官房宛アンチーピン報告は以上のこと以外に、別のことも付け加えている。ウルップ島への航海で帆船聖ニコライ号が沈没したこと、クリール諸島の一八番目の島で越冬をしたこと、またアンチーピンがその島を訪れたシャバーリンに彼のカヤック三隻で「二二番目の島であるアッケシ」へ航海して日本人と面会するように指示書を手渡したことなどである(РГАДА. Ф. 7. Оп. 2. Д. 2539.: 138-139; *Русские экспедиции* 1989: 160-162; 平川 二〇〇七：七二－七五頁)。そのためか同年九月四日以前ではあるが、シャバーリンがクリール諸島へ航海の際、彼自身の作成した択捉・国後島ならびに日本船が入港した国後島の港湾の地図が残されている(РГАДА. Ф. 7. Оп. 2. Д. 2539: 531)。

一七七八年九月四日付オホーツク港官房宛シャバーリン報告は興味深い。カヤック三隻でウルップ島まで行き、そこから日本船「タネマル号」が停泊していた「アトキス(厚岸)という島」へ航海し、そこで日本人と交渉した後、彼らの依頼に応じて、黒パン・白パン・大麦粥・タバコなどを提供した。同年六月二〇日に日本の住居を訪問し、温かいもてなしを受けた。また、二二日には日本船を訪問し、二四日には日本人の兵舎で豪華な見送りを受けている。そしてこれらの交流の際、国後島で交易を行う希望が述べられた(РГАДА. Ф. 7. Оп. 2. Д. 2539: 124-132; *Русские экспедиции* 1989: 163-170; 平川 二〇〇七：七六—八六頁)。同年九月四日以降の史料であるが、それは通商樹立についての交渉が行われた「マツマエ島」の厚岸からシャバーリンが持ってきた日本人の書簡について述べている。通商交渉と饗応の様子に関して、シャバーリン宛とロシア居住の日本人宛の史料が残っている(РГАДА. Ф. 7. Оп. 2. Д. 2539: 153а-153д)。

一七七九年一月二四日付元老院総裁A・A・ヴャーゼムスキー公(一七二七—九三年、元老院総裁六四—九二年)宛イルクーツク県知事Ф・Г・ネムツォーフの書簡がある。アンチーピンとシャバーリンによるクリール諸島への航海、シャバーリンによる厚岸への航海、毎年の国後島における日本人との面会の約束、贈呈品交換、およびクリール諸島の海図作成や松前における日本人との面会を目的とするオホーツク港司令官ズーボフ大尉のクリール諸島派遣の必要性を説いている。八一年五月一日付ヴャーゼムスキー公宛イルクーツク県知事Ф・Н・クリーチカの書簡がある。その中では、アンチーピンたちによる蝦夷の北西端(二二番目の島、厚岸島)への到着、そこでの日本人役人との面会・交渉、一年後の国後島での再会の約束、しかしそれが「実現しそうにない」こと、クリール諸島の海図作製や対日通商関係の締結を目的とするズーボフ大尉の派遣が適切でないことが述べられている(РГАДА. Ф. 7. Оп. 2. Д. 2539: 148-150, 202-203об.; *Русская тихоокеанская эпопея* 1979: 474-476; *Русские экспедиции* 1989: 178-180; 平川 二〇〇七：九八—一〇一、一二三—一二五頁)。

そして一七九三年九月一一日付のアダム・ラクスマンの日本への航海日誌には次のことが書かれていた。根室港での越冬、箱館および松前への到着、日本人役人との交渉、外国人の入国禁止に関する書類の受領、救済された日本人(大黒屋光太夫を含む三名)の引き渡し、長崎港への入港が一隻に限って許可されたことについてである(РГАДА. Ф. 1261. Оп.1. Д. 559: 24-25; *Русская тихоокеанская эпопея* 1979: 516-517; 平川 二〇〇七:一八二―一八三頁)。すでに息子アダムを日本へ送り出した科学アカデミー会員キリール・ラクスマン(一七三七―九六年)による同年一二月八日付商務参議会総裁A・P・ヴォロンツォーフ伯(一七四一―一八〇五年、商務参議会総裁七三―九四年)宛書簡には、アダムによる日本への探検隊を組織するための支援、江戸幕府への推薦書および贈呈品の用意に関する文章が見える(РГАДА. Ф. 1261. Оп. 1. Д.559: 6-606.; *Русская тихоокеанская эпопея* 1979: 515-516; 平川 二〇〇七:一八三―一八四頁)。

以上の史料は、首都の中央行政官庁と密に連絡をとりながらも、極東の行政機関が人的交流によって日本と丁寧な交渉を行っていたことを跡付けている。また通商・国交樹立を求める背景として、北太平洋で蝦夷地やクリール諸島のアイヌを介して(またその犠牲の上に)開かれた交易が実際に行われていたのである(生田 二〇一二:二六七―二七三頁)。

おわりに

北太平洋へ進出したロシアはアメリカ大陸へも向かった。ベーリング指揮下の第一次カムチャツカ遠征に始まり、一七八五―九二年のJ・ビリングスとГ・A・サルィチェフによる遠征に至るまで、探検が繰り広げられた。なかでもГ・И・シェリホフ(一七四七―九五年)は精力的に活動した。その死後の一七九九年、広範囲な権限を持つ露米会社がパーヴェル一世(在位一七九六―一八〇一年)の認可を受けた(斎藤・前田 二〇〇九:第II・III章)。その理事長は、シトカ、コディヤク、ミハイロフスク・レドウト、ウナラスカ、アトヒンスク、クリール、フォート・ロスの七行政区に分けられた広大な植民地の経営に乗り出した。[3]

一八二一年、アレクサンドル一世(在位一八〇一—二五年)はロシアの権益を守るため、ベーリング海からウルップ島までをロシアが実効支配していることを宣言した。これに対抗して二三年、アメリカはモンロー宣言によって露米会社の南北アメリカにおける植民地拡大を阻止した。続く二四年と二五年の露米英の協約によりロシアの北米植民地は削減される(*The Russian American Colonies* 1989; lxix-lxx, 339-352)。

アジアの政治状況も大きく変化した。東シベリア総督ニコライ・ムラヴィヨーフ(一八〇九—八一年、東シベリア総督四七—六一年)が積極的な極東政策に乗り出したのである。一八四七年頃から、彼はネルチンスク条約で曖昧だったアムール地区の領有やサハリンの併合など太平洋岸地域における領土拡大を目指した。五八年の愛琿(アイグン)条約と六〇年の北京条約により、現在に至るまで基本となるロシアと中国との国境線が画定された。ムラヴィヨーフは極東の太平洋岸はイギリスの武力で容易に侵食される可能性があること、中国と日本が英米だけの餌食になりつつあることを危惧しつつ、北米植民地はアメリカ合衆国に譲渡してシベリアの内陸と太平洋を結ぶアムール川周辺に人的・物的な資源を再配置し、中国に沿海州を割譲させてアムール川をロシアの「ミシシッピ川」に、日本海をロシアの「メキシコ湾」にするという構想を展開した。ムラヴィヨーフは自身の仕事をその「世界政策」の一環に位置づけた。かくして六七年、アレクサンドル二世(在位一八五五—八一年)はロシア領アラスカを七二〇万ドル(一エーカーあたり二セント)でアメリカ合衆国に売却した。極東政策での関心とエネルギーはアジアに集中することになる(松木 一九九二:八—九頁)。ちなみに、のちに神田駿河台に東京復活大聖堂を建立したロシア正教会の大主教となるニコライが、箱館のロシア領事館付属教会の司祭として日本に赴任するのが大改革の始まる六一年であった。

注

（1）一七八五年版の抄訳が馬場佐十郎『東北韃靼諸国図誌 野作雑記訳説』（文化六年（一八〇九年））である。これは江戸時代の最も重要な東アジアの地理に関する情報源であった（秋月 一九九九：五六、六三、八二、八三頁、衛藤 一九九二：一七九―一九五頁）。

（2）一八世紀の日付は旧露暦（ユリウス暦）である。現在の暦（グレゴリウス暦）に直すには一一日を加えるとよい。

（3）以上についてはB・ドミトルィシン他、およびJ・R・ギブソン他の編訳書、そして松木栄三の研究が詳しい（*The Russian American Colonies* 1989; *Russian California*, vol. I, II, 2014; 松木 一九九一、一九九二）。

参考文献

【史料】

・未刊行史料

РГАДА (Русский государственный архив древних актов). Ф. 7. Оп. 2. Д. 2539; Ф. 9. Отд. II. Кн. 13; Ф. 9. Отд. II. Д. 43; Ф. 199. Д. 512. № 1; Ф. 199. Д. 528. Ч. 1. Тетр. 19; Ф. 199. Д. 533; Ф. 240. Оп. 4. Д. 164; Ф. 248. Оп. 3. Кн. 90; Ф. 248. Оп. 113. Д. 485а; Ф. 248. Кн. 1089; Ф. 248. Кн. 1327; Ф. 1261. Оп. 1. Д. 559.

Архив СПбИИ РАН (Архив Санкт-Петербургского отделения Института истории Российской Академии наук). Ф. 36. Оп. 1. Д. 609.

НИОР РГБ (Научно-исследовательский отдел рукописей Российской государственной библиотеки). Ф. 222. Карт. XI.

・刊行史料（法令集）

ПСЗ (Полное собрание законов Российской империи. Первое собрание). СПб., 1830. Т. V. № 2994; Т. VII. № 4649; Т. IX. №№ 6571, 6576, 6584, 6956.

・その他の史料

斎藤由佳・前田ひろみ訳、寺山恭輔編集（二〇〇九）『ロシアの北太平洋進出と日本――『ロシア領アメリカの歴史』より』東北大学東北アジア研究センター。

平川新監修、寺山恭輔・畠山禎・小野寺歌子・藤原潤子編（二〇〇七）『ロシア史料にみる一八～一九世紀の日露関係 第二集』（北東アジア研究センター叢書)第二六号。

平川新監修、寺山恭輔・畠山禎・小野寺歌子編(二〇〇八)『ロシア史料にみる一八〜一九世紀の日露関係 第三集』(北東アジア研究センター叢書)第三一号。

Витсен, Николаас (1996), *Путешествие в Московию 1664-1665. Дневник*. Перевод со староголландского В.Г. Трисман. СПб.

Витсен, Николаас (2010), *Северная и Восточная Тартария, включающая области, расположенные в северной и восточной частях Европы и Азии*. Пер. с. гол. яз. В.Г. Трисман. Т. 1. Амстердам: Pegasus.

Материалы по истории России. Сборник указов и других документов, касающихся управления и устройства Оренбургского края. Т. 1: 1734 год (1900), А.И. Добросмыслов (сост.), Оренбург.

Ефимов А.В. (1948), *Из истории русских экспедиций на Тихом океане: первая половина XVIII века*. М.

Русская тихоокеанская эпопея (1979), В.А. Девин (сост.), В.С. Шевченко (отв. ред.), Хабаровск.

Русские экспедиции по изучению северной части Тихого океана в первой половине XVIII в.: Сборник документов (1984), Т.С. Федорова (отв. сост.), А.И. Алексеев (отв. ред.), М.

Русские экспедиции по изучению северной части Тихого океана во второй половине XVIII в.: Сборник документов (1989), Т.С. Федорова (отв. сост.), Р.В. Макарова (отв. ред.), М.

Russian California, 1806-1860, A History in Documents, Vol. I, II (2014), Compiled and edited by James R. Gibson and Alexei A. Istomin, Translated by James R. Gibson, London, The Hakluyt Society.

The Russian American Colonies, 1798-1867 (To Siberia and Russian America. Three Centuries of Russian Eastward Expansion, vol. 3), A Documentary Record (1989), Edited and translated by B. Dmytryshyn, E. A. P. Crownhart-Vaughan, T. Vaughan, Oregon Historical Society Press.

【引用文献】


秋月俊幸(一九九九)『日本北辺の探検と地図の歴史』北海道大学図書刊行会。

生田美智子(二〇一二)『高田屋嘉兵衛——只天下のためを存おり候』ミネルヴァ書房。

衛藤利夫(一九九二)『韃靼』中公文庫。

加藤九祚（一九七四）『シベリアに憑かれた人々』岩波新書。

菊池俊彦（一九九八）「北方世界とロシアの進出」『岩波講座　世界歴史』第一三巻、岩波書店。

高野明（一九七一）『日本とロシア――両国交渉の源流』紀伊國屋書店（紀伊國屋新書）。

田辺三千広（二〇一二）「一六世紀半ばまでのシベリア進出前史」、「西シベリアへの進出」、中京大学社会科学研究所ロシア研究部会編『ロシアのシベリア進出史』成文社。

豊川浩一（一九九五）「ロシアの東方植民と周辺諸民族支配」、原暉之・山内昌之編『講座スラブの世界2　スラブの民族』弘文堂。

豊川浩一（二〇〇六）『ロシア帝国民族統合史の研究――植民政策とバシキール人』北海道大学出版会。

豊川浩一（二〇〇七）「ベーリングに宛てたピョートル一世の訓令（一七二五年二月一六日〈露暦二月五日付〉）訳および解説」、歴史学研究会編『世界史史料6　ヨーロッパ近代社会の形成から帝国主義へ――一八・一九世紀』岩波書店。

豊川浩一（二〇一六a）「日本とロシアの一七三六年――ソウザとゴンザに関する元老院史料が語るもの」『SLAVISTIKA』XXXI。

豊川浩一（二〇一六b）『十八世紀ロシアの「探検」と変容する空間認識――キリーロフのオレンブルク遠征とヤーロフ事件』山川出版社。

豊川浩一（二〇一八）「大黒屋光太夫自筆の署名文書――一八世紀日露関係文書の検討」『駿台史学』第一六三号。

中村喜和（一九八〇）「モスコーヴィヤの日本人」『スラブ研究』二六号。

中村喜和（二〇〇六）「オランダ人ヴィッツェンのモスクワ旅行記」『ロシアの木霊』風行社。

松木栄三（一九九一）「Fort Ross 歴史雑記――カリフォルニアの「ロシア」」『宇都宮大学教養部　研究報告』第二四号、第一部。

松木栄三（一九九二）「カリフォルニアの「ロシア」（二）――フォート・ロスのこと」『窓』八三。

村山七郎（一九六五）『漂流民の言語――ロシアへの漂流民の方言学的貢献』吉川弘文館。

吉田俊則（一九八九）「シベリア植民初期のロシア社会について」『ロシア史研究』四七号。

Андреев А.И. (1943), Экспедиция В. Беринга (приложение: Записка И.К. Кирилова о камчатских экспедициях 1733 г.) // *Известия Всесоюзного географического общества*. Т. 75. Вып. 2.

Андреев А.А. (2020), *Пребываю верным слугою вам моему государю, князь Александр Черкасский*. СПб.: Наука.

Герье В.И. (2008), *Лейбниц и его век. Отношения Лейбница к России и Петру Великому*. СПб.: Наука.

Ден Д. (1999), *История Российского флота в царствование Петра Великого*. Пер. с англ. яз. Е.Е. Путятина. СПб.3.

Дальман Д. (2016), *Сибирь с XVI в. и до настоящего времени*. М.: РОССПЭН.

Карамзин Н.М. (1989), *История государства Российского*. Кн. III. Т. IX. СПб., 1845 (Репринтное воспроизведение из пятого, выпущенного в трех книгах с приложением «Ключа» П.М. Строева. М.: «Книга»).

Оглоблин Н.Н. (1891a), Две «скаски» Вл. Атласова об открытии Камчатки, // *Чтения в Императорском Обществе истории и древностей российских при Московском Университете*. Кн. 3.

Оглоблин Н.Н. (1891b), Первый японцев в России. 1701 - 1705 гг. // *Русская старина*. СПб., Кн. 10. Т. 72.

Очерки истории СССР. Период феодализма. Россия в первой четверти XVIII в. (1954), М.

Петрухинцев Н.Н. (2014), *Внутренняя политика Анны Иоанновны (1730-1740)*. М.: РОССПЭН.

Соловьев С.М. (1993), *История России с древнейших времен*. Кн. IX. Т. 17. М.: Мысль.

Токарев С.А. (1966), *История русской этнографии*. М.

Bassin, Mark (1991), "Inventing Siberia: Visions of the Russian East in the Early Nineteenth Century", *American Historical Review*, 6-3 (June).

Donnert, Erich (1986), *Russia in the Age of the Enlightenment*, translated from the German by Alison and Alistair Wightman, Leipzig, Edition Leipzig.

Robel, Gert (1997), "German Travel Reports on Russia and Their Function in the Eighteenth Century", Conrad Grau, Sergeï Karp, and Jurgen Voss (eds.), *Deutsch-Russische Beziehungen im 18. Jahrhundert: Kultur, Wissenschaft und Diplomatie*, Wiesbaden, Harrassowitz Verlag.

Wortman, R. (2003), "Text of Exploration and Russia's European Identity", C. H. Whittaker (ed.), *Russia Engages the World, 1453-1825*, New York, Harvard University Press.

啓蒙主義とジェンダー
——あるいは啓蒙とその「他者」

弓削尚子

はじめに

西洋において一八世紀は「啓蒙の世紀」と呼ばれる。この時代を代表する思想家は男女のあり方をどうとらえていたのだろうか。

「女性に対する男性の優越を、女性にとり、できるだけ耐えやすいものにするというのが男性の側に課せられる役割である」(Hume 1742: 185; 邦訳二五四頁)

「女性の教育はすべて男性に関連させて考えられなければならない」(Rousseau 1762: 703; 邦訳一六九頁)

「美しい性は男性と同じような悟性をもっているが、それは美しい悟性にすぎず、男性はそれより深い悟性をもつはずで、その意味するところは崇高である」(Kant 1764: 229; 邦訳三五〇頁)

デイヴィット・ヒュームは、アダム・スミス、ジョン・ミラーらとともにスコットランド啓蒙思想の牽引者である。彼らは、発展を遂げたヨーロッパ文化を人類の進歩ととらえ、野蛮から文明へのプロセスにおける経済形態や習俗の洗練について多くを論じた。学芸の進展や法の整備だけでなく、一夫一婦制による道徳感情の発達や男女のあり方についても言及している。

ヒュームが語るのは、良き作法をもつ慇懃な紳士としての「文明の国民」像であり、女性の従属的地位は副次的なテーマにすぎない。男と女、親と子、主人と使用人といった関係のあり方を文明の尺度とし、それによって社会における社交技術の洗練度合いや感性の繊細さを推し量ろうとする視座は、スコットランド啓蒙思想の特徴の一つである。

ヒュームに比べると、ジャン＝ジャック・ルソーはより饒舌に女性について論じた。とりわけ『エミール』に描かれるソフィーは、夫に従いながら家庭をつつましく守る幸福な市民女性像を体現し近代女子教育のモデルとされた。女性は「男性に気に入られ、男性の役に立つ」べく、妻となり、母となるための教育が求められる。ルソーにとって男女の主従関係は、不平等という概念でとらえるものではなく、「自然の定め」であった。

ルソーの『エミール』に強く影響を受けたイマヌエル・カントは、美と崇高という概念に「美しい性／女性」と「崇高なる性／男性」を対置させて論じた。ルソーは理論的な真理の探究や科学への関与は女性の領分ではないと述べたが、カントもまた、女性が知的能力を高めようと努力したり、学術界に入ろうとすると、それは「美しき性」の魅力を損ねてしまうと論じる。たとえば、女性には、「美しい晩に夜空を眺めて感動できるほど以上に宇宙のことを知る必要はないだろう」と書いている(Kant 1768: 231; 邦訳三五三頁)。

カントは、「人間学／人類学」という分野においても、女性について考察している。一八世紀は医学や解剖学、博物学といった、アントロポロギーに包含される諸分野において、人類の差異化の概念の一つである性差が、民族や「人種」の差異とともに探究され、その中で女性の身体や精神性が論じられた。性差は「科学」の対象となっていく。

「啓蒙の世紀」を生きた名だたる思想家たちの女性観は、必ずしも「啓蒙的」ではなかった。啓蒙主義とは、人間理性をもってして社会的偏見や差別を排除し、女性を含む万人に自由や平等をもたらす思想ではなかったか。一九七〇年代以降のフェミニズム女性史研究が糾弾したのはこの点であった。女性というキーワードで啓蒙主義を読み直すと、偉大な思想家たちの「別の顔」が次々にあばかれていった。啓蒙主義の「聖典」とされた数々の著作に顕在的、潜在的に刻まれた女性差別は衝撃的ですらあった。一方で、同時代のオランプ・ド・グージュによる「女権宣言」(一七九一年)やメアリ・ウルストンクラフトによる『女性の権利の擁護』(一七九二年)のような、女性による女性解放のテキストが掘り起こされ、研究が重ねられていった。

一九八〇年代後半以降は、ジェンダーという分析概念が歴史学に積極的に取り込まれるようになり、「啓蒙の世紀」に繰り広げられた「性別二元論」は、近代市民社会のジェンダー秩序を構想する画期をなすものと位置づけられた。やがて男性ジェンダーへの着目も歴史研究に求められるようになる。男性性や「男らしさ」の定義づけという観点から言えば、ヒューム、ルソー、カントが描いたのは、学芸が進展した社会の礼節ある男性であり、心身の発達にふさわしい教育を受け、幸福な生活を送る市民であり、崇高なる存在としての自律的で理性的な人間であった。「啓蒙化された男性」という自己の輪郭を描き、それを確認するために、「他者」である女性が認識され、思索されたのだ。

一九九〇年代後半以降は、ポストコロニアリズム(旧植民地から西洋の知を批判的に問う思潮)から影響を受け、啓蒙主義の他者認識を「外側」からとらえる視点が広く意識されるようになった。多くの啓蒙思想家にとって、「他者」とは、女性だけでなく、「啓蒙のヨーロッパ」の外にいる異教徒や奴隷、肌の色の異なる「人種」でもあった。「啓蒙化された男性」が女性に向けた関心は、異なった宗教や習俗、境遇にある「人種」への関心と重なり、「啓蒙の状態」を自負するヨーロッパ男性のあるべき姿を導き出す鏡としてはたらいた。

本稿では、「啓蒙主義とジェンダー」というテーマを、啓蒙思想家におけるさまざまな「他者」への関心という文脈の中で論じてみたい。さらに、彼らによって「他者」とみなされた女性を「主体」として立ち上げ、女性たちの思想にも触れようと思う。彼女たちは女性の権利だけでなく、黒人奴隷の権利についても思いを馳せ、「人間の権利」を論じた。彼女たちもまた、啓蒙の限界を共有しつつ、「理性と批判の精神」を切り拓いた啓蒙思想家であった。

一、啓蒙の「他者」

「他者」への共感と寛容

一八世紀は「理性の時代」とも呼ばれるが、人間の感情や共感、感受性について議論された時代でもあった。共感という概念を重視したのはスコットランド啓蒙主義であった。ヒュームは、『人間本性論』(一七三九―四〇年)において、理性だけでは人は有徳になれず、また懐疑主義にも陥りかねないとして、情緒や情念にこそ理性は従うべきだとした。感情の制御に理性が必要というのではなく、極端に走りかねない理性を抑えるのが感情という考えである。『道徳感情論』(一七五九年)を著したアダム・スミスは、他人の境遇に対して喜びや悲しみなどさまざまな感情を抱き、想像力をはたらかせて共感することとの意味に着目する。多くの人(冷静な観察者)の共感を得ようとすることが善悪の判断の基礎となり、「道徳感情」となる。

しかし、ヒュームの議論においては、共感は女性や異教徒、世界の諸民族へと向けられることはなく、それを主題とすることもなかった。ヒュームは別の論考で、「生まれつき白人に劣る」黒人への差別的な考えを示しており、二〇世紀末のポストコロニアリズム研究者のエマニュエル・チュクヴディ・エツェなどは、リンネ、ビュフォン、カントらと並べて、ヒュームを差別的な「人種」を論じた啓蒙思想家の一人に数えている。ヒュームの共感が黒人への過酷な境遇に向けられることはなかった。スミスは奴隷制には否定的であったが、道徳感情論だけでなく、『国富論』(一七七六年)で展開した、利潤と経済的合理性に基づく否定論の影響力も大きかった。

他方、多様な「他者」の人間性を描き、彼らへの共感を読者に喚起しようとした啓蒙思想家は少なくない。ヴォルテールは『カンディード』(一七五九年)の中で、手足を切られた黒人奴隷にキリスト教の偽善を暴いてみせた。ディドロは『ブーガンヴィル航海記補遺』(一七七二年)において、タヒチの長老に植民地支配の欺瞞を語らせている。共感は「他者」へのリスペクトなしでは成り立たない。それは他者を知り、自己を反省する営為にもつながった。モンテスキューは『ペルシア人の手紙』(一七二一年)においてムスリム(イスラム教徒)貴族のまなざしから、キリスト教ヨーロッパ社会の歪みを描いた。

ジェンダーの観点からモンテスキューの作品を読むと、女性は元来、不貞な存在で、男性の監視を必要とするという女性観が浮かびあがる。フランスの社交界はペルシアのハレムよりも乱れており、ムスリムの女性も、ハレムの主人が留守をして監視の目がないと放埒な生活を送るとされている。

啓蒙思想家たちが異教徒(の男性)にリスペクトの姿勢を示し、共感する姿勢は、宗教的寛容のあらわれでもあった。ドイツでは、レッシングが戯曲『賢者ナータン』(一七七八年)の中で、ユダヤ教徒ナータンを主人公として、キリスト教徒とムスリムとの融和を描いた。それぞれの宗教を代表するのは男性信徒ではあるが、この作品では、宗教を超えた家族の絆の象徴として女性も登場する。賢者ナータンが育てた養女レヒャは、物語が展開するにしたがって、ムスリムの父とキリスト教徒の母をもつことが明らかにされる。人類は、宗教の差異を超えて、一つの家族になれるというメッセージは印象的である。

モンテスキュー、ヴォルテール、レッシングなどの啓蒙思想家は、小説や戯曲を書くことで人びとの想像力を刺激し、「他者」への共感を呼び起こした。フランス革命研究で知られるリン・ハントは、犯罪者やガレー船の漕ぎ手など社会の底辺にいる者や、宗派や宗教、肌の色の異なる者への共感が人権思想を生み出したと論じる(ハント 二〇一一)。彼らもまた苦痛や快楽に対して自分たちと同じ感受性をもち、同じ欲求をもつ人間なのだという同胞感情が、人権思想の基礎となった。人権思想は、人間の理性的思考に基づくだけではない。「他者」への共感という人間感情の賜物でもあった。

「人権」概念に包摂される「他者」

一七八九年八月、革命期のフランスでは、憲法制定国民議会によって「人および市民の権利の宣言」が採択され、「人は自由かつ権利において平等なものとして生まれ、存在する」と謳われた。人権の普遍性が明文化されるなか、「人」とは具体的に誰を指すのか、誰がどのような権利をもって国の政治に参画するのか、国民議会で本格的な議論が始まった。

ユグノーらプロテスタントの信徒は、革命直前にルイ一六世が出した寛容令により市民権を獲得していたが、政治や礼拝の権利は認められていなかった。国民議会がそれらを認めると、宗教的マイノリティとして次に浮上したのはユダヤ教徒であった。

フランスのユダヤ教徒の解放には、ユダヤ教徒の共同体による陳情のほか、国民議会の中心的人物であるミラボーやアンリ・グレゴワールらの尽力が大きかった。ミラボーは、ユダヤ教徒の啓蒙思想家、モーゼス・メンデルスゾーンや、ドイツのユダヤ教徒解放思想の影響を受け、「モーゼス・メンデルスゾーンとユダヤ教徒の市民的地位の改善について」(一七八六年)という小論をものしている。カトリックの司祭であるグレゴワールは、ユダヤ教徒の境遇改善についてメスの王立科学アカデミーが募った懸賞論文の入賞者であった。

その後、国民議会の議論は、植民地居住者や奴隷へと権利の対象を広げていく。人道的な観点から奴隷制を批判する議論は、革命以前からあった。ジャック＝ピエール・ブリソによる奴隷制反対論も出され、革命の前年には、イギリスの「奴隷貿易廃止協会」をモデルに「黒人友の会」が設立されている。憲法制定の年、一七九一年には、カリブ海のフランス植民地、サン＝ドマング(現ハイチ)での奴隷蜂起を機に議論が高まり、ついには奴隷制を廃止し、「肌の色の区別なく」植民地居住者の権利を保障する法令が出された。

人権の対象者となる次なる候補は誰か。

議員の一人は、「黒人の肌の色にたいする偏見からみずからをまさに解放したように、性差の偏見からもすすんでみずからを解放しようではないか」と述べたという(ハント 二〇一一:一八三頁)。パリでも地方都市でも女性クラブが設立され、男女混成を認める結社も増え、女性たちは食糧問題の解決から政治に参画する権利まで要求の声を公けにした。しかし、国民議会では女性の権利をめぐる議論は争点にならず、政治的な支持組織もなかった。女性の境遇を奴隷身分にたとえたり、奴隷と比較することはあっても、家父長制の因習的な思考から、女性の権利やその権利保障という発想は生じにくかった。

女性の権利について論じた「例外的な」思想家はニコラ・ド・コンドルセである。「女性の市民権の承認について」(一七九〇年)では、女性も同じ感受性をもち、道徳的観念を思考できる資質をもつのだから、必然的に平等な権利をもっていると述べた。彼の没後に発表された『人間精神進歩史』(一七九三―九四年)には、「強者は自負心から、弱者は強者のためにつくられているのだと容易に信ずるようにさせられている」が、これは「理性の哲学」でもなければ「正義の哲学」でもないと説く。そして、「男女各個人間の完全な権利の平等」は「必然的な結果」であるとする(Condorcet 1793-1794: 325; 邦訳三五六頁)。このフレーズの強者と弱者の関係は、男性と女性だけでなく、白人と黒人奴隷など、他の主従関係にもスライドしうるものだった。

実際、コンドルセの人権論は、まず黒人に向けられていた。すでに一七八一年に『ニグロの奴隷制についての考察』を発表し、自然権思想に基づく平等を説いた。その冒頭には、「ニグロの奴隷」に宛てた書簡をしたためる。「わが友よ、私はあなた達と同じ色をしていないが、つねにあなた達を私の兄弟とみてきました。自然はあなた達を白人と同じ精神、同じ理性、同じ徳をもつようにつくりました」(Condorcet 1781: III-VI)

ここで使われている「兄弟」という言葉は重要である。キリスト教の概念に由来し、革命の理念となった「博愛

fraternité」は「兄弟愛」を意味している。こののちコンドルセは、ユダヤ教徒の待遇改善に尽力したグレゴワールらとともに、「黒人友の会」の主要メンバーとなった。身体的差異は、精神性や知性、道徳観念の優劣を決定するものではないという考え方は、啓蒙期のユダヤ教徒解放論、奴隷解放論、女性解放論に通底していた。

パリからはるか離れたバルト海の港湾都市、ケーニヒスベルク(現カリーニングラード)にも、フランス革命の「人権宣言」に触発され、女性の権利を論じた思想家がいた。カントの倫理学や道徳論に強い影響を受け、彼の親しい友人でもあったテオドーア・フォン・ヒッペルは、『女性の市民的改善について』(一七九二年)を著した。ヒッペルはフランスの現況に言及し、すべてのフランス人が自由で市民的身分を得るというのであれば、それは男性だけでなく女性もそうあるべきだろうと述べ、革命における公平性の欠如を指摘している(Hippel 1792: 202ff.)。

女性の権利を求めるドイツの議論は、ヨーロッパに内在する「他者」であるユダヤ教徒の解放論とのつながりが特徴的である。一八世紀のドイツには、積極的に植民地拡張政策をとる領邦はなく、大国プロイセンもまた、一八世紀初頭までにアフリカやカリブの小規模な植民地を手放していた。ドイツの啓蒙思想家のあいだでは、黒人奴隷よりも、ユダヤ教の律法に従って生活し、差別や迫害の対象になっていたユダヤ教徒へと関心が向けられた。

ヒッペルの『女性の市民的改善について』は、一〇年以上前に刊行されたクリスチャン・ヴィルヘルム・ドームの『ユダヤの市民的改善について』(一七八〇／八一年)を意識して書かれた。ドームは「ユダヤは、ユダヤ教徒である以上に人間である」として、キリスト教徒との平等を謳い、革命期のフランス・アルザス地域のユダヤ教徒解放にも影響を与えた。ヒッペルはこのように実績のあったドームの著書のタイトルを意図的に用い、女性の権利を擁護した。

「もし男が進歩し、女は悟性も意思もそのままであるとしたら、啓蒙主義は行き詰まり、物笑いの種になるにちがいない」(Hippel 1792: 407-408)

「啓蒙化された男性」が男性だけを人権の対象とみなし、女性をそこから除外するのは不完全な啓蒙主義にほかならない。ヒッペルは、女性に対する男性の偏見をただし、彼らに自己批判をうながした。

ヒッペルの著作は匿名で発表されたが、興味深いことに、刊行当時、著者はカントではないかという憶測がとんだ（ヤウヒ 二〇〇四：二七三―三二〇頁）。ヒッペルの論証の仕方がカントの思想に類似していたからである。たとえばカントは、女性には市民社会に道徳をもたらす「人倫への能力」があると論じたが、ヒッペルはそれを女性の政治的平等の根拠として、さらに踏み込むのである。読者からすると、「ヒッペルのテキストは、カントのジェンダーについての考察の急進化であると同時に批判化と読むことができる」(Hüning 2020: 250)。

しかし、ヒッペルの著作がカントの思想を女性の視点からどれだけ補完したとしても、その主眼は、女性への偏見にとらわれた男性に啓蒙を説くものだった。「女性の市民的改善」というプロジェクトは、ヒッペルといえども「啓蒙化された男性」が主導すると想定され、女性は啓蒙の「他者」のままであった。

二、啓蒙の「主体」としての女性

とはいえ、女性たちは啓蒙の「他者」に甘んじたわけではなかった。普遍的な啓蒙の「主体」として行動し、ペンをとった女性たちの中から、オランプ・ド・グージュとメアリ・ウルストンクラフトの二人にしぼって考察したい。

グージュ――奴隷制廃止と女性の権利宣言

フランス国民議会が「人権宣言」の「人」の範疇（はんちゅう）を定めようと議論している時期に、『女性の諸権利』（一七九一年）という二五ページあまりの小冊子が発表された。そのなかに、「人権宣言」の「人 l'homme」とは「男性 l'homme」のことであると指摘し、「人＝男性および市民＝男性の権利宣言」のテキストになぞらえた「女性および女性市民の権利宣言」が収められた。女性もまた生まれながらにして自由かつ平等な存在であること、国民は主権を有する女性と男性からなること、法律の前に男女は平等であること、女性も男性とともに参政権をもつこと、思想・表現の自由、公職を含めた職業の自由をもつことなど、フェミニズム思想の先駆となるものだった。

著者のオランプ・ド・グージュは著述家であり、ジャーナリストであり、劇作家であった。伝記作家のオリヴィエ・ブランによると、小説や戯曲から政治パンフレットまで、彼女の手による一五〇近くのタイトルが確認されている。彼女はコンドルセらとともに「革命クラブ」の会員であり、「黒人友の会」にも名を連ねた。この組織の設立者ブリソは、グージュが数少ない女性会員の一人であり、勇気をもって奴隷制擁護論者に立ち向かったと評している。彼女は奴隷制反対の活動家でもあったのだ。

グージュが一七八八年に著した『黒人についての考察』という随筆には、奴隷制に対する怒りと、奴隷の境遇に揺さぶられる心情が吐露されている。

「彼らを奴隷というむごい立場に追いやったのは、権力と偏見であり、それは自然の摂理とは何の関係もなく、すべては白人の理不尽で執拗な利益追求のせいである」

「人間の肌の色の違いは、自然が創り出したあらゆる動物や植物や鉱物がさまざまな色をもっているのと同じではないか。(中略)すべてが変化に富んでいる。それが、自然の美しさではないか」(Gouges 1788: 84)

一七八九年一二月の末、バスティーユ襲撃から半年も満たないパリのコメディー・フランセーズの劇場(現オデオン座)でグージュの『黒人奴隷制または幸いなる難破』が上演された。プランテーションの管理者である白人を殺した黒人奴隷ザモールとその恋人ミルザをめぐる物語である。途中、難破した白人夫婦を救助することで、ザモールには白人の殺害者と救済者という二つの顔が与えられる。黒人の愛情と苦悩が表現され、観客は黒人の人間性を目の当たりにし、共感と戸惑いを経験する。グージュは戯曲の上演により、奴隷問題の社会的喚起をねらったが、約一〇〇人の観客が集まった初演では、幕が上がる前から、奴隷制の賛否をめぐって両陣営は野次をあびせあったという。その後、まもなくしてサン゠ドマングで大規模な黒人蜂起が起こり、砂糖やコーヒーのプランテーションが破壊された。フランスは一七九四年に奴隷制廃止に踏み切り、ナポレオンによる奴隷制復活までのわずかな期間ではあったが、奴隷は自由の身となった。サン゠ドマングの住民はナポレオン派遣軍との死闘の末、一八〇四年、ハイチ共和国として独立を宣言した。

奴隷は自由を手に入れたが、女性がフランス革命から獲得したのは、家庭における諸権利であった。グージュが戯曲『離婚の必要』を書き、妻と夫の平等には離婚の容認が不可欠とする考えが認められ、夫婦の平等な財産管理権および親権なども一部保障された。

だが、女性の政治的権利は認められなかった。それどころか、ジャコバン派による恐怖政治のもと、政治的論陣を張った女性たちは完膚なきまでに打ちのめされた。女性の政治結社が禁じられ、グージュは反ロベスピエール派で王党派というかどで逮捕、処刑された。女性の政治的権利は、あたかも男性たちが奴隷解放で失墜した自らの権威を補うかのように否定された。一八〇四年に成立した民法典(ナポレオン法典)では、結婚や家族における女性の諸権利は制限され、女性は夫および父としての男性の権利に従属させられた。

グージュは『女性の諸権利』の「前書き」で、男性に向けて革命で平等を主張しながら、「専制君主として」女性を支配するのは「公正か」と問いかけている。さらにその「後書き」には、奴隷制反対の論理も取り込んで、「私たちの島の有色の人びと」による「分裂と不和」に触れ、「専制君主として」君臨しようとする植民者のさまを描いている。奴隷や女性を虐げる存在である限り、人＝男性は公正たりえないと論じるのである(Gouges 1791: 12, 24)。

グージュは啓蒙主義の時代に希望を託していた。この時代はすべてのことが可能であると綴り、真の啓蒙主義のために、男性だけでなく、女性に向かい、女性の啓蒙を説く。

「女性よ、目覚めよ。理性の警鐘が世界のいたるところで鳴っている。あなたの諸権利を認識しなさい」(*ibid.*: 18)

自分の方が優位にあると考える男性の虚栄心に対して、「理性の力をぶつけなさい」とも述べている。

グージュが断頭台にのぼるとき、「共和国万歳!」という声が民衆から発せられたという。啓蒙の「主体」としての女性の声はこうして消されていった。いったい、共和国の精神とは何であったのだろうか。

肌の色の違いを超えて、本国と植民地の男たちは、一時的ではあったものの兄弟愛で結ばれた。共和国とは、市民という名の男同士の絆の上に建てられていた。

ウルストンクラフト――奴隷状態からの女性の解放

啓蒙の「主体」として立ち上がり、自らの諸権利を求める女性の声は、イギリスにおいてもフランス革命を契機として発せられた。革命に反対し、保守的思想を展開したエドマンド・バークの『フランス革命の省察』(一七九〇年)に対して、ウルストンクラフトは『人間の権利の擁護』(一七九〇年)を著して反論した。

「私は人間の権利――神聖な権利!――を崇敬します。私が自分の精神をよく見つめれば見つめるほど、この権利へのより深い畏敬の念を覚えます」(Wollstonecraft 1790: 34; 邦訳六五頁)

ウルストンクラフトは、バーク批判の中で「人間の権利」という概念に向き合い、その過程で「女性の権利」という発想を獲得した。前作の分量をはるかにしのぐ『女性の権利の擁護』が三カ月もかけずに書き上げられたことは、この発想に奮い立つ著者の情熱を感じさせる。

『人間の権利の擁護』と『女性の権利の擁護』の両作品において、ウルストンクラフトはさまざまな文脈で奴隷や奴隷制について語った。イギリスでは、フランスに先立ち組織的な奴隷制反対運動が行われており、ハナ・モアといった女性たちも、詩や戯曲を通じて、あるいはカリブからの砂糖の不買運動を通じてこれに参加した。モアの同志であったウィリアム・ウィルバーフォースによって、一七九一年、下院に奴隷制廃止法案が動議されたものの否決され、イギリスにおける奴隷制廃止運動は世紀をまたいで繰り広げられた。

ウルストンクラフトは、「極悪非道の奴隷貿易の廃止」なくして「人間の権利」を語ることなどありえないと考え、奴隷制を「理性と宗教の教えを踏みにじる」ものとして反対する。そして女性の境遇もまた、奴隷の境遇と同断と論じる。

実際、ウルストンクラフトは、「植民地関係の問題とジェンダー関係の問題とを二つ並べて非常に力強く提起した、最初の著述家」であったと評価されている(ファーガスン 二〇〇二：一五五頁)。女性が知性を認められず、従属するだけの存在であるなら奴隷に他ならないとして、『女性の権利の擁護』には、女性と奴隷のアナロジーが随所で展開される。結婚や教育のあり方など、社会のさまざまな制度や慣習が女性を奴隷状態へとおとしめている。「私は怒りを込めて、女性を奴隷化する誤った考えを考察する」(Wollstonecraft 1792: 105; 邦訳七三頁)、「女性の魂そのものを縛りつけ、女性を永遠に無知な状態に束縛しておく、あのもっともらしい奴隷制度」(*ibid.*: 250; 邦訳二七三頁)といった表現がそこかしこに見られる。

ウルストンクラフトは、女性を奴隷化する男性に対してだけでなく、奴隷状態に甘んじる女性を批判し、理性的であれと女性たちを叱咤する。女性の啓蒙を説くウルストンクラフトの口調は、グージュよりも力強い。

「女性が尊敬されるようになるためには、知性を働かすことが必要である。独立した人格を持つためには、それ以外のよりどころはない。女性は、人のいうなりになる慎み深い奴隷となるのではなくて、ただ理性の権威にのみ服従すべきだ、と私は、はっきり述べたい」(*ibid.*: 120; 邦訳一〇〇頁)

ところで、ウルストンクラフトは奴隷制を人間性への侮辱とみなして反対する一方、奴隷に対する偏見をのぞかせもする。インド出身の社会学者ヒマニ・バネージは、ウルストンクラフトが無意識のうちに、黒人奴隷を無知や野蛮と結びつけたり、ハレムの官能的な性奴隷や暴政的な「マホメット教」といった偏見を同時代人と共有していたと見る。ヨーロッパが「啓蒙の時代」にあるのならば、いまだ啓蒙状態に達していない非ヨーロッパ世界とは異なる男女の関係性の構築が可能であるという論理である。

『女性の権利の擁護』の最後に、ウルストンクラフトは「知性ある男性よ、公正たれ!」と呼びかけている。「啓蒙の時代」の男性に公正さを求めるのは、グージュも同じであった。そして、男性が女性に知性を認めず、美徳だけを求めるのであれば、ピラミッド建造のために多くの人びとに過酷な労働を強いた「エジプトの工事監督者」よりもひどい存在となるだろう、と述べて同書を締めくくっている(Wollstonecraft 1792: 266; 邦訳三六〇頁)。

ウルストンクラフトは、「啓蒙のヨーロッパ」の自負を無意識のうちに同時代人と共有していた。最後の言葉は、「啓蒙化された男性」ならば、エジプト人男性より道徳的に上位にあるはずだという前提に立っている。

このような思想的限界に留意しつつも、ウルストンクラフトの理性批判、そして真の啓蒙主義を説く力強い主張の数々は瞠目に値する。

「人間は、一般に、偏見を根絶するためというよりは、いつとはなしに自分が鵜呑みにしてしまった偏見を正当化するために、自分たちの理性を用いているように思える」(*ibid.*: 81; 邦訳三二頁)

ウルストンクラフトは、女性を理性的存在と認め、無知から解放する教育の必要性を説くと同時に、女性も理性の誤用を避け、自ら啓蒙する努力を怠ってはならないと諭す。

「女性を理性的な人間であると認めるならば、彼女たちは、これこそまさに自分のものと称することのできる美徳を身に着けるように努めるべきである。理性的存在ともあろう者が、自分自身の努力の成果によらないで、高貴になることなどできるだろうか?」(*ibid.*: 120; 邦訳一〇一頁)

そして、ウルストンクラフトもまた、女性の政治的権利を主張する。その控えめな表現は、当時、女性の政治的権利を語ることがいかに突飛なことで、困難であったかを伝えている。

「こんなことをいったら笑われるかもしれないが、女性が政治の審議に直接参加することが全く許されず、ただ独断的に支配される、というのではなくて、自分たちの代表者を持つべきだ、と私は本当に考えているのだ。そして私は、それをいつの日にか実現させたいと思う」(*ibid*.: 217; 邦訳二七八頁)

グージュと同様、ウルストンクラフトのこのような主張は、実際、一笑に付された。ウルストンクラフトは人類の運命を改善しうるのは啓蒙主義の諸原理以外にありえないと考えたが、一八世紀のヨーロッパの啓蒙主義は、彼女が期待したような次元には達しなかった。

むすび

カントは、「啓蒙とは何か」(一七八四年)の論考において、「いつでも自由に自分の理性を公けの場で使用することができなくてはならず、この使用のみが人間のあいだに啓蒙を成就しうるのである。(中略)ここでいう自分自身の理性の公けの使用とは、ある人が学者として読者界の全公衆を前にして彼自身の理性についてなす使用を意味している」と書いている(Kant 1784: 37; 邦訳一二七頁)。この定義からすれば、グージュもウルストンクラフトもまた、「理性の公的使用」を実践した啓蒙思想家であった。彼女たちは啓蒙主義の可能性を信じ、「理性と批判の精神」で男性啓蒙思想家の矛盾を突き、女性への啓蒙を説いた。

「私はしばしば、人間が生まれながらにしてもつ権利について非常に熱心に語る啓蒙思想家の中に、ごもっともな意見で会話を盛り立てながら、行動には何ら反映させない者がいることを、腹立たしく観察しているといわざるを得ません」(Wollstonecraft 1790: 60; 邦訳一二八頁)

ウルストンクラフトの批判は、どれだけカントに適用されるだろうか。

カントは、友人ヒッペルから提起された「女性の市民的改善」についての討論に応じることはなかった。一七九七年に発表された『人倫の形而上学』で、カントは政治的権利について論じ、「すべての女性」は未成年や奉公人などと同様、「国民としての人格を欠く」として投票権を認めなかった（Kant 1797: 314; 邦訳一五六―一五七頁）。女性は「未成熟状態」で従属した存在であり、これについてカントは議論を深めることはなかった。

コンドルセやヒッペル、グージュやウルストンクラフトといった啓蒙思想家を、「ラディカル」ととらえる見方がある。しかし、そもそも奴隷や女性の啓蒙を説き、その自由を求めることが、なぜ「ラディカル」なのか。「人間の理性」や「権利」が語られるとき、本来それらは人間に普遍的にそなわることを意図しているはずではなかったのか。啓蒙という概念について、今一度立ち止まって考える必要があるだろう。

啓蒙思想家の多くはキリスト教徒／白人／男性中心主義的であったといえるが、そうした彼らに焦点をしぼって啓蒙主義の歴史を書いてきた歴史家たちもまた、久しくキリスト教徒／白人／男性中心主義的であった。そうした伝統的な歴史叙述を啓蒙の「他者」から問い直してみることは、一八世紀ヨーロッパの啓蒙主義の可能性と限界をより鮮明にするであろう。

参考文献

＊邦訳本の訳文については、原文を踏まえて、適宜、加筆修正した。
ウートラム、ドリンダ(二〇一七)『啓蒙』田中秀夫監訳、法政大学出版局。
ウートラム、ドリンダ(二〇二二)『図説啓蒙時代百科』北本正章訳、原書房。
梅垣千尋(二〇一一)『女性の権利を擁護する――メアリ・ウルストンクラフトの挑戦』白澤社。

高橋暁生(二〇一九)「フランス革命からナポレオンへ」平野千果子編『新しく学ぶフランス史』ミネルヴァ書房。
辻村みよ子(二〇二一)『人権の歴史と理論——「普遍性」の史的起源と現代的課題』〈辻村みよ子著作集〉2、信山社。
バネージ、ヒマニ(二〇〇二)「メアリ・ウルストンクラフト、フェミニズム、ヒューマニズム——多様な読みの行為」、アイリーン・J・ヨー編『フェミニズムの古典と現代——甦るウルストンクラフト』永井義雄・梅垣千尋訳、現代思潮新社。
浜忠雄(一九九八)『ハイチ革命とフランス革命』北海道大学図書刊行会。
ハント、リン(一九八九)『フランス革命の政治文化』松浦義弘訳、平凡社。
ハント、リン(二〇一一)『人権を創造する』松浦義弘訳、岩波書店。
ファーガスン、モイラ(二〇〇二)「メアリ・ウルストンクラフトと奴隷制の問題系」、アイリーン・J・ヨー編『フェミニズムの古典と現代』永井義雄・梅垣千尋訳、現代思潮新社。
ブラン、オリヴィエ(二〇一〇)『オランプ・ドゥ・グージュ——フランス革命と女性の権利宣言』辻村みよ子監訳、信山社。
ヤウヒ、U・P(二〇〇四)『性差についてのカントの見解』菊地健三訳、専修大学出版局。
弓削尚子(二〇〇四)『啓蒙の世紀と文明観』〈世界史リブレット〉、山川出版社。
弓削尚子(二〇一六)「啓蒙主義の世界(史)観」、秋田茂ほか編著『「世界史」の世界史』ミネルヴァ書房。
ル・ボゼック、クリスティーヌ(二〇二二)『女性たちのフランス革命』藤原翔太訳、慶應義塾大学出版会。
ロバートソン、ジョン(二〇一九)『啓蒙とはなにか——忘却された〈光〉の哲学』野原慎司・林直樹訳、白水社。
Condorcet, Nicolas de (1781), *Réflexions sur l'esclavage des nègres*, par M. Schwartz, Neufchâtel, Chez la société typographique.
Condorcet, Nicolas de (1793-1794), *Esquisse d'un tableau historique des progrès de l'esprit humain*, Paris, Flammarion, 1988.(渡辺誠訳『人間精神進歩史』全二冊、岩波文庫、二〇〇二年)
Eze, Emmanuel Chukwudi (ed.) (1997), *Race and the Enlightenment: A Reader*, Cambridge, Mass., Blackwell.
Gouges, Olympe de (1788), «Réflexions sur les hommes nègres», *Œuvres complètes*, Cocagne éditions, t. 3, Cocagne, 2017.
Gouges, Olympe de (1791), «Les droits de la femme», *Œuvres complètes*, Cocagne éditions, t. 4, Cocagne, 2017.
Hippel, Theodor von (1792), *Über die bürgerliche Verbesserung der Weiber*, Berlin, Voß.
Hume, David (1742), "Of the Rise and Progress of the Arts and Sciences", *Essays, Moral and Political*, 3rd ed., Edinburgh, 1748.(小松茂夫訳

「芸術および学問の生成と進展について」『市民の国について』下巻、岩波文庫、二〇二〇年）

Hüning, Dieter（2020）, „‚Soll es denn aber immer mit dem andern Geschlecht so bleiben, wie es war und ist?‘ Aufklärung und Emanzipation in Hippels *Über die bürgerliche Verbesserung der Weiber*“, Isabel Karremann / Gideon Stiening（Hg.）, *Feministische Aufklärung in Europa*, Felix Meiner Verlag, Hamburg.

Kant, Immanuel（1764）, „Beobachtungen über das Gefühl des Schönen und Erhabenen“, *Kants Werke: Akademie-Textausgabe*, Bd. 2, Berlin, de Gruyter, 1968.（久保光志訳「美と崇高の感情にかんする観察」『カント全集』第二巻、岩波書店、二〇〇〇年）

Kant, Immanuel（1784）, „Beantwortung der Fage: Was ist Aufklärung?“, *Kants Werke*, Bd. 8.（福田喜一郎訳「啓蒙とは何か」『カント全集』第一四巻、岩波書店、二〇〇〇年）

Kant, Immanuel（1797）, „Die Metaphysik der Sitten“, *Kants Werke*, Bd. 6.（樽井正義訳「人倫の形而上学」『カント全集』第一一巻、岩波書店、二〇〇二年）

Knott, Sarah, and Barbara Taylor（eds.）（2005）, *Women, Gender and Enlightenment*, New York, Palgrave Macmillan.

Sebastiani, Silvia（2013）, *The Scottish Enlightenment: Race, Gender, and the Limits of Progress*, New York, Palgrave Macmillan.

Stollberg-Rilinger, Barbara（2000）, *Europa im Jahrhundert der Aufklärung*, Stuttgart, Philipp Reclam jun.

Rousseau, Jean-Jacques（1780）,«Émile ou de l'éducation», *Œuvre complète de Jean-Jacques Rousseau*, IV, Bibliothèque de la Pléiade, 1969.（樋口謹一訳「エミール」『ルソー全集』第六巻、第七巻、白水社、一九八〇年、一九八二年）

Wollstonecraft, Mary（1790）, "A Vindication of the Rights of Men", *The Works of Mary Wollstonecraft*, vol. 5, London, William Pickering, 1989.（清水和子・後藤浩子訳・梅垣千尋訳『人間の権利の擁護／娘たちの教育について』京都大学学術出版会、二〇二〇年）

Wollstonecraft, Mary（1792）, "A Vindication of the Rights of Women", *The Works of Mary Wollstonecraft*, vol. 5.（白井堯子訳『女性の権利の擁護』未來社、一九九三年）

アメリカ独立
――帝国と共和政のあいだ

中野勝郎

アメリカ諸邦連合(以下、諸邦連合と表記)[1]の独立は、帝国と共和政という二つの観念の対立という観点から捉えることができるが、同時に、二つの観念の相互浸透という視点を失ってはならない。

アメリカ植民地はブリテン帝国の一部を構成していた。独立とは、その帝国からの離脱であった。共和政は反帝国的な理念として提唱され、その実現が目指された。建国者たちにとって、古代ローマの共和政は倣うべき範例であり、帝政ローマは、避けるべき堕落政体であった。しかし、独立した諸邦連合の領土は、帝国と呼ぶしかない広さだった。実際、ジョン・アダムズは、諸邦連合はブリテンの正統な後継者であるとのべている。ジョージ・ワシントンが、独立をほぼ確実にしたアメリカ諸邦連合を「立ち上がりつつある帝国」と呼んだことは有名である。共和政アメリカにとって、帝国は断ち切るべき過去であったが、来たるべき未来でもあった。

一、帝国の再編と帝国からの離脱

ブリテン帝国の再編

七年戦争のアメリカ大陸版として戦われたフレンチ＝インディアン戦争が終結し、勝利したブリテンは、北米大陸に広大な版図を得ることになった。これを契機に、それまで「自治」に委ねられていたアメリカ植民地は、ブリテンの直接的な「統治」のもとにおかれるようになっていく。

七年戦争が始まるまでには、十三植民地のうち八つは王領植民地になっており、本国の「統治」は強化されつつあった。戦後、ブリテンは北米大陸において帝国を再編するための直接統治の必要性をさらに高めつつも、他方では、それを困難にする課題を生み出すことにもなった。その課題とは、第一に、広大な領土を安定的に維持することである。一七六三年のパリ条約により、ミシシッピ川以西の旧フランス領や旧スペイン領のフロリダなどを獲得したものの、フランスもスペインもその失地回復の機会を放棄したわけではない。それに備えるために、ブリテンは、北米に常備軍を派遣し駐留させた。

第二に、七年戦争で戦った先住民との関係の修復である。ブリテンおよびアメリカ植民地は、広大なインディアン(先住民)領に入植することができるようになった。しかし、土地の利用方法や土地にたいする観念の異なるインディアンとブリテンとは、従来から摩擦・対立が起こっていた。派遣された常備軍だけでは、インディアンの軍事的な抵抗を防ぐことはできなかった。ブリテンは、したがって、宥和的な対策を取らざるをえなかった。ジョージ・グレンヴィル首相が、一七六三年に「国王の宣言」を発布したのは、アレゲニー山脈以西をインディアン保留地として確保し、植民地人の入植を禁止するためであった。

第三に、ブリテンが非ブリテン人の居住者および居住地をも含む北米大陸を帝国に組み込みながら、法によって結ばれた「諸国家の共同体」としてのヨーロッパを維持するためには、辺境にあり「自治」を定着させていたアメリカ植民地に、ヨーロッパで確立していた規範を受け入れさせなければならなかった。本国のコモン・ローを継受しながらも、コモン・ローでは合法ではなかった奴隷制が植民地の実定法では合法とみなされていたことにも示されるように、植民地は独自の法秩序とその上に成り立つ政治制度をもっていた。ブリテンが、植民地の「自治」を大きく改変して、そこに「統治」をもちこもうとしたのは、北米大陸をヨーロッパ国際秩序のなかへと組み込もうとしたからである。

このような統治政策の転換は、植民地の反発を招いた。「国王の宣言」は、独立自営農民となること（=独立していること）と自由であることとを結びつけていた植民地の西部に住む人びとにとって、それを実現する条件を提供する空間となると期待された土地獲得の機会が失われることになり、本国への不満が生まれる一因となった。また、大農園制を維持するためにつねに肥沃な土地を必要としていたプランターにとっては、土地投機の機会が失われることを意味した。

ブリテンの海洋帝国強化策は、戦費の返済と植民地駐留軍の経費のための財源を必要とした。砂糖法（一七六四年）に始まる歳入目的の課税法がつぎつぎと制定されていった。また、密貿易を取り締まるために航海法の厳格な適用も行なわれるようになった。統治権力が不在であった植民地に、権力行使の装置がもちこまれ、かつ、それが、植民地人の財産への課税によって賄われるならば、権力への不信感と自由への危機感は高まっていく。そうして、「ボストン茶会事件」（一七七三年）を機に、常備軍がボストン市中に配備されるようになったとき、すなわち、権力装置が日常的に目に見えるようになったとき、植民地人には、「自治」の喪失は実感をもって受けとめられたであろう。

あるパンフレット作家は、植民地に税を課さない結果、そこから軍隊がいなくなれば、「結果は、ただ戦争を引き起こし、国は損失を招き、おそらくは破滅へと至るだろう」とのべている（Knox 1768: 36）。帝国の維持は高くつく。そうではあっても、植民地が帝国の一部であるならば、植民地人はその負担を引き受ける義務をもつ。植民地人がヨーロッパという「諸国家の共同体」に帝国の一員として関わっていくことは、国際法の遵守だけではなく、税の義務を負うことをも意味した（グールド 二〇一六）。しかし、植民地人にとって、課税という負担は、かれらが想起する帝国像に見出すことのできない新奇な企てであった。

帝国からの離脱

軍隊と課税は、ブリテン本国にとっては、北米大陸における帝国の実体化の試みであり、植民地にとっては、帝国の実態からの逸脱であった。本国と植民地とは、異なる帝国像をいだいていた。

距離は想像を掻き立てる。アダム・スミスは、『諸国民の富』において、植民地は、「ブリテンの構成員」ではなく、「帝国の装身具のようなもの」であるとのべ、「ブリテンの統治者たちは、一世紀以上にわたって、大西洋の西側に大きな帝国を領有しているという想像によって国民を喜ばせてきた。しかしながら、この帝国は、これまでのところ、想像のなかに存在していたにすぎない。これまでのところでは、それは、帝国ではなく帝国についての計画であり、金山ではなく金山についての計画であった」と断じている(Smith 1937: 899)。帝国を実体化しようとしたとき、「自治」を積み重ねてきた植民地人がそれに抵抗したのは当然である。レキシントン・コンコードでの戦いが始まる直前に、エドマンド・バークは、その抵抗は「事物の自然な構造」ゆえに起こっていると論じた。かれは、想像の帝国の実態を説き、帝国の再編が困難であると主張した。「諸君とかれらのあいだには三千マイルの海洋が横たわっている。この距離が統治を弱める作用は、いかなる人工的工夫をもってしても防ぎがたい」(斎藤 一九九二：七三頁)。

帝国の「自然な構造」とは何だったのだろう。本国権力は、植民地にたいしては航海法の施行というかたちでしか行使されていなかった。本国と植民地のあいだには事実上は権限の分割が行なわれており、いわば連邦制が帝国の実態であった。当時ペンシルヴァニア植民地議会の議長であったジョセフ・ギャロウェイが一七七四年に提案した「帝国連合案」では、全植民地の代表から構成される「大会議（グラウンド・カウンシル）」を創設し、「本国および植民地双方にかかわる全般的事項についての立法」をブリテン議会と大会議の「合意」によって行なうとなっている(Ford 1892–1899, 1: 59–51)。これは、いささか突飛な提案にみえたかもしれない。しかし、トマス・ジェファソンからみれば、連合体としての帝国は、アメリカへの移住者たちが植民地を建設したときから、すでに成立していた。かれは、『英領アメリカの諸権利についての意見の要約』において、「移住者たちは、〔中略〕同一共通の君主へ服従することによって、ブリテンとの連合を持続させることは適当であると考えた。かくして、この君主は、いまや新しく増加してきたブリテンの各部分を結びつける中心的な楔となった」とのべている(Boyd 1950, 1: 122-123)。おなじような主張は、アダムズなどほかの指導者たちにも共有されていた。同君連合論が広く植民地全体に浸透しつつあったからこそ、ジェファソンは、大陸会議(コンチネンタル・コングレス)が発した「武器を取る大義の宣言」の草稿において、「われわれの祖先は〔中略〕アメリカの寂寞たる荒野に定住地を設け、さまざまの政治構造をもつ政治社会を確立した。かれらはまた、後に残してきた友人たちとの結びつきを維持するために、契約の特許状によってみずから同一共通の君主のもとに服することとした」と書くことができた(Ford 1892-1899, 1: 200)。

同君連合論は、帝国のなかに北米植民地を本国と対等に位置づける論理ではあっても、帝国からの離脱を正当化する論理にはみえない。実際、ジェファソンは、先に紹介した草稿において、「われわれは、あのように長く、あのように幸福にわれわれが生きてきたブリテンとの連合を、揺るがすつもりはけっしてない。われわれは、この連合が再興されるのを望むのみである」と訴えている(*Ibid.*: 202)。しかし、かれが作成した「独立宣言」の草稿を読むならば、同君連合論は帝国からの分離を導く論理を含んでいたことがわかる。ジェファソンは、植民地は「グレート・ブリテンの富や力」の支援によって創設されたのではなく、自発的に「移住し定住した」われわれの祖先が、その「血と財産の代償」によって建設したのであり、諸植民地は、自発的に「一人の共通の君主を戴き」、ブリテンとのあいだに「永遠の同盟と友好の基盤を据えてきた」と説く。自発的に形成された帝国内の同盟は、したがって、任意に解消することができる。われわれを「反逆者」と呼んだ国王は、「われわれの同胞を兵士として送るばかりでなく、スコットランド人や外国人の傭兵まで送り出す」に至った。事ここに至っては、「われわれの勇ましい精神によって、このような冷酷な同胞たちとの縁を永遠に断ち切ることを余儀なくさせる」。

「独立宣言」は、冒頭で「政治的紐帯を解消し」と言明している。紐帯の解消は、独立宣言に先立つヴァジニア憲法の作成に際して、ジェファソンがその草案において、「人民の権威により、該ジョージ三世は、ここに本政府内の国王の職務を解かれ、その権利、権限、大権の一切を完全に剥奪される」とのべ、ジョージ三世の廃位を宣言していることに示されるように、なによりも、国王への忠誠の放棄を意味した。そうして、国王が帝国を連合として存立させる正統性を失った以上、十三植民地は、帝国から分離し、「独立対等の地位」を追求せざるをえなくなる(Boyd 1950, 1: 257)。

二、独立と連邦共和政

独立

アメリカの諸植民地は、なぜ、独立を宣言しなければならなかったのだろうか。独立を宣言して国家を創設するという行為は、先例のない企てであった。すでにのべたように、ジョージ三世は、植民地人を「反乱者」であると公言していた。その状態を解消しなければ、ブリテンとの戦闘は内乱である。トマス・ペインは、『コモン・センス』において、「独立を宣言」しなければ、「われわれは、外国からみれば、反逆者と考えられるにちがいない」と論じた(ペイン 一九七六: 八四―八五頁)。この主張に応じるかのように、ヴァジニア植民地のリチャード・ヘンリー・リーは、大陸会議にたいして、「植民地連合は、自由で独立した国家であるし、またそうあるべきである」から、「ブリテン国王にたいするあらゆる忠誠義務から解除されている」のであり、すみやかに「外国との同盟関係を形成するために、もっとも効果的な手段を取る」べきであるという内容の決議文を採択するよう求めている(Ford 1893-1899, 5: 425-

けれぱならなかった。

426)。帝国内の内乱を国家間の戦争に転じるためには、国際社会から認められる政治体、すなわち、国家を創設しなければならなかった。

リーの決議案を受けて、大陸会議は、独立宣言を作成する委員会、通商と同盟についての条約を起草する委員会、および、連合規約を策定する委員会という三つの委員会を設けた。連合規約は、第二条で、各邦が「主権、自由、独立を保持する」ことを定めていたが、「戦争と平和」という対外的な事項にかんする権限については大陸会議だけに付与している。この規定に示されているように、これらの委員会が大陸会議に提出することになる文書は、アメリカ諸邦連合が対外的に主権をもった政治体であることを表明するために作成された。

したがって、「独立宣言」の名宛人は、その末尾に、「おのが生命、おのが財産、おのが尊き名誉を捧げ合う」よう求められた植民地人だけではなく、その序文の最後に、ジョージ三世の専制政治を「公正な世界」に向かって「証明する」とのべられているように、国際社会でもあった。植民地の独立は、帝国からの離脱ではあっても、旧世界＝ヨーロッパとの決別ではなかった。むしろ、旧世界の国際秩序に加わることをめざしていたのである。

反英抗争の指導者たちがブリテンからの離脱を念頭におくようになったとき、参照した著作の一つが、国際法学者ヴァッテルの『国際法』であった。ヴァッテルによれば、「主権国家」、すなわち、「自由にして独立した人びと」だけが、「国際法にしたがう自然社会」に加わることができる(アーミテイジ 二〇一二：四二頁)。国家とは独立した政治体であり、国際法上「ほかの国家と関係を結ぶ資格」は独立した地位をもつ国家にあるというかれの定義は、「独立宣言」でも採用されている。「独立宣言」は、冒頭で、「隷属状態から解放」された人びとは、「地上各国のあいだにあって、自然法や自然の神の法によって本来当然に与えられるべき対等で独立の地位を主張しなければならなくなる場合がある」と宣言し、「これらの植民地は自由にして独立した国家であり、諸邦はこれ以降、自由にして独立した国家として、宣戦・講和をなし、同盟、通商の条約を結び、その他の独立国として当然行ないうる一切の行為をなす権限をもつ」と主張している。

しかし、独立の宣言だけでは、ヨーロッパ諸国にたいして「反逆者」という認識を改めさせることはできない。ブリテン政府内では、独立の宣言は、「独立を自称した」ものにすぎないと理解されていた(グールド 二〇一六：一六七―一六八頁)。そのことは、植民地側も理解していた。国際社会は、力が決済する場であったが、同時に、「自然法や自然の神の法」という規範が作用している空間でもあった。そのような空間である国際社会に受け入れられるためには、ヨーロッパのいずれかの国による独立の承認が必要となる。「独立宣言」を公にした大きな理由の一つは、同盟を結ぶことであった。一七七八年に締結された米仏条約は、植民地人たちのあいだでは、アメリカ植民地が独立した諸邦であることの証明になると受けとめられた。

植民地は、米仏条約により、独立した国家(ステイト)として事実上認定されたといえる。しかし、事実としての独立と法的な独立とは別問題である。自然権思想を否定していたジェレミー・ベンサムが、独立の根拠づけを「仰々しい戯言」と呼んだのは当然だろう。商務省官吏だったエドワード・ギボンは、植民地の独立を「まがいものの独立」と断定し、米仏条約は他国の主権の正当な管轄内における反乱を援助することを禁じた国際法違反であると論じている(グールド 二〇一六：九三頁)。この難問は、ヨークタウンの戦いで、ブリテン軍がアメリカ植民地・フランス連合軍に降伏し、ブリテン政府が講和交渉を始めたことによって、解決へと向かった。一七八三年に締結されたパリ講和条約の第一条には、「ブリテン国王陛下は、前記の諸邦連合が(中略)自由で主権をもち独立した国家であることを承認する」と定められている。しかし、独立の承認は、諸邦連合に国際社会での安定的な地位を保障しはしなかった。そうして、対外的な安定した地位を求める動きが、諸邦連合という政治体の性質を変える動きと重なって始まっていく。

植民地は、パリ講和条約により、諸国間の対等な関係に組み込まれたわけではない。同条約では、独立戦争の渦中で財産を没収されていた独立反対派やアメリカ人に債権をもっているブリテンの商人たちにたいして、諸邦連合は、その返還、補償、および返済を履行することが義務づけられていた。しかし、同連合は、それを履行できないままでいた。したがって、ブリテン軍は、諸邦連合領となった北西部地域に駐留しつづけ、同連合に敵対的なインディアン諸部族を支援していたし、ブリテン議会では、諸邦連合と、他国と同様の通商関係を結ぶことに批判的な声が優勢を占めた。また、ブリテンは、諸邦連合にとって交易上の要所であった西インド諸島との貿易を禁止した。

スペインとのあいだにも係争があった。西フロリダは、諸邦連合とスペインとがともに領有権を主張し、かつ、スペインは、ミシシッピ川下流の航行とニューオーリンズの港の利用を諸邦連合にたいして禁じた。西部の新たな土地を必要としていた南部プランターにとっては、この外交攻勢は受け入れがたかったが、農産物の積み出しのための交通手段としてその地域に密接な利害関係をもっていた西部の農民は、自分たちの農産物をカリブ海から大西洋に運ぶことを保障してくれる政府であれば、諸邦連合の政府であってもスペイン政府であってもどちらでも良かった。そのため、諸邦連合は、西部地域の離反という危機に直面することになった。スペインは、さらに、同地域のインディアンの諸部族のうち、クリーク族をはじめとする諸邦連合に敵対的な部族との同盟関係を結んだ。

同盟を締結していたフランスも、ブリテンに代わってアメリカの農産物を大量に輸入するということはなかった。このように、パリ講和条約を締結したのちも、ヨーロッパ諸国は、諸邦連合を「諸国家の共同体」を構成する主権国家とは認めていなかった。それどころか、ヨーロッパ諸国は、軍事的にも経済的にも、諸邦連合にとって脅威となっていたのである。そうして、諸邦連合は、その経済的な不利益、対外的な劣位、軍事的な脅威を取り除くための権限を有していなかった。連合規約では、連合会議(コンフェデレーション・コングレス)に通商を規制する権限は付与されていなかった。各邦の代表が集まる連合会議の権限強化の試みは、つねに、邦間もしくは地域間の対立によって、挫折させられていた。独立という共通の大義を失った諸邦の一体性は脆くなり、連合会議は、機能不全に陥っていた。

連合規約の改正が提案されたのは、国家としての信用を得られる中央政府の設立なしには、国際社会の正当な構成国たりえないという危機感が共有されるようになったからである。とりわけ、南部の指導者たちは、農産物を自由に輸出できる市場を求めていた。建国の理念となった共和主義思想によれば、諸邦連合が共和政であるためには農業従事者が人口の大半を占める農業社会でなければならないが、農産物の販路がヨーロッパに得られなければ、ヨーロッパから製造品を輸入することができなくなり、したがって、農業人口が減少するとともに、製造業に従事する人びとが増えていく。そうなると、諸邦連合は、ヨーロッパのような、製造業・商業中心の腐敗・堕落した通商社会となってしまう（ジェファソン 一九七二：二九七頁）。共和政として存続していくためには、農産物市場が不可欠であり、ヨーロッパに市場を開かせるためには、通商規制の権限をもつ中央政府が必要となる。

戦時公債の償還など戦後処理のためには、中央政府に課税にかんする限定的な権限と通商を規制する権限とを与えることが避けられないという判断は、各邦の多くの指導者たちに共有されていた。かくして、一七八七年、連合規約の改正を目的としたフィラデルフィア会議が開催された。

改正された連合規約というよりも、新たに起草された連邦憲法は、中央政府に、連合会議には付与されていなかった課税、公信用、通商、外交にかんする強力な権限を定めている。これは、邦に主権があると考えていた人びとや中央集権的な政府への不信感・警戒感をもつ人びとには、受け入れがたい文書であった。フィラデルフィア会議に参加しながらも、憲法案に署名しなかったジョージ・メイソンは、ヴァジニア邦の憲法批准会議で、設立されようとしている中央政府は、「国家的（ナショナル）政府であって、もはや連合（コンフェデレーション）ではない。〔中略〕わたしの主な反対理由は、連合が統一中央集権的政府になった点である」とのべている(Rutland 1970, 3: 1050)。

それにたいして、のちに連邦最高裁判所初代主席判事となるジョン・ジェイは、連邦憲法の批准を訴えた『ザ・フェデラリスト』において、「国際条約を遵守する」ような「統一的な国家的政府」が設立されなければ、「アメリカの平和」は達成されないと訴えた。「国家的政府のもとでは、国際法も条約の個々の条項も、統一した解釈が加えられ、その統一見解のもとで履行されるだろう」。そうなれば、「諸外国は、わたしたちの敵意を煽るよりも、友好な関係を築こうとするだろう」(ハミルトン、ジェイ、マディソン 一九九九：二六—二七頁)。このように、憲法批准派は、国際条約の遵守を保障し、対外的に諸邦連合を代表する中央政府が存在してはじめて、諸邦連合は国際社会の構成国となることができると考えていた。アレクサンダー・ハミルトンは、フィラデルフィア会議でつぎのように主張している。「諸外国の目に敬すべき地位を保っているように見えることは、われわれの目的ではない、共和政にふさわしい目的は国内の安寧と幸福であるという発言があった。これは机上の区別である。いかなる政府も、われわれを対外的に敬すべき国にするのに十分な安定と強さとがなければ国内における安寧と幸福とをもたらすことはできない」(Farrand 1937, 1: 466-467)。対外的な安定と安全とを確実にするような「統一的中央集権政府」は必要だったのである。

では、連邦憲法は、主権国家を誕生させたのだろうか。対内的に、邦はその主権を放棄したのだろうか。対外的に、諸邦連合は対等な関係をもつ国として遇されるようになったのだろうか。J・アダムズは、『アメリカ諸邦連合憲法擁護論』において、憲法のもとでの「新たな制度」は、諸邦の自律性を縮小することによって、一つの政府のもとに「諸邦は利益と志向性とを統合するようみごとに考え抜かれ」ていると論じている(Adams 1787-1788, 3: 505-506)。アダムズの見立ては、なかば正しかったが、なかば間違ってもいた。邦の権限は限定されたが、連邦政府のもとに「より完全な諸邦連合」が実現したのではない。

三、「帝国」と「国民国家」

広大な共和国

連邦憲法によって建設されたのは連邦共和国であった。ジェイムズ・マディソンは、『ザ・フェデラリスト』第三九篇において、「この憲法案は、厳密にいえば、国家的憲法でもなく、さりとて、連合的憲法でもなく、両方の結合なのである」とのべている(ハミルトン、ジェイ、マディソン 一九九九：一八八頁)。広大な領土を統治する政府は専制的になるというメイソンがモンテスキューの共和政論を援用して行なった小さな共和国論は、憲法支持者たちにとっても解決すべき難題であった。ハミルトンは、第九篇で、モンテスキューの『法の精神』を引用しながら、同書では、広い領土でも連合制を採用すれば共和政を維持できると説いていると書く(同：四三―五一頁)。マディソンは、第一〇篇で、広い領土で代表制を採用すれば、有徳な人士が統治を行なう共和政が実現可能であると論じる(同：五二―六五頁)。

連邦憲法は、連邦議会が行使できる権限を列挙している。また、第一回連邦議会により憲法典に付加された修正条項の第一〇では、「本憲法によって、諸邦連合に委任されず、また、各邦にたいして禁止されなかった権限は、各邦それぞれにまたは人民に留保されている」と定めている。このように、中央政府は樹立されたものの、諸邦連合は主権国家として誕生したのではない。むしろ、それは、部分的ではあれ、なお主権を有する諸邦の連合国家として衣替えした。メイソンのような反中央集権論を唱える声が各邦で上がり、各邦ごとに行なわれた憲法批准では、四割を超える人びとが反対票を投じたにもかかわらず、批准された憲法案が定着していったのは、連邦憲法のもとでも邦間の連合的性格は維持されているという解釈が可能であったからである。

この邦連合論は、マディソンとジェファソンがそれぞれ作成したヴァジニア決議・ケンタッキー決議(一七九八年)に引き継がれた。ヴァジニア決議は、「連邦政府の権限は、諸邦を当事者とする契約から生じている」と宣言している(Elliot 1832: 2)。ケンタッキー決議も、連邦憲法を邦間の契約として捉え、したがって、「諸邦を一つの主権へと統合すること」は憲法で保障された諸邦連合を解体させると説く(*Ibid*.: 5)。一八〇〇年の選挙で、ジェファソンが大統領に選出され、以後、かれとマディソンを中心に結成された共和派が政権をとりつづけることで、条約としての憲法および邦連合という観念は残りつづける。たしかに、一八〇三年の「マーベリ対マディソン判決」以降、判例が積み重ねられて、連邦最高裁判所が連邦憲法の最終的な解釈権をもつという理解が定着するとともに、諸邦連合の統一国家化も進行していく。しかし、ヴァジニア決議・ケンタッキー決議を引き継ぐ「無効論(ナリフィケーション)」は、連邦法の最終的な解釈権は各邦が有するという憲法論であり、諸邦連合はいまだ主権国家としての属性を備えていなかった。

「国民」もなお形成されていなかった。ジェイは、『ザ・フェデラリスト』第二篇で、「神の摂理が、この一つに結び合わされた国土を一つの結合された人民に与えることを嘉(よみ)したもうたこと、これまたわたしの喜びとするところである。すなわち、かれらは、同じ祖先より生まれ、同じ言葉を語り、同じ宗教を信じ、同じ政治原理を奉じ、その習慣習俗においてきわめて似ている一つの人民」であると説いている。つづけて、かれは、この諸邦連合(ユニオン)が、「一つの国家・国民(ネイション)」であると提示する(ハミルトン、ジェイ、マディソン 一九九九：八頁)。マディソンも、第一四篇において、「アメリカ市民の体内に流れている同類の血は、かれらの神聖な権利を守るために捧げられた混じり合った血は、アメリカ市民の連邦を聖別しているのであり、たがいが、異邦人、競争相手、敵になるという考えを憎悪している」と論じている(同：八七頁)。しかし、ジェイが説くような一体性は生まれてはいなかった。マディソンの主張は、願望ではあっても現実認識ではなかった。

ハミルトンは、第一七篇において、「人間の愛着心が、通常、その対象への隔たりと拡散の程度に応じて弱まっていくことはよく知られた事実である。この原理によれば、〔中略〕各邦の人民は、連邦政府よりも自分たちの地元の政府に、よりつよい愛着を感じている」とのべている(同：八〇頁)。実際、人びとのあいだでは、独立によって「ブリテン人」という意識は消えていったが、あらたに、「アメリカ人」という意識が生まれたのではない。人びとの多くは邦にアイデンティティを重ねていた。交易は、海外貿易をのぞくと、邦内に限られていた。だからこそ、マディソンは、第一四篇で、「連邦の全域にわたっての交流」を促進する「新しい内陸開発」の必要性を語ったのである。かれにとって、たとえ広大ではあっても、諸邦連合は、そこに、連邦制を敷き、代表制を設け、各邦間の物流・交信を可能にする基盤整備が行なわれるならば、共和政として「実現可能」であり、かつ、「品位をもち繁栄する一つの偉大な帝国」になることができる(同：八〇、八七頁)。

「自由の帝国」

然り。建国者たちは「帝国」の建設をめざした。そうして、その帝国とは、古典古代以来の伝統を引き継いだ共和政であった。しかし、その作業は挫折した。否、「国民国家の創生」は成就されたといえるだろう。

マディソンは、第一四篇において、「新しい邦を連邦に付け加える」ことも、諸邦連合が共和政たりうる根拠となるとのべている(ハミルトン、ジェイ、マディソン 一九九九：八五頁)。かれは、パリ講和条約によってブリテンより譲渡された領土を、邦としての単位で連邦に組み込むことで連邦共和政の拡大を図ろうとした。連邦の外延を拡大し、かつ、外延された空間を連邦へと内包化する。ここに、共和政と帝国とは両立する(古矢 二〇〇四)。ハミルトンの製造業育成論、アルバート・ギャラティンの内陸開発政策、ヘンリー・クレイの「アメリカン・システム論」は、いずれも、農・商・工鼎立の産業構造を諸邦連合に確立し、連邦の一体性を強固にする試みであった(中野 一九九三、櫛田 二〇〇九、Larson 2001)。

しかし、拡大していく帝国は、同質的な空間でも無主の空間でもなかった。南部の奴隷制は新開地へと持ち込まれた。また、白人アメリカ人の入植地には、先住民の社会があったし、スペイン系やフランス系の入植者も住んでいた。連邦共和政の拡大は、異民族への侵略、異民族の征服、異民族の奴隷化、これに、移民というかたちでの異民族の流入を加えれば、歴史上、「帝国」と呼ばれる国がその版図を外延化しながらその内包化を図るために行なうほぼすべての方策を踏襲している。連邦共和政の拡大は、その「帝国」化でもあった。

ジェファソンは、諸邦連合の未来を「自由の帝国」として描いている。それは、「通商」を国内で育成するのを避け、「広大で肥沃な空間」を加えていく帝国であった(Boyd 1950, 4: 237)。パリ講和条約締結後もなお対外的な地位が不安定であり、ブリテンやスペインなど近隣の植民地帝国と事実上の戦争状態にあった諸邦連合は、一七九四年に締結されたブリテンとのジェイ条約によって、「国際条約に値する国」としての地位を確立したといえよう。ブリテンは、この条約後、北米大陸から駐留軍を引き揚げた。また、スペインとのあいだでは、一七九五年に締結したサン・ロレンツォ条約によって、両国の国境線が明確化され、ミシシッピ川の航行権とニューオーリンズ港の使用も承認された。そうして、大統領に就任したジェファソンは、一八〇三年に、フランスからルイジアナ地域を購入した。それにより、諸邦連合の領土はほぼ倍増した。ここに、ジェファソンの「自由の帝国」が胎動する条件は整った。

ジェファソンにとって、「自由の帝国」の実現を阻むのは黒人奴隷制ではなかった。かれ自身は、奴隷制がやがて消滅することを期待していたし、そのように予想してもいた(ジェファソン 一九七二：三〇一頁)。しかし、黒人奴隷制は存続していく。それにより、白人は、大農園の小作農ではなく、「大地に働く」自営農となる機会が保障される。また、南部の大農園が、タバコ栽培から綿花栽培へと切り替えたことで、黒人奴隷制は、南部経済に不可欠の制度となっていく。ガン条約において、奴隷貿易の非合法性が定められたにもかかわらず、実際には、ウィーン体制後の国際法のなかに奴隷貿易の禁止は組み込まれることはなかったし、ブリテンは、諸邦連合の奴隷制を黙認しつづけた。

国際秩序は、奴隷制の維持・拡大を容認したのである。

先住民についても、最高裁主席判事ジョン・マーシャルは、一八二三年の判決では、先住民を「野蛮人」であり、「文明化された国民」とおなじ権利をみとめることはできないと断定し、一八三一年の判決では、「国内の従属国家」という概念を用いて、諸邦連合が、先住民諸部族の居住地を事実上の植民地とすることを認めている。

このように、「自由の帝国」は、「帝国」の相貌を呈していたのである。そうして、「自由の帝国」はそのような国として国際社会に参入していった。

にもかかわらず、「自由の帝国」が大西洋の彼岸の「帝国」と異なっていると認識されつづけたのは、ジェファソンがジェイムズ・モンロー宛の書簡で記しているように、諸邦連合を含む西半球が、「ヨーロッパの体制とは別の異なる体制」、すなわち、「自由の住処」だったからである(Ford 1903-1904, 15: 477)。ナポレオン戦争期、諸邦連合の主張する中立権(中立国の通商の自由)を承認しない英仏にたいして、ジェファソン政権は、両国との通商を禁じる「出港禁止令」(一八〇八年)で対抗したし、マディソン政権は、「一八一二年戦争」に訴えた。国際社会は、同国が望むような国際秩序は受け入れなかった。しかし、ウィーン体制のもとで、ヨーロッパ諸国が自国にとっての対外的危機となるような行動を西半球で起こすことがなくなると、諸邦連合は、北米大陸において、ほぼフリーハンドで共和政を拡大していくことができるようになった。

「モンロー宣言」は、ヨーロッパからの孤立を宣言したといわれている。先に引用したジェファソンのモンロー宛の書簡も、それを承認しているかのように読める。しかし、「自由の帝国」は、余剰農産物の安定した市場がヨーロッパに存在することを存立の条件としていたし、そのためには、通商の自由が不可欠であった。モンローも、第二次大統領就任演説において、わが国の「農業、通商、製造業、漁業、歳入、すなわち、その平和は、政府が諸外国とどのような関係をとるのか」にすべてかかっていると説いている(Hamilton 1902, 6: 166)。実際、ホイットニー綿繰り機が発明された一七九三年から一八二〇年までに綿花の生産量は三〇倍に達し、ブリテンはその最大の輸入国となった。

ブリテンが西半球を安定させる勢力均衡を主導し、かつ、綿花の市場となったために、諸邦連合は農業社会として拡大することができた。「自由の帝国」や「明白な運命」というイデオロギーで正当化された大陸内部への発展は、ヨーロッパ、とりわけ、ブリテンの現実政治(リアルポリティーク)により可能になったといえる。「自由の帝国」にとっての危機は外部には存在しない。むしろ、その発展を阻むのは、農本主義的共和政を内部から解体させる危険性をもつ産業社会化している北部であった。「一八一二年戦争」後に現出したのは、大西洋を挟む両岸の異なる「体制」の対立ではなく、諸邦連合内の北部と南部の異なる「体制」の対立であった。ジェファソンは、「ミズーリ危機」を「道徳の問題ではなく、単なる力の問題である」(Ford 1892-1899, 10: 180)と捉えていたが、奴隷制は「道徳問題」であり、南部と北部の対立は、いわば冷戦的なイデオロギー対立であった。邦が主権を主張し、かつ、二つの「体制」に分かれてもいた諸邦連合は、「国民国家」としての体をなしていなかった。

南北戦争を契機に、諸邦連合の「国民国家」化は進んだ。南北戦争後には、憲法は条約としての性格を失っていった。少なくとも、邦主権論は影響力をもたなくなっていく。一八六九年には、大陸横断鉄道が開通し、国内市場の形成と情報の伝播が促進されていく。「想像の共同体」としての国民国家が創生されていく。しかし、大統領となった共和党のエイブラハム・リンカンは、なお、建国者たちの共和政像を共有していたが、一九世紀後半をとおしてほぼ政権をとりつづけた共和党のもとで作り上げられた国民国家は、建国者たちが反共和主義的であると批判していた資本主義的な国家を建設した。そうして、一八九八年の米西戦争を契機に海洋国家化したその国家は、やはり建国者たちが批判していたヨーロッパ的な帝国の姿にあまりにも似ていた。

注

（1） 本稿では、United States of America を「アメリカ諸邦連合」と訳す。南北戦争前は、USA が複数形の名詞であり、実際にも、主権をもつ「邦」の連合体として認識されていたこと、言い換えれば、「国民国家」として捉えることができない政体であったことを表現するには、「諸邦連合」のほうが適切な訳語である。

参考文献

アーミテイジ、デイヴィッド（二〇一二）『独立宣言の世界史』平田雅博ほか訳、ミネルヴァ書房。

ウッド、ゴードン・S（二〇一六）『アメリカ独立革命』中野勝郎訳、岩波書店。

櫛田久代（二〇〇九）『初期アメリカの連邦構造――内陸開発政策と州主権』北海道大学出版会。

グールド、イリジャ・H（二〇一六）『アメリカ帝国の胎動――ヨーロッパ国際秩序とアメリカの独立』森丈夫監訳、彩流社。

斎藤眞（一九九二）『アメリカ革命史研究――自由と統合』東京大学出版会。

ジェファソン、トマス（一九七二）『ヴァジニア覚え書』中屋健一訳、岩波文庫。

中野勝郎（一九九三）『アメリカ連邦体制の確立――ハミルトンと共和政』東京大学出版会。

バーク、エドマンド（一九七三）『アメリカ論・ブリストル演説』〈エドマンド・バーク著作集〉2、中野好之訳、みすず書房。

ハミルトン、アレクサンダー、ジェイ・ジョン、ジェイムズ・マディソン（一九九九）『ザ・フェデラリスト』斎藤眞・中野勝郎訳、岩波文庫。

古矢旬（二〇〇四）『アメリカ 過去と現在の間』岩波新書。

ペイン、トーマス（一九七六）『コモン・センス 他三篇』小松春夫訳、岩波文庫。

Abbot, W. W., and Dorothy Twohig (eds.) (1983-), *The Papers of George Washington*, Charlottesville, University of Virginia Press.

Adams, John (1787-1788), *A Defence of the Constitutions of Government of the United States of America*, 3 vols., London, Oxford University Press.

Boyd, Julian F. (ed.) (1950-), *The Papers of Thomas Jefferson*, Princeton, Princeton University Press.

Crèvecœur, Michel-Guillaume Jean de (written as J. Hector St. John) (1981), *Letters from an American Farmer*, New York, Penguin.

Elliot, Jonathan E. (ed.) (1832), *The Virginia and Kentucky Resolutions of 1798 and '99*, Washington D. C., Jonathan Elliot.

Ellis, Richard E. (1987), *The Union at Risk: Jacksonian Democracy, States' Rights and the Nullification Crisis*, New York, Oxford University Press.

Foner, Eric (1995), *Free Soil, Free Labor, Free Man: The Ideology of the Republican Party Before the Civil War*, New York, C. Dilly.

Ford, Paul Leicester (ed.) (1892-1899), *Writings of Thomas Jefferson*, New York, Cornell University Press.

Ford, Washington C., et al. (eds.) (1904-1937), *Journals of Continental Congress, 1774-1789*, Washington D. C., Library of Congress.

Hamilton, Stanislaus Murray (ed.) (1902), *The Writings of James Monroe*, New York, G. P. Putnam's Sons.

Knox, William (1768), *The Present State of the Nation: Particularly with Respect to Its Trade, Finances, & c. Addressed to the King and Both Houses of Parliament*, London, J. Almon.

Larson, John Lauritz (2001), *Internal Improvement: National Public Works and the Promise of Popular Government in the Early United States*, Chapel Hill, The University of North Carolina Press.

McCoy, Drew R. (1980), *The Elusive Republic: Political Economy in Jeffersonian America*, Chapel Hill, The University of North Carolina Press.

Rutland, Robert A. (ed.) (1970), *The Papers of George Mason, 1725-1792*, Chapel Hill, The University of North Carolina Press.

Smith, Adam (1937), *The Wealth of Nations*, New York, Modern Library.

集点 Focus

一七一一八世紀ヨーロッパにおける日本情報と日本のイメージ

小俣ラポー日登美

はじめに

一六九五年ごろ、現在のドイツからフランドル地方に向けて、ジョージ・サルマナザールと名乗る、自称日本人の一六歳の若者が放浪していた。その若者は金髪で色白で、ガスコーニュなまりのフランス語を流暢に話した。故郷へ帰らず数年間放浪し、食いぶちに困った揚げ句、オランダ共和国軍の連隊に入隊した。軍でも、サルマナザールは日本人の異教徒として振る舞い、周囲の耳目を引きつけた。彼は、讃美歌を歌うために集まっているルター派やカルヴァン派の仲間達に背を向けて、朝日や夕日を拝むような仕草や祈りを捧げる様子をこれみよがしに見せつけた。さらには、小さな本まで用意して、そこには太陽や月、星々などの図様を描き、残りのページには自分がでっちあげた文字で書かれた文章を書き連ね、それらをつぶやき詠唱もした(Psalmanazar 1765: 144-145)。

サルマナザールの生きた一七世紀末、日本では幕府が「鎖国」をすでに完成させていたため、欧州との交流は細々と維持されている状態だった。したがって、この体制成立以後の日本近世社会から西欧にわたった日本人は、いなかったわけではないがかなり珍しかった。そこでサルマナザールも、ある時点からは、日本人ではなく台湾人を騙ることにした。当時の台湾、つまりフォルモサは、西欧社会にその存在が伝えられていても、実際に訪れたことのあるヨーロッパ人はいなかった。フォルモサの人間を名乗るために、サルマナザールは、架空のフォルモサの慣習や文字まででっちあげ、その地誌まで執筆し出版した(そこには日本情報も含まれていた)(サルマナザール 二〇二一)。そして、エキゾチックな文化に興味のある身分の高い好事家にも近づいた。彼の目論見は成功し、その後、文人として活躍することができたのである。これが、希代のペテン師ジョージ・サルマナザール(George Psalmanazar/本名不詳、一六七九頃―一七六三年)の一世一代の詭弁の物語、そして人生である(Swiderski 1991: 252)。

一七―一八世紀のヨーロッパでの日本観を論じるにあたり、奇想天外な人物の逸話を本稿の冒頭で紹介した理由は、彼の犯した詐欺がまがりなりにも一部の人にまかり通った当時の状況が、この時代のヨーロッパの日本観を考察する上で示唆に富むからである。サルマナザールの嘘が成立し、さらに多くの人に通用する条件は、少なくとも二つ必要となる。第一に、誰もが気軽に渡航できたわけではなく、よって見たこともないような地「日本」が、伝説でなく、「実態として存在する」という知識を人々が広く共有していたことである。第二に、「日本人」(後にフォルモサ人)という嘘を信じさせるには信憑性が必要だが、そのために外見上の変装は試みられず、文字・宗教・風習に体現される文化的体系が捏造されたことである。この二条件は、この時代のヨーロッパでの日本観を検証するために重要な視座を提供している。一七―一八世紀の日本像については、おびただしい量の資料と参考文献が存在し、その全てを本稿で網羅することは紙幅の都合上難しい。そこで、本稿は、右記二点に配慮しつつ、この時期の日本イメージおよびその構築の背景について論じていく。

一、幻想から実態としての日本へ

かの有名なマルコ・ポーロの『東方見聞録』(『世界の記述』)で、黄金の島「ジパング」が言及されていたことは良く知られており、大航海時代の黎明期である一四七〇―八〇年代に『東方見聞録』は複数の言語で刊行され、広く読まれるようになった。現在諸説あるがコロンブスはその航海において「ジパング」を意識し探し求めていたとも言われている(Nicasio 2007: 132-3)。もともと、「ジパング」を含むまだ見ぬ土地が、「プレスター・ジョンの王国」あるいは「オフィールの地」と並び、桃源郷のように豊かな自然と資源に恵まれた驚異の世界を織りなしているという認識は、中世に広く流布した世界観の一つであった(ル・ゴフ 二〇〇六:三三二頁)。この中世的なキリスト教王国の伝説を背景に、ルネサンス期にいたるまで、ヨーロッパに理念的に存在した世界観の中では、現在の地理的概念を度外視して広くアフリカ大陸の未知の部分、さらにはエチオピアから極東地域までもが「(複数形の)インド」(Indies/Indias/Indesなど)と呼ばれた。この世界観の中では、日本もまた「インド」の一部であった(彌永 一九八七:三二一―三三、一八四―一八五頁)。

この幻想の世界から、日本が実際の航海に用いられる地図上の実体として徐々に認識されるようになったのは、一五一七年から東アジアの海域へ進出してきたポルトガル系商人たちが、日本の種子島に漂着し、さらにこのネットワークを利用してイエズス会の宣教師がキリスト教布教のために来日した後の一五五〇年代以降のことである。その後は、日本に渡航した人々による一次史料に基づいた書籍と、その書籍に依拠した二次文献の制作が組み合わさることで、一五五五年から一八世紀まで一五〇〇点を超える日本関連出版物が誕生し、日本の情報を普及させた。後述するように、日本情報の増加は日本イメージの向上に直結したわけではなく、特定のイメージがステレオタイプ化することが普通であった。前述したサルマナザールのふるまいは、そうしたステレオタイプの実践でもあった。

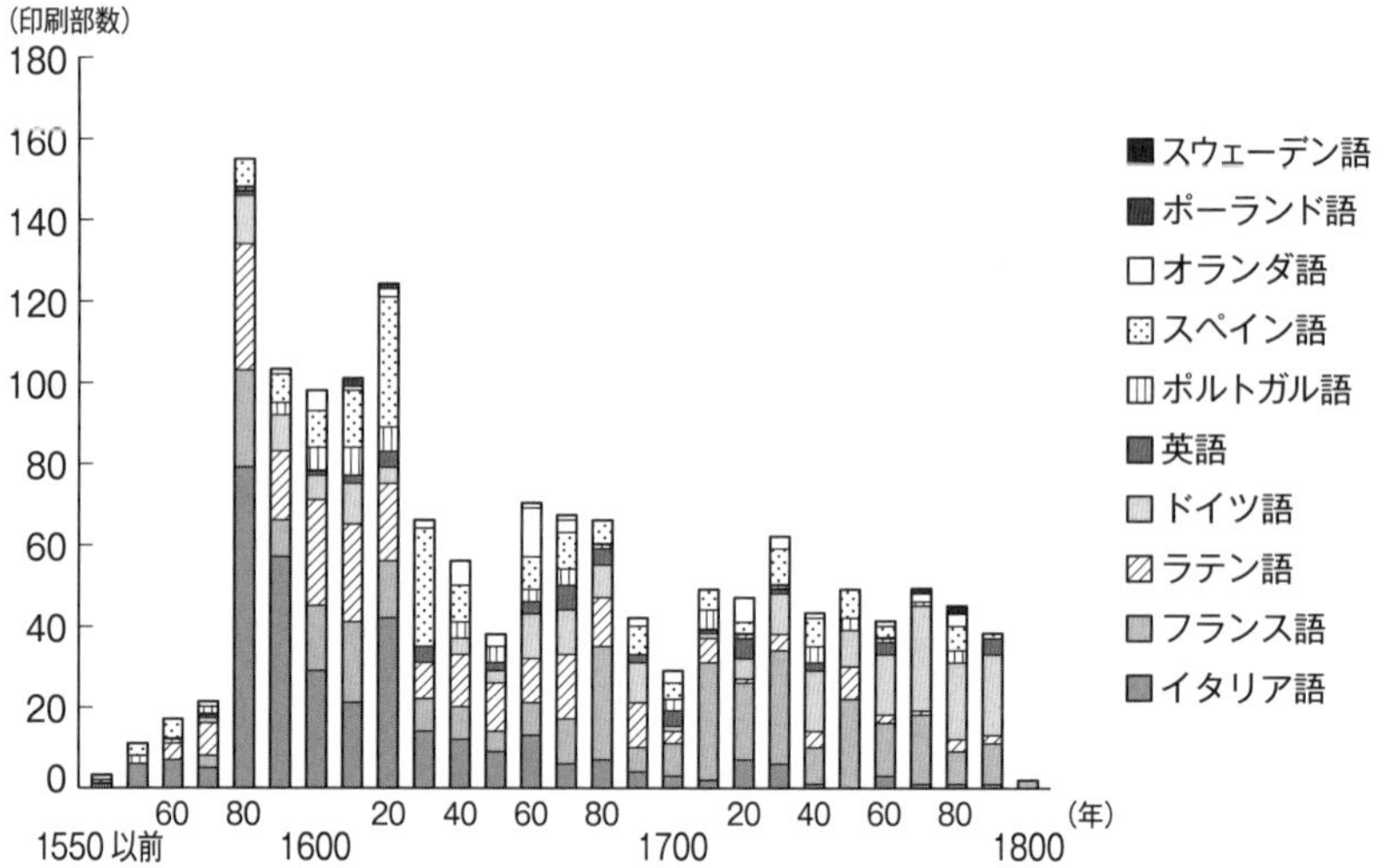

図1　1500-1800年における日本関連刊行物の推移
本図作成のために，上智大学キリシタン文庫ラウレスおよび(Kapitza 1990)の書誌リストを基本に，適宜WorldCatでの再版を確認し，1500-1800年の日本関連刊行物のデータを採取した．現代の図書館学的分類方法に基づき同様の統計をとった研究に(斎藤 2008)があるが，言語別統計と全体の増減を組み合わせた図がなかったため，新たに本稿のためにデータを採取しなおし作成した．その際に，ラウレスにおける地名の記載の誤りなどを適宜訂正している．

二、日本イメージ形成における書籍の役割

印刷文化の興隆はヨーロッパの世界観を変容させる大きな原動力となった。したがって、刊行された書籍は、近世におけるイメージの形成と普及を把握する上で、一つの指標になりうる。近世ヨーロッパにおける日本情報源は、大きく二系統あり、その一つはキリスト教の布教を目的に来日した宣教師たち、もう一つが貿易を目的に渡航した商人たちで、日本での「鎖国」完成後は、オランダ諸地域が連合して設立した東インド会社が日欧貿易関係を独占し、西欧に対してほぼ唯一の日本からの新情報の供給源となった。ただし両者の所有する希少な情報の全貌は、常に共時的にかつ自由に万人がアクセスできたわけではなく、その知識を管理した団体の価値観に基づ

きふるいにかけられた情報が時には時差を伴い刊行・公開され、日本観が醸成されるにいたった。つまり、実際に日本について得られていた知識と、それを管理した人々が西欧社会に向けて普及させたかったイメージの間には、内容的にも時系列的にもひらきがあった。

図1に整理した一〇年ごとの区切りによる日本関連書籍の出版状況の統計を見ると、日本の情報は、ヨーロッパにおいて重要だと考えられた出来事の直後に増加しながらゆるやかに一八世紀に向かって縮小していく傾向にある。

一七世紀の出版物が、イタリア語をはじめとする南欧諸語によるものが多数を占めるのは、キリスト教の宣教師による情報がローマを中心とするカトリック文化圏を中心に普及したためである。一方、「鎖国」体制の完成以降は、オランダ経由の情報に基づくフランドル地方での出版物の比率が高くなっていき、南欧諸言語の比率が低くなる。この推移は、書籍を出版言語ではなく出版地の分布によって整理した**図2**と併せて見ることで顕著になる。**図2**を見ると、ヨーロッパに広がった日本関連書籍の出版には、マドリッド・リスボン(西)、ローマ・ミラノ・ヴェネツィア(東)、パリ・フランドル地方・ロンドン(北)、を中心に三角形が形成されていることが分かる。**図2**には表示されていないがオランダ商館員に

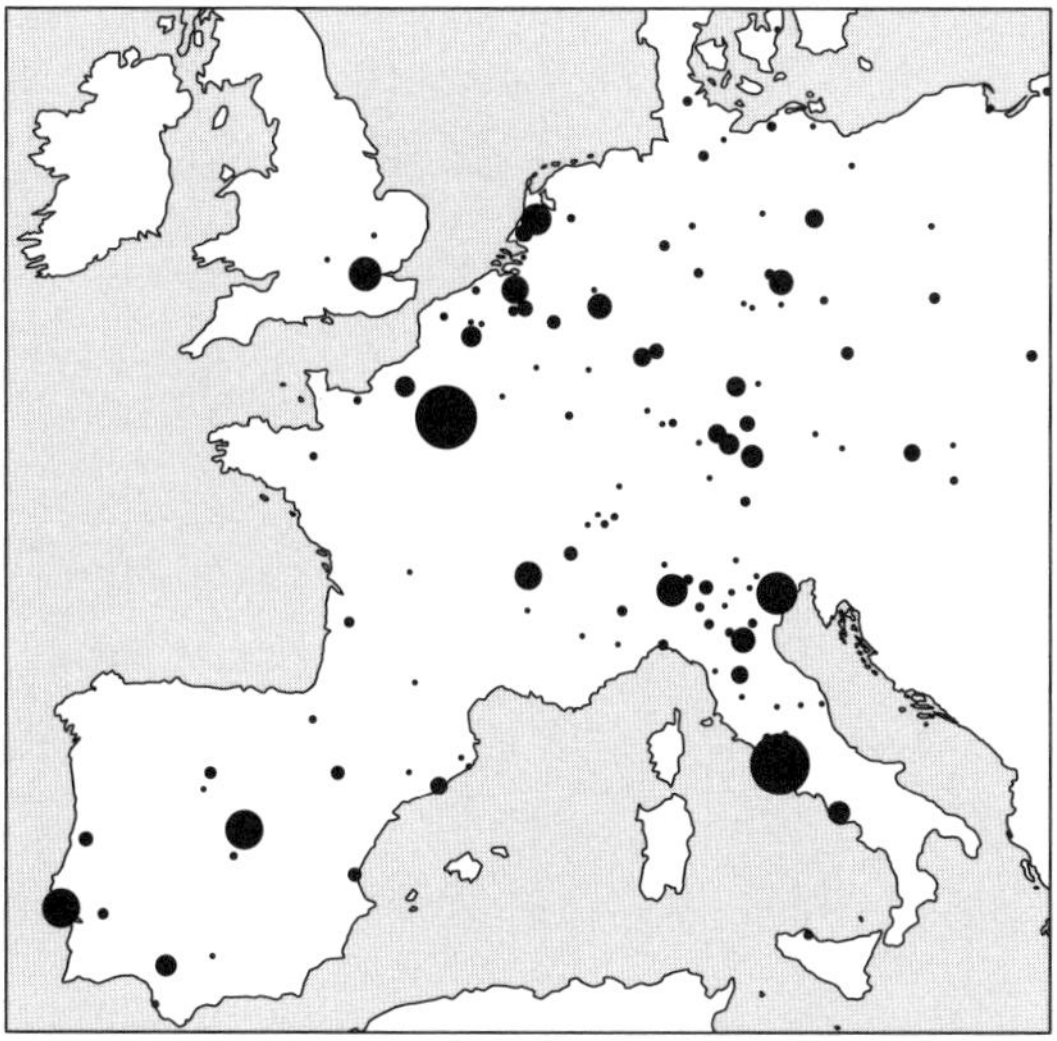

図2　1500-1800年における日本関連刊行物の出版地の分布
図1作成のために採取した情報に基づき，執筆された言語ではなく，出版地により出版物を分類し，ヨーロッパ地図に示した．黒丸の大きさは出版物の量を反映させている．

北欧出身者もおり、出版地は北欧にもおよんでいた。ドイツ語圏では、一七世紀の出版物がカトリックの南部地方に集中的に見られたが、一八世紀には北部においても出版されるようになる。また、一八世紀には、日本と直接的な外交・貿易関係を取り結ばなかったフランスの首都パリにおいて(もしくはパリで出版されたということにされ)、宣教師、東インド会社双方の情報を参考に執筆された啓蒙思想家の書籍(とそれに反発した書籍)が出版されるようになった。

情報供給のルートが次第に南から北に取って代わられていく推移は、日本との接触窓口となった地域の歴史的変遷に呼応する。しかし、このような動きとは別に、二系統の資料を自由に使った二次的でそして創作的な文献も執筆され続け、前時代の日本情報を継承しながら、事実を必ずしも反映させたわけではない日本観を形成するにいたった。こうして、流入する新情報が限定的になった一八世紀以降も、継続的に日本関連書籍が供給され続けた。

三、公刊された情報、公刊されなかった情報

日本に初めてキリスト教を布教したフランシスコ・ザビエルが、「日本人は私が会った新世界の人々の中でもっとも優れている」と書き記し、日本人の資質や清貧を高く評価したことは良く知られる。これは、ザビエルが一五四九年、鹿児島上陸三カ月後に執筆した書簡で述べられた感慨である。ここでは、日本人の性向、慣習、生活様式、信仰、そして日本の物産や地理的情報もまとめられ、その後に続いた様々な日本関連書籍においても類似の記述が踏襲されていることから、この書簡は大きな影響があったものと考えられる(岸野 一九八九:二二七―二三一頁)。一六世紀前半において、アジアから送付された書簡は、刊行される以前にすでにイエズス会内部で人気を博し、その到着は待ちわびられ、音読されるために書写・回覧された。それゆえ、こうした書簡は、会の綱紀や創立者であるイグナティウス・ロヨラの著書『霊操』が印刷される以前に、会士たちにとってすでに身近な読書対象となっていた(O'Malley

1994: 63, 358)。しかし同時に、機密的情報の外部への流出も危惧されていた。実際、右記のザビエル書簡は、一五五二年から六五年にかけて確認されているだけで九回もの私家版が印刷された(Schurhammer 1964: 609)。さらに、翌六六年にはイエズス会が、ザビエル書簡のラテン語訳を刊行したが、その翻訳には多くの問題があった(Id.: 621-622)。

ザビエル以外にも初期の日本布教に従事したイエズス会の宣教師は、日本で生活した実体験に基づき日本人を分析し、風俗や気候を詳細に観察して記録を遺した。その代表が、初代巡察使アレッサンドロ・ヴァリニャーノによる『日本諸事要録』(一五八三年)、ポルトガル出身のルイス・フロイスによる『日本史』(一五八三―九四年)、『日欧文化比較』(一五八五年)である。後者は、中世以来の「逆さまの世界(トプシー・ターヴィー)」の文学的定型を参照に、日欧の対照的な慣習や風俗を比較したもので、日本語の史料には記録されえなかったような詳細な風俗にも言及されている(Jorissen 1988: 12)。しかし、その史料的価値にもかかわらず、ヴァリニャーノの記録はイエズス会の内部機密として扱われ、フロイスの作品も同時代の西欧で刊行の対象とはならなかった。両者のもたらした日本情報は、ザビエルやほぼ同時期に執筆された日本からの他の書簡とともに、ジョヴァンニ・ピエトロ・マフェイにより翻案され、イエズス会公認の『東洋イエズス会宣教記』(一五七一―八四年)および『インド史』(一五八八年)の一部となった。宣教経験はなく日本への渡航もなかったが、優れた文人であったマフェイの著作は、ザビエル書簡の正しい翻訳、そして会公認の宣教言説が必要であるとの配慮から編纂が企画された(Auberger 2012: 15-17)。特に前者は、一三年間に七カ所で出版され、版本が各地の図書館に多数残されていることから、イエズス会が同書の普及に努めたことが分かる。この著作の出版の経過からも明らかなように、一六世紀半ばからイエズス会は、宣教情報の中でも刊行できる公的情報と、秘匿されるべき内部情報とを分類し報告する指針を定め、前者は読み物として宗教的教化を主眼において編纂されることが目された。その中には、『日本年報』と呼ばれる書簡形式の年次報告も含まれる(Friedrich 2008: 6-8; 清水 二〇一九)。ただし、編集されたとはいえ、刊行された情報が貴重であったことに変わりなく、後世の俗人の旅行記の日本記述、例えばヤン・リンスホーテン著『東方案内記』、リチャード・イーデン著『東西両インド誌』、リチャード・ハクルート編『航海記集』も前記マフェイの著作を参照している(クレインス 二〇一〇：五一頁)。

一方、商人の場合、情報は貿易への利益を左右する因子として重要視され、それが直ちに広く公開、共有されることは稀だった。最初に日本との交易に従事した南欧諸国の商人の記録の中でも、例えば、一六世紀後半から一七世紀初頭にかけて日本在住であったスペイン系商人アビラ・ヒロンの記録は、同時代には公刊されず一九世紀になってやっとその翻刻が出版された。同様に、一六世紀末に日本を訪れたイタリア系商人フランチェスコ・カルレッティの『世界周遊談』も、原本は散逸し、一八世紀の初めに、不完全なテキストが刊行された(ヨリッセン 一九八七：i頁)。例外は、一六一四年に刊行されたフェルナン・メンデス・ピントによる『遍歴記』である。ただし、これは、一部は事実も伝えているものの冒険小説のような語り口をとる娯楽的なピカレスク小説の要素が強いとみなされるのが通説で、その扱いには注意が必要である(岡 二〇一〇：六三頁)。しかしその内容は前述マフェイの著作にも影響を与えた(同 六八頁)。

ポルトガルから五〇年ほど遅れて日本との貿易関係を結んだオランダとイギリスの東インド会社の場合、それぞれ一六〇九年、一六一三年に貿易の拠点として平戸に商館が設けられた。オランダ商館では、帳簿や決議書など彼らの業務に関連する史料の他に、商館員らにより日記が記録されたほか、日本からヨーロッパの本社へ向けて発信された書簡も多数存在する(永積・武田 一九八一：一七、二二五頁)。イギリスの撤退で日本との独占的な貿易関係を獲得したオランダは、「鎖国」体制完成後に商館を平戸から隔絶された出島に移された。商館員たちは、限定的な空間に閉鎖されながら、不定期の江戸への参府の道中で日本の日常生活を垣間見れた。また、出島にあっても、通詞たちや、商館員専門の遊女らとの文通や交流によって日本情報、そして物品を積極的に収集することも可能であった。このため、商館員の中からは、後に「出島の三学者」と呼ばれるようになった三人、すなわちエンゲルベルト・ケンペル(Engelbert Kämpfer、一六五一―一七一六年)、カール・ツベリー(Carl Thunberg、一七四三―一八二八年)、フランツ・フォン・シーボルト(Franz von Siebold、一七九六―一八六六年)ほか様々な学者が輩出された。科学的なアプローチによる彼らの学究の成果は、後に刊行物となり、ヨーロッパに広く普及した(青木 二〇二一:六三―八一頁)。

オランダ東インド会社のもとで来日したヨーロッパ人は、全員がオランダ周辺地域出身とは限らず、ドイツ、フランス、スカンディナヴィア、バルト海沿岸地方の人々をも含む。三十年戦争の影響による不景気で、ドイツの西南地方から海外へ活路を求める若者は、よくオランダ船の乗船員に応募した(クライナー 一九九二:三―六頁)。ただし、彼らに手記があったとしても刊行されず逸失したものも多い。例えば、ウルムの筏師だったミヒャエル・ホーライターの場合、ウルム市議会が、その冒険譚は若者の外国への流出を促しかねないと危惧し、出版の許可を与えなかったという(クライナー 一九九二:二八頁)。

団体としての東インド会社は、自分たちが培ってきた知識を誰にどこまで明かすかということに非常に敏感で、とりわけ地理的な情報については極力管理しようと試みた。東インド会社の船で記録された日誌が出版されるためには、会社の許可が必要となっていた(クレインス 二〇一〇:七五頁)。もちろん、会社内部には、情報を漏洩させる者もいたが、基本的には会社自体や社内の人々は、その希少価値を理解し、知識を資本として扱おうとした(Friedrich 2020)。

一方、イギリス商館は一六二三年に閉鎖されたため、オランダ商館の場合ほど体系的な史料が存在せず、初代にして唯一の商館長となったリチャード・コックス(Richard Cocks、一五六六―一六二四年)による『イギリス商館長日記』および、初めて来日したイギリス船の航海士ジョン・セーリス(John Saris、一五七九頃―一六四三年)の書簡が主要な史料となる。コックスの日記やセーリスの書簡、三浦按針という日本名を徳川家康から与えられ重用されたウィリアム・アダムス(William Adams、一五六四―一六二〇年)の書簡も含む刊行物が、『巡国記』と題され文人サミュエル・パーチャスにより複数回出版されている。これは、ほぼ同時代に得られた情報が公刊された希少な例である(島田 一九八七：一八六頁)。しかし、コックスやセーリスの貴重な史料の全貌が刊行されたのは近代以後であり、近世の日英の貿易関係も短期に終わったことで、イギリスで流通した日本情報は他国経由のものが多く、その一方で他国からの情報に基づく二次創作的日本関連書籍が出版されるようになった。

四、宣教師の日本情報

図1に見られる一六世紀末から一七世紀の出版物数の顕著な増減は、この時期の出版物の大部分を刊行していた教会および修道会が、宣教を通じて得た情報を一律には見ず、一部の出来事を宣伝すべき内容としてとらえていたことを如実に示す。出版物は、近世を通じ、天正少年使節団来欧後(一五八〇年代)に数においては圧倒的なピークを迎え、よく知られたキリシタン迫害すなわち長崎二十六聖人殉教者の刑死、天正少年使節団に倣ってフランシスコ会宣教師らが企画した仙台からの慶長遣欧使節団の来欧、右記二十六聖人殉教者の列福で再度増加している(一六二〇年代)。宣教師のナラティヴに一貫している内容は大別すると二つある。

一つ目は、日本のキリスト教改宗者の使節来欧に象徴される改宗の成果、すなわち実質的な宣教の成功と、日本宣教の潜在的な可能性の強調である。天正少年使節団は、イエズス会の初代日本巡察使ヴァリニャーノにより企画され、一五八二年に日本を発った。八五年、カトリック教会の総本山たる教皇聖座バチカンにおいて教皇に謁見した。こうしてヴァリニャーノは日本での宣教の可能性を印象付けるという目的を達成したのである(伊川 二〇一七)。実際、彼らの来欧は、彼らを目(ま)の当たりにしなかった知識人に対しても強烈な影響を与え、例えば、宗派間対立のさなかにあったスイスのルツェルンの開明的な市民政治家レンヴァルト・ツィザートが、日本におけるキリスト教徒から学ぶために『日本誌』(一五八六年)を執筆するほどであった(踊 二〇〇四)。その後、イエズス会が引率した天正少年使節団の成功に倣い、フランシスコ会宣教師により引率された慶長遣欧使節団(一六一三—一六二〇年)は、仙台の伊達政宗の使節支倉常長とその一行がローマを表敬訪問したもので、マドリッドでは随行員の洗礼式が国王のもとで開催されるなど、異教徒の改宗が感動を呼んだ(佐々木 二〇二一:一三八頁)。

日本への宣教が積極的に展開されていた時期の刊行物は、将来的にキリスト教国になるという希望に満ちた可能性を示唆する意欲のもとに、日本人の風土、性向、ジェンダー(特に女性の貞節さ)、生活、風習、教育制度が分析され、好意的に語られている。とりわけ、宣教師の情報に基づき形成された「知的好奇心が強く、礼儀正しく、仕事に熱心ではあるが、一方で誇り高くて侮辱を我慢できない」といった日本人像は、類型化されてその後の世俗的日本人観一般にも継承されていった(小林 一九九一:一八六頁)。「黄色」という肌概念がなかった時代に、ザビエルは日本人を白人とみなしたが、ヨーロッパ人の目にふれた使節達も例外はあるもののおおむねそのようにとらえられ、その篤いキリスト教信仰とあいまって、ヨーロッパ人に伍する存在として饗応された(デーメル 二〇〇五)。これは、冒頭に言及したペテン師サルマナザールが、敢えて身体的な変装を試みなかった理由である。そこには、金髪碧眼といったヨーロッパ的特徴以上に、信仰の方が人々の区別に大きな影響をふるっていた時代背景がある(Keevak 2004: 47)。また仏教、神道にまつわる信仰の諸相は、キリスト教のライバルであるため偶像崇拝もしくは迷信として例外なく攻撃対象となり、中でも男色のような僧侶の不品行は批判された。

布教に不可欠な道具である言語(文字)は、広く普及した既述のマフェイの書籍でも取り上げられ、日本のキリシタン大名大友宗麟からの書状の影印が挿入されたために、西欧人にとって極めて特異な日本の文字(漢字)が視覚的な衝撃を与えた。この異文化の文字への驚異のまなざしは、エジプトのヒエログリフや中国の漢字を研究対象にしたイエズス会の学者たち、例えばアタナシウス・キルヒャーや、アルノルドゥス・モンタヌスにも引き継がれた。後の探検家ヤン・ニーウホフらによる東インド会社経由の情報に基づく出版物にも漢字への関心がみられ、一七世紀末のデルフトの陶磁器にも漢字のようなものが装飾として表されたほどである(深谷 二〇一八:二八九頁)。サルマナザールは、日本人を騙るために、文字をでっちあげ練習していたが、その背景には、イエズス会がマフェイの著作のような初期の日本関連刊行物から、文字にも顕著に見られる異文化としての日本像を広めた事があるだろう。

ただし、ザビエルが死に際に日本から中国大陸へ向かったことからも分かるように、極東のキリスト教宣教の主戦場は、一六世紀末ごろから中国大陸へ徐々に移行しようとしていた。これは、古来東アジアの文化的中心であった中国がキリスト教化すれば、その影響を受ける周辺国も必然的に改宗できるという長期的な見通しだけでなく、日本において統一政権が成立していく過程で、対外関係も一本化され厳格な管理の対象となり、それに伴い自由な布教が阻害されていった日本国内の変化が背景にある。豊臣政権下の長崎で、現在日本二十六聖人で知られる宣教師とキリシタンが集団で磔刑にされた一五九七年以後は、西欧では、殉教者の栄誉と信仰心を讃えることで日本の信仰の勝利が強く主張されるようになっていった。これが二つ目の内容、すなわち殉教伝化した日本宣教報告の刊行物群である。

殉教とは、信仰もしくは命を棄てるかという究極の選択を、暴力的な手段を持つ権力者(および権力機構)に迫られた結果、信仰を全うし命を落とす犠牲的な行為を言う。西欧キリスト教史上の殉教言説は、苛烈な迫害の上にキリスト教の公認という帰結を迎えた古代ローマ時代が範とされ、信仰の勝利の歴史的記憶と表裏一体になっている。日本でキリスト教が禁止されていく過程も、西欧では頻繁に古代ローマ教会になぞらえられ記述された(小俣ラポー 二〇二三:七九、二二五、二五一、二七六、三三四―三四一頁)。ただし、日本での迫害が語られる時、信仰の勝利が謳われたとしても、それは実質的にはこれ以上の宣教の発展が困難になっている現状の裏返しである。したがって、日本宣教を牽引してきたイエズス会は、殉教者の公的な顕彰の推進には当初消極的ではあった。これに対し、遅れて宣教に参画したフランシスコ会は、前述の二六人の犠牲者の大半を占めたこともあって、殉教者の事件直後から多数の印刷物を刊行し、その聖性を教会に正式に認めさせようと盛んに運動した。実際に、彼らの聖性は一六二七年に列福という新制度で公認され、彼らへの崇敬が限定的ながらも許された。その結果、彼らは対抗宗教改革後に聖性をバチカンに認知された世界で最初の殉教者となった。そのため、これ以降の日本布教に関する言説では、彼らをはじめとする日本での殉教者の栄光は必ず讃えられるようになった。この列福は、ヨーロッパにおける日本の言説の一つの転換点となった(小俣ラポー 二〇二三：六六ー六八頁)。

東アジア宣教を牽引していたイエズス会は、日本で効果をあげた適応主義に基づく宣教スキームを中国大陸で実践する態勢を整えていた。これと並行して、イエズス会は日本の殉教伝をヨーロッパにおいて積極的に出版した。例えば、ペドロ・モレホンの殉教伝は一六一四ー三一年の間に複数回執筆され、その一部はメキシコやスペインで出版された(モレホン 一九七三、一九七四)。後にその内容は、ルイス・ピニェイロにより翻案され『日本王国キリスト教記』(一六一七年)となった(Roldán-Figuera 2021: 198)。さらに、これに依拠し執筆されたのが、ニコラ・トリゴーによる『日本殉教伝』(羅語一六二三年、仏語一六二四年)である。この一連の殉教伝は、表面的には日本の教会の勝利を語っているが、それぞれヨーロッパ各地のカトリック君主に献呈され、その後に企図された中国宣教への資金的な援助を得ることに利用された(小俣 二〇二二)。こうした殉教伝は、磔刑だけでなく、日本で実施された火刑、斬首刑、逆さ吊りなどの苛烈な拷問が描かれ、困難に抗い信仰を堅持する日本のキリスト教徒の不屈の精神が、時には挿し絵も伴い可視化されながら讃えられる(Omata 2020: 304-404)。殉教の栄光によって日本の宣教を語るレトリックは、その後に出版されたコルネリウス・ハザート、フランシスコ・カルディム、マティアス・タナー、フランソワ・ソリエ、ジャン・クラッセ、フランソワ・シャルルボアなどによる日本布教史においても踏襲され、信仰に篤い英雄的な日本人像が描かれ続けた。これは、後にイエズス会においては格好の演劇の題材へと昇華し、彼らの教育機関で頻繁に上演されることで、さらにそのイメージが増幅された(Oba et al. 2021)。実は前述のサルマナザールも、一時期はこうしたイエズス会学校に通い、ラテン語のレトリックをはじめとする彼らの伝統的な人文教育を受けた(Psalmanazar 1765:

67）。困窮した彼が同情をかうために、まずは日本人に変装しようと考えたのも、イエズス会の教育を通じて極度に理想化された日本人像に触れたことが背景にあったかもしれない。

しかし、一六四〇年代以降は、宣教師の情報源のみで殉教伝を執筆することは困難となり、逆に東インド会社の刊行物から情報を得、教会目線で整理して布教史に仕上げて出版されるようになった。例えば、イエズス会神父クラッセの『日本西教史』（一六八九年）の場合は、後述のフランソワ・カロンの情報をまとめたモンタヌスを参考にし、同じくイエズス会士のシャルルボアの『日本教会史』（一七一五年）も後述するケンペルに大きく依拠している。

五、旅行記における日本、科学的学究の対象となった日本

「鎖国」後に宣教師以外が執筆した日本情報として最初に広く読まれたのは、平戸に二十年以上勤務したフランソワ・カロンによる『日本大王国誌』である。これは、東インド会社の機密的情報を例外的に多く掲載したイザーク・コメリン編『東インド会社の起源と発展』（一六四五―四六年）に収録された。初期の英蘭商館員の情報は、ハクルートの『航海記集』のように、宣教師の情報を基本に、新たに情報を混ぜたものが多かった。しかし、カロンの報告は、日本に長期滞在した経験を反映させ、日本の地理、天皇制や将軍といった政治体制、法制度なども詳細に伝え、前述したケンペルの『日本誌』が出版されるまではプロテスタント社会における基本書として何度も英・独・仏・ラテン語で再版された（クレインス 二〇一〇：八二、一〇九頁）。

ケンペルの日本研究が、死後に『日本誌』（一七二七年）と題して最初に英語で出版されると、それ以後の一八世紀のヨーロッパの日本観を決定づけるほどの影響をもった。英語版の出版の二年後にはオランダ語とフランス語訳が出版され、一八世紀半ば以降の世界史や旅行記（例えば、アベ・プレヴォ編『旅行記集成』（一七四六―五九年）などの記述内の

日本関連情報の典拠となった(小関 二〇〇七)。先に言及した**図1**中の一八世紀半ばにおける緩やかな出版のピークの出現は、ケンペルの本の影響力によるものだろう。

ケンペル自身は、ドイツ北部出身で、医学を修めた後にペルシア、東南アジアを経由して出島のオランダ商館の医師に採用された。日本滞在中には医学と関連した植物学への興味から八〇万点におよぶ植物標本を収集、羅針盤を利用し二度の江戸参府の際には精度の高い日本地図を作成するなど、その関心は多岐にわたるが、系統的で客観的な科学的研究を実施した(ハーバーランド 一九九二:二二頁)。また、キリスト教の無謬(むびゅう)性や優越を前提とせずに、日本の信仰の客観的な分析を試み、従来の日本関係の著作では触れられることのなかった儒教に関しても言及したばかりか、ヨーロッパで異教徒とされる日本人も彼らの信仰において敬虔で道徳心にあふれると判断した(ボタルト 一九九〇:一五頁)。日本の江戸時代の対外政策に関しては、欧州帰国後にラテン語により出版された『廻国奇観』(一七一二年)の一章「今日の日本」で、外国による侵略から逃れ平和を保つための有効な手段として高く評価した。この政策を説明した部分は、すでに江戸時代にオランダ語文献から邦訳され「鎖国」の語が誕生したが、これが今日の日本の歴史用語に結実したことはあまりにも有名である(小堀 一九七四:一〇四頁)。このように、ケンペルの記述は、ザビエル以降のポジティヴな日本観の到達点であり、多くの点でヨーロッパに劣らない他者である日本像が詳細な新情報も伴って普及した。一方で理想化されるようになった日本像は、今度はヨーロッパの鑑(かがみ)もしくは風刺の材料として用いられるようになった。

六、鑑としての日本、パロディとしての日本

ケンペルの『日本誌』は、フランスで一七五一—六五年にかけてディドロ、ダランベールに編纂された『百科全

書』にも参照された。『百科全書』は、当時の知識の一般的体系を項目ごとに整理して提示し、将来的にその知識の総体を継承することを目的に編纂された。日本に関連する記事は六五項目にのぼり、「日本」という国だけで単独の項目が形成され、論文に匹敵する長い説明が見られることから、その情報が百科全書派の人々およびその影響を受けた啓蒙思想家に重要であったことが示唆される(中川 一九九四：三三〇頁)。ただし、そこで展開される日本の政治体制および宗教に関する論考は、一見日本について語っているかのように見えて、その実ヨーロッパの状況が念頭におかれている。例えば、ケンペルの分析に倣い、日本の天皇はヨーロッパのローマ教皇に、将軍は現世的統治者になぞらえられるが、ここでは「かくして専制政治と迷信とは互いに手を貸しあう」と述べられて、暗にローマ教皇とヨーロッパの旧体制の君主たちが批判の的となっている(中川 一九九四：三六五頁)。また、ヴォルテールは『諸国民の風俗と精神について』(一七五六年)において、宗教に対する日本人の寛容な態度を、やはりケンペルの解説から紹介し、逆にキリスト教批判を行った(市川 一九七八)。

一方で、過去の宣教師の日本情報に基づき刊行され続けた殉教伝的性格の強い布教史は、殉教者の成立に欠かせない日本の為政者、すなわち暴君の残虐さを印象づけていた。これは、カトリック教会においては、殉教者が列福されるためには、迫害が暴君の下で法的に行われたかが条件であったがゆえの必然的な表現であった。(小俣ラポー 二〇二三：一〇〇―一〇四頁)これを受け、同時期の啓蒙思想家でもモンテスキューは、『法の精神』(一七四八年)で政治体制を分析する中で、恐怖支配を敢行する専制主義の国の代表として日本を非難した。ここでは、残酷さがキリスト教不在によると理解され、東洋と専制のカテゴリーは混同されないものの巧妙に重ね合わせられた。これは、後のマルクスのアジア的専制、ひいてはウィットフォーゲルの東洋的専制の概念の系譜に連なっていくまなざしでもあった(ドロン 二〇〇六)。

カロンやケンペルといった実証的な日本情報がもたらされていたとはいえ、日本は依然として(直接の交流のなかった国にとって)ミステリアスな国であり続け、断片的な情報をもとにオリエンタルテールと言われた旅行記から派生した文学的作品群のインスピレーションの源泉となった。文学とはいっても、異国の出来事を語るというナラティヴをとりながら、その実ヨーロッパの諸相を風刺している点では、啓蒙思想家のレトリック内の日本像の利用と似通っている。その例が顕著に見られるのがイギリスで、ケンペル以前には、ダニエル・デフォー作『ロビンソン・クルーソー漂流記』(一七一九年)で日本が残酷な土地として言及されたほか、ジョナサン・スウィフト作『ガリヴァー旅行記』(一七二六年)では日本の踏み絵が登場する(松尾 二〇一八:一〇九頁)。ケンペルの『日本誌』に触発されて書かれたのは、トバイアス・スモレットによる『アトムの冒険』(一七六九年)で、「輪廻転生」の概念をヒントに原子たるアトムが平戸の船員の体の一部になって冒険し、転生を続けるピカレスク小説である。スモレットがこの奇想天外な小説で描こうと企図していたのは、実際は英国の政治のパロディであり、想像上の日本のイメージですらなかったが、小説が「日本」というレーベルをまとうことでスモレットは逮捕もされなかった。スモレットは、この小説の執筆前に、複数の文人らと八巻ものの『近世万国誌』(一七六八―六九年)という壮大な学術的世界史を執筆するなかで、ケンペルの『日本誌』に触れインスピレーションを得たのである(島田 一九八七:二三―三四頁)。この世界史の編纂に同時に参加していたのが、イギリスに渡った冒頭のペテン師、存在そのものがパロディであったサルマナザールその人であった(Psalmanazar 1765: 245)。

参考文献

伊川健二(二〇一七)『世界史のなかの天正遣欧使節』吉川弘文館。

市川慎一(一九七八)「ヴォルテールにおけるシナと日本の幻影(ミラージュ)」『思想』六四九号。

彌永信美(一九八七)『幻想の東洋――オリエンタリズムの系譜』青土社(ちくま学芸文庫、二〇〇五年)。

岡美穂子(二〇一〇)『商人と宣教師 南蛮貿易の世界』東京大学出版会。

踊共二(二〇〇四)「白い肌のアジア人――レンヴァルト・ツィザートの『日本誌』(一五八六年)を読む」『武蔵大学人文学会雑誌』三五―四。

小俣ラポー日登美(二〇二一)「絵はことばを裏切る――ニコラ・トリゴー『日本殉教史』(一六二三/一六二四)の挿絵とテクスト」『京都市立芸術大学美術学部紀要』六五号。

小俣ラポー日登美(二〇二三)『殉教の日本――近世ヨーロッパにおける宣教のレトリック』名古屋大学出版会。

片桐一男(二〇二一)『阿蘭陀通詞』講談社学術文庫。

岸野久(一九八九)『西洋人の日本発見――ザビエル来日前日本情報の研究』吉川弘文館。

クライナー、ヨーゼフ編著(一九九二)「ケンペルとヨーロッパの日本観」『ケンペルのみたトクガワ・ジャパン』六興出版。

クレインス、フレデリック(二〇一〇)『十七世紀のオランダ人が見た日本』臨川書店。

小関武史(二〇〇七)「情報の使い回し――ケンペル『日本誌』からプレヴォ『旅行記集成』へ、さらにラ・アルプ『旅行記集成摘要』へ」中川久定研究代表『「一つの世界」の成立とその条件』国際高等研究所。

小林善彦(一九九一)「ヨーロッパ人が見た日本人――一六世紀から一八世紀まで」中川久定編『ディドロ、一八世紀のヨーロッパと日本』岩波書店。

小堀桂一郎(一九七四)『鎖国の思想――ケンペルの世界史的使命』中公新書。

齋藤ひさ子・蛭田顕子・渡邉富久子(二〇〇八)「日本関係洋古書の我が国での所蔵状況について」『参考書誌研究』第六八号。

佐々木徹(二〇二一)『慶長遣欧使節――伊達政宗が夢見た国際外交』吉川弘文館。

サルマナザール、ジョージ(二〇二一)『フォルモサ 台湾と日本の地理歴史』原田範行訳、平凡社ライブラリー。

島田孝右(一九八七)『菊とライオン――日英交流史にみる日本情報のルーツ』社会思想社。

清水有子(二〇一九)「イエズス会日本年報の活用をめぐって」『歴史評論』八三四号。

築島謙三(二〇〇〇)『「日本人論」の中の日本人』上巻(ザビエルから幕末まで)、講談社学術文庫。

デーメル、ヴァルター(二〇〇五)「近世ヨーロッパにおける日本人と中国人のイメージ――身体的特徴・習俗・技術 極東の文化へのさまざまなアプローチの比較」中村武司訳、『パブリック・ヒストリー』第二号。

ドロン、ミシェル（二〇〇六）「東洋的残酷さについて」辻部大介訳、中川久定／J・シュローバハ編『十八世紀における他者のイメージ――アジアの側から、そしてヨーロッパの側から』河合文化教育研究所。

中川久定（一九九四）『啓蒙の世紀の光のもとで――ディドロと『百科全書』』岩波書店。

永積洋子・武田万里子（一九八一）『平戸オランダ商館・イギリス商館日記碧眼のみた近世の日本と鎖国への道』株式会社そしえて。

ハーバーランド、デトレフ（一九九二）「エンゲルベルト・ケンペル」ヨーゼフ・クライナー編『ケンペルのみたトクガワ・ジャパン』六興出版。

原田範行（二〇一八）「近代小説の誕生と日本表象――サルマナザール、デフォー、スウィフト」『十八世紀イギリス文学研究』六号。

深谷訓子（二〇一八）「書画同源？ オランダと漢字の出会い」、幸福輝編『17世紀オランダ美術と〈アジア〉』中央公論美術出版。

ボダルト＝ベーリー、ベアトリス・M（一九九〇）「エンゲルベルト・ケンペル（一六五一―一七一六）」『ケンペル展 ドイツ人の見た元禄時代』ドイツ―日本研究所。

松尾龍之介（二〇一八）『踏み絵とガリバー――《鎖国日本をめぐるオランダとイギリス》』弦書房。

松方冬子（二〇一〇）『オランダ風説書――「鎖国」日本に語られた「世界」』中公新書。

松田清（一九九八）『洋学の書誌的研究』臨川書店。

宮永孝（二〇一九）「近世における西洋人の日本人観」『社会志林』六六巻、三号。

モレホン、ペドゥロ（一九七三、一九七四）『続 日本殉教録』佐久間正・野間一正訳、『日本殉教録』佐久間正訳、キリシタン文化研究会。

ヨリッセン、エンゲルベルト（一九八七）『カルレッティ氏の東洋見聞録――あるイタリア商人が見た秀吉時代の世界と日本』谷進・志田裕朗訳、PHP研究所。

洋学史学会監修（二〇二一）『洋学史研究事典』青木歳幸ほか編、思文閣出版。

ル・ゴフ、ジャック（二〇〇七）『もうひとつの中世のために――西洋における時間、労働、そして文化』加納修訳、白水社。

Auberger, Janick (2012), *Quand les Jésuites veulent comprendre*, Presses de l'Université du Québec.

Friedrich, Markus (2008), "Circulating and Compling the *Literae Annuae*: Towards a History of the Jesuit System of Communication", *Archivum Historicum Societatis Iesu*, 77-153.

Friedrich, Susanne (2020), *Ökonomien des Wissens: Die epistemischen Kulturen der Verenigde Oost-indische Compagnie in der ersten Hälfte des 17. Jahrhunderts*, Hb. Thesis.

Jorissen, Engelbert (1988), *Das Japanbild im „Traktat" (1585) des Luis Frois*, Münster, Aschendorff.

Kapitza, Peter (1990), *Japan in Europa Texte und Bilddokumente zur europäischen Japankenntnis von Marco Polo bis Wilhelm von Humboldt Bd. 1 & 2*, München, Iudicium Verlag.

Keevak, Michael (2004), *The Pretended Asian: George Psalmanazar's Eighteenth-century Formosan Hoax*, Detroit, Wayne State University Press.

Nicasio, Salvador Miguel (2007), "Libros y Lecturas de Cristóbal Colón", Armando López Casto et al. (eds.), *Actas del XI Congreso Internacional de la Asociación Hispánica de Literatura Medieval*, vol. I, León, Pub. de Universidad de León.

Oba, Haruka, Akihiko Watanabe et al. (2021), *Japan on the Jesuit Stage: Transmissions, Receptions, and Regional Contexts*, Leiden, Brill.

O'Malley, John W. (1994), *The First Jesuits*, Cambridge, Harvard Univ. Press.

Omata Rappo, Hitomi (2020), *Des Indes lointaines aux scènes des collèges: Les reflets des martyrs de la mission japonaise en Europe (XVIe–XVIIIe siècle)*, Münster, Aschendorff.

Psalmanazar, George (1765), *Memoires of **** (sic). Commonly known by the Name of GEORGE PSALMANAZAR*, 2nd ed., London, R. Davis.

Roldán-Figueroa, Rady (2021), *The Martyrs of Japan: Publication History and Catholic Missions in the Spanish World (Spain, New Spain, and the Philippines, 1597–1700)*, Leiden, Brill.

Schurhammer, Gerog (1964), *Gesammelte Studien 3: Xaveriana*, Roma, Institutum Histricum S. I.

Swiderski, Richard M. (1991), *The False Formosan: George Psalmanazar and the Eighteenth-Century Experiment of Identity*, San Francisco, Mellen Research University Press.

コラム｜*Column*

『鎖国論』の「鎖国」

西澤美穂子

「鎖国」という言葉は、元オランダ稽古通詞の志筑忠雄によって生み出されたことは定説となっている。ケンペルの『日本誌』蘭語再版 E. Kaempfer, *De Beschryving van Japan*, 1733の付録第六編の題名を、志筑が「今の日本人が全国を鎖して国民をして国中国外に限らず、敢て異域の人と通商せざらしむる事、実に所益あるによれりや否やの論」と翻訳し、この長い題名を短くするため『鎖国論』と名付けたことが、きっかけであったという。内容は、ケンペルの考察が鎖国肯定論であることから、当然、その翻訳の『鎖国論』も鎖国肯定論となる。この著書の刊行は一八〇一年であり、ケンペルの日本滞在時から一〇〇年以上も経ってはいたが、ロシアとの関係が緊迫していた当時の状況に鑑み、日本が選んだ対外政策は今でも有意義であるということを主張したかった、というのが翻訳の理由であろうか。

　しかし、『鎖国論』を読んで思うことは、わざわざ「鎖国」という言葉を造る必要があったのだろうか、ということである。長い題名を縮めるにしても、縮め方はいくらでも思いついたであろうし、そもそもオランダ語の原文には、「鎖国」に見合う名詞は、ほぼない。頭注に二つの名詞「opsluyting」「sluyting」があるが、志筑は頭注の翻訳を省略している。また動詞についても、「insluyten」「opgesloten」「toegesloten」は「鎖国する」ではなく、「鎖閉する」「鎖す」等と翻訳されている。一方、『鎖国論』で「鎖国」の語が出てくるのは、原文では指示代名詞のような語が用いられている箇所か、原文にはない見解を志筑自身が補った箇所である。つまり、原文の翻訳を行うのであれば、「鎖国」という言葉がなくても問題はないのである。

　また、なぜ「閉国」ではなく「鎖国」なのかということも、先行研究にてよく指摘されているところである。ただ、これに関して一つ考えられるのは、『鎖国論』の中で、「開国」が使用されているためではないか、ということである。「開国」の使用は、本文で一回(de grondlegging van de Monarchie の翻訳)、割注で二回(志筑の見解のため原語なし)であり、いずれも「建国」という意味で用いられている。「閉国」が「建国」の反対の意味というのも変ではあるが、漢字から受ける印象として「開国」の対義語のように見えるので、混乱を避けるために「鎖国」にしたのではないだろうか。ただし、「鎖国」が後に、「開国」の対義語に成り得ることを、翻訳中に志筑は感じていたのかもしれない。

　加えて、「鎖国」は「鎖す国」という意味ではあるが、「鎖の国」と捉えることもできる。ここから思い描くイメージは、

ケンペル『日本誌』蘭語版(1729年)扉絵

入ってこられないように日本の周りを鎖で囲っている画像であろうか。しかし、それは現在を生きている人間の鎖の使い方であって、ここで思い浮かべるべき江戸時代の使い方は、手鎖や足枷のような拘束の道具の鎖、つまり、鎖でグルグル巻きにされた日本の姿なのではないだろうか。

　以上、いくつか疑問を挙げたのは、志筑は本当に「鎖国」を肯定していたのだろうかと疑っているからである。そもそも志筑の翻訳業績は、『暦象新書』を代表とする科学分野と、翻訳の基盤である語学分野の書物が中心であり、つまり彼は日本国内で最も西洋の学問を理解することのできた一人であった。また、その翻訳過程において造られた「重力」「真空」「動詞」「代名詞」等の語句は現在も使用されていることから、志筑の造語の才能は確かなものと言えるだろう。このような、科学分野の論考を的確に伝える翻訳や造語の能力を持つ志筑が、諸外国との交流を極端に制限し、自分は外国に行くこともできない当時の政策を、果たして良いと思っていたのだろうか。本当は鎖で身動きの取れない息苦しさに耐えられないと考えていたのではないだろうか。しかし、言論統制の厳しい環境において、それを表現することは身を危険に晒すことになるため、ケンペルの論考に乗じて幕府批判を隠し、その上で批判を含ませた「鎖国」を、分かる人には分かる言葉として挿入したのではないだろうか、と。

　もちろん、これは単なる憶測であり、志筑の記録等で確認する以外に、証明する手立てはない。残念ながら、これまでそのような史料の発見はなく、蘭学者や通詞の立場の危うさを感じていたであろう志筑が証拠を残すとも思えないため、おそらく今後も見つからないだろう。しかし一つだけ確かなことは、幕末に「非文明国」「野蛮国」の意味が加わったことで、「鎖国」は否定的なイメージの言葉となり、幕府を倒す力を持ったということである。もし志筑の思惑が前述の通りであるならば、「鎖国」は大いに力を発揮したことになるだろう。

【執筆者一覧】

坂下　史(さかした ちかし)
1965年生．東京女子大学現代教養学部教授．イギリス近世・近代史．

踊　共二(おどり ともじ)
1960年生．武蔵大学教授．西洋近世史・東西交流史．

小野塚知二(おのづか ともじ)
1957年生．東京大学特命教授．西洋社会経済史．

松浦義弘(まつうら よしひろ)
1952年生．成蹊大学名誉教授．フランス近代史・史学史．

小山啓子(こやま けいこ)
1971年生．神戸大学大学院人文学研究科教授．フランス近世史．

後藤はる美(ごとう はるみ)
東洋大学文学部准教授．イギリス近世史．

豊川浩一(とよかわ こういち)
1956年生．明治大学文学部教授．ロシア近世・近代史．

弓削尚子(ゆげ なおこ)
1968年生．早稲田大学法学学術院教授．ドイツ史・ジェンダー史．

中野勝郎(なかの かつろう)
1958年生．法政大学法学部教授．アメリカ政治史．

小俣ラポー日登美(おまたらぽー ひとみ)
京都大学白眉センター／人文科学研究所特定准教授．近世ヨーロッパ・キリスト教思想史．

明石欽司(あかし きんじ)
九州大学大学院法学研究院教授．国際法．

黒川正剛(くろかわ まさたけ)
1970年生．太成学院大学教授．西洋中世・近世史．

桜田美津夫(さくらだ みつお)
1955年生．就実大学名誉教授．オランダ近世史．

西澤美穂子(にしざわ みほこ)
1972年生．鶴見大学文学部准教授．日蘭関係史．

【責任編集】

木畑洋一（きばた よういち）
1946年生．東京大学・成城大学名誉教授．イギリス近現代史・国際関係史．『帝国航路（エンパイアルート）を往く――イギリス植民地と近代日本』（岩波書店，2018年）．

安村直己（やすむら なおき）
1963年生．青山学院大学文学部教授．ラテンアメリカ史．『コルテスとピサロ――遍歴と定住のはざまで生きた征服者』（山川出版社，2016年）．

岩波講座 世界歴史 15　第17回配本（全24巻）

主権国家と革命 15～18世紀

2023年3月24日 第1刷発行

発行者 坂本政謙

発行所 株式会社 岩波書店 〒101-8002 東京都千代田区一ツ橋2-5-5
電話案内 03-5210-4000 https://www.iwanami.co.jp/

印刷・法令印刷 カバー・半七印刷 製本・牧製本

ISBN 978-4-00-011425-7

岩波講座

世界歴史

A5 判上製・平均 320 頁（黒丸数字は既刊，＊は次回配本）

全㉔巻の構成

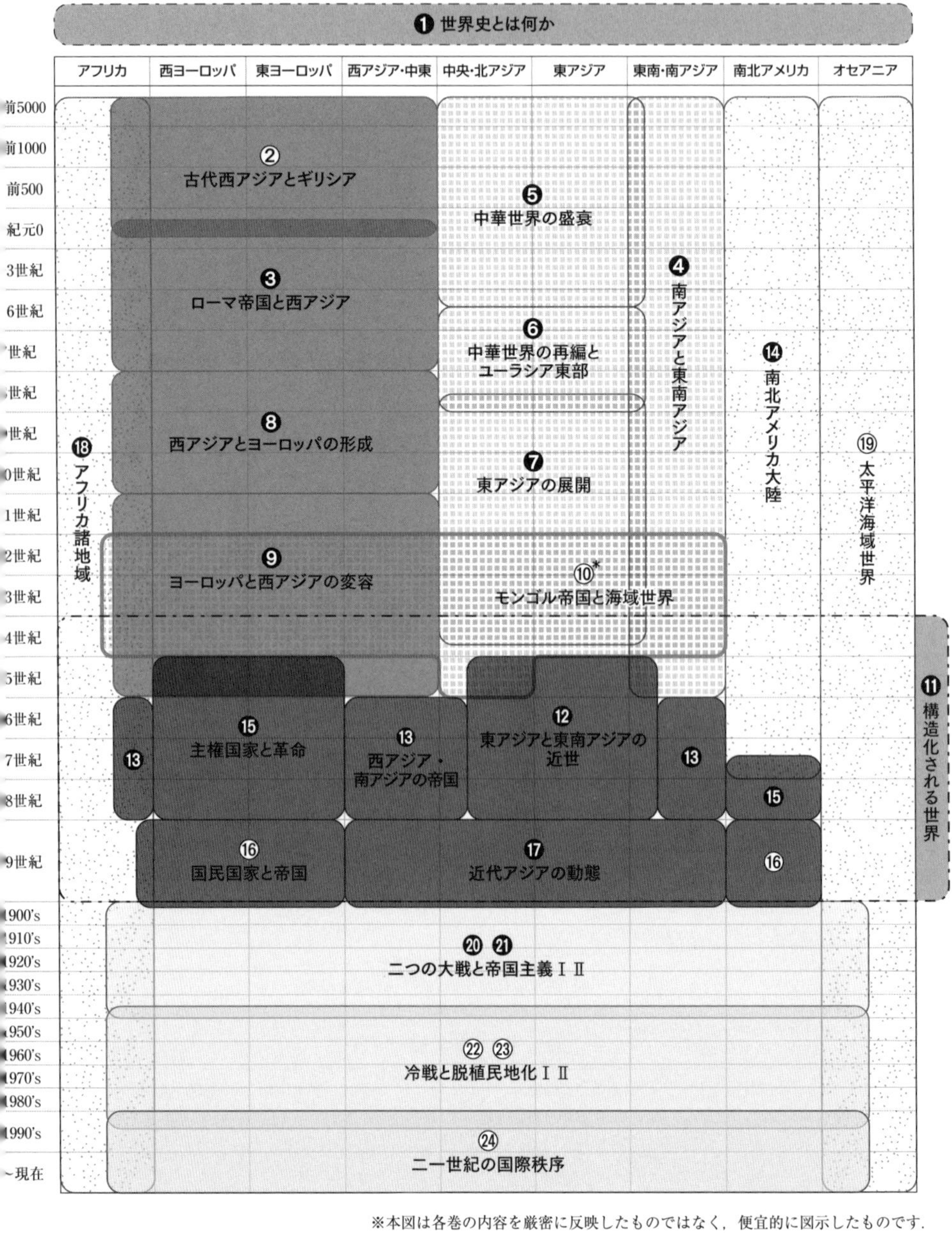

※本図は各巻の内容を厳密に反映したものではなく，便宜的に図示したものです．